AULA
INTERNACIONAL
2

AULA INTERNACIONAL 2

Autores: Jaime Corpas, Agustín Garmendia, Carmen Soriano
Coordinación pedagógica: Neus Sans
Asesoría y revisión: Manuela Gil-Toresano
Asesoría y redacción de las secciones "Más gramática" y "Más cultura": Bibiana Tonnelier
Coordinación editorial: Pablo Garrido
Redacción: Eduard Sancho
Documentación: Olga Mias

Diseño: CIFR4
Ilustraciones: Roger Zanni *excepto:* Unidad 4 pág. 35 Javier Andrada (1, 3, 4 y 5), Unidad 9 pág. 79 Aleix Pons, pág. 80 David Revilla

Fotografías: Frank Kalero *excepto:* Unidad 1 pág. 9 Michael Prince/Corbis, pág. 12 Manuel Tienda (Paul), pág. 16 Eduardo Cesario (mate), Elvele Images/Alamy (escultura Botero), Fotos Internacional-KPA-ZUMA/ALBUM (J. Drexler), M. Belver (Cuba), COVER (G. Márquez) / Unidad 2 pág. 17 Photonica, pág. 18 Tim Wood, Enrique Menossi, pág. 22 Cagatay Cevik (Jorge), Marko Matovic (lámpara de mesa), pág. 24 Carmen Soriano / Unidad 3 pág. 25 Israel Aranda, pág. 30 Teresa Estrada, pág. 32 M. Belver (01), Bartlomiej Stroinski (04) / Unidad 4 pág. 33 Claudio Sorrentino, pág. 40 Ozan Uzel (Guillermo), Teresa Estrada (Omar) / Unidad 5 pág. 41 Patrick Ward/CORBIS, pág. 43 Victoria Aragonés (Venezuela), Mireia Boadella (Nueva York), Jaime Corpas (Argentina), pág. 44 Chrissi Nerantzi, pág. 47 Miguel Raurich / Unidad 6 pág. 49 Andre Jenny/Alamy, pág. 50 Nick Lobeck (lechuga), Pat Herman (patatas), Erik Dungan (tomates), David Eisenberg (melocotones), pág. 52 Foodpix (melón con jamón), pág. 56 J.M. Palau (avellanas), Semar (sobrasada) / Unidad 7 pág. 57 Charles O'Rear/CORBIS, pág. 58 Centro Kursaal (Kursaal), restaurante Arzak (Arzak), A. Garmendia (Museo Chillida), pág. 59 LIONS GATE FILMS/Album (Amores Perros) / Unidad 8 pág. 65 Rick Doyle/CORBIS, pág. 66 El Deseo Producciones Cinematográficas (G. G. Bernal), pág. 72 Europa Press / Unidad 9 págs. 73/74 Archivo histórico provincial de Lugo, pág. 75 Luis Alves, pág. 76 A. Garmendia, pág. 78 Lieven Volckaert (ruedas) / Unidad 10 pág. 81 Photonica/COVER, pág. 82 Horacio Villalobos/Corbis (Argentina), Europa Press (Golpe de estado), Agence L.A.P.I. 28304 droits reservés (Liberación de París), pág. 83 Jorge Camacho (R. Arenas), pág. 87 Jeff Osborn (niña emocionada), Bob Smith (miedo), Rick Hawkins (chica riendo), T. Rolf (sin palabras), pág. 88 KORPA (F. Alonso, P. Gasol), CORBIS (R. Nadal) / Unidad 11 pág. 89 Robert van der Hilst/CORBIS, pág. 96 Nestlé España, S.A., Mapa Spontex ibérica, S.A., Adidas España, S.A., Henkel ibérica, Myrurgia, Antonio Puig, Paredes / Más ejercicios pág. 107 Lotus Head, pág. 110 T. Estrada (1), Helmut Gever (2), pág. 113 Vedrana Bosnjak (1), José B. Crespo Abal (2), pág. 117 Haraldo Cesar Saletti (filho), pág. 119 Robert Llewellyn/CORBIS, 122 Laura Díaz, pág. 135 Volvo / Más cultura pág. 142 Marie Gamache (Qc, Canada), Markus Blehal (www.westausgang.de), Leonardo M. Falaschini (www.liondart.com), Tijs Gerritsen, Hans Renner, Kevin Rohr, Crissie Hardy, Paulo Jales, José A. Warletta, Kim Nguyen, Mark Forman, Mariano Arriaga, pág. 144 B. Tonnelier (casa), pág. 145 B. Tonnelier (casa), Luis Rock (rascacielos), pág. 146 Dora Maar, VEGAP, Barcelona 2005, pág. 147 Pablo Picasso, VEGAP, Barcelona 2005, pág. 148 Adam Kurzok (taxi), Davide Guglielmo (vaso de agua), pág. 149 Miguel Raurich (Cabo de Gata, Picos de Europa, La Albufera, Sierra Nevada, islas Cíes), Jordi Longàs (Garajonay), pág. 150 Rene Cerney (campo de maíz), Matt Williams (mazorcas), Johan Westling (copos de maíz), Christy Thompson (vaca), Adam Ciesielski (chocolate), Judi Seiber (pizza), pág. 153 Markus Blehal (Atacama), Leonardo Andres Morales (Bariloche), Luis Rock (Buenos Aires), Gian Berto Vanni/CORBIS (Oruro), Dennis Saddik (Perito Moreno), pág. 154 CUSTO Barcelona, pág. 155 Katie Bianchin (pueblos de America Latina), Fernando Botero (Medellín, 1932) *Monalisa*, 1978, Óleo sobre tela (183 x 166 cm) Museo Botero, Bogotá (Colección Banco de la República de Colombia, Registro 3380), pág. 156 COVER (A. Grandes, G. Márquez), Eduardo Longoni/Corbis (Benedetti), pág. 158 Mirko Delcaldo, pág. 159 Alamy (mate), Julio Donoso/Corbis (Chiloé), pág. 161 Fundación de Ayuda contra la Drogadicción (campañas nº 22: "Todos somos responsables", enero, 2003 y nº 23: "No sabes lo que te metes", julio, 2003), pág. 162 Claudio Sorrentino, pág. 163 O. Alamany & E. Vicens/CORBIS (lince), Fundación Oso Pardo (osos), Jack Fields/CORBIS (tapir), Brandon D. Cole/CORBIS (manatí), Galen Rowell/CORBIS (cóndor), Kit Kittle/CORBIS (guanacos), John Conrad/CORBIS (tortuga), Kennan Ward/CORBIS (jaguar), CORBIS (mono araña), Daniel J. Cox/CORBIS (oso andino)

© *Sí* de Julieta Venegas, BMG Spain / © *Mal de amores* de Ángeles Mastretta, Grupo Santillana Ediciones / © *Lujo ibérico* de Mala Rodríguez, Universal Music Spain / © *Estrella de mar* de Amaral, EMI Music / © *Malena es un nombre de tango* de Almudena Grandes, 1994 (publicado originalmente por Tusquets Editores, S.A., Barcelona) / © *La ciudad de los prodigios* de Eduardo Mendoza, Seix Barral / © *¿Qué me quieres, amor?* de Manuel Rivas, Suma de letras / © *Más* de Alejandro Sanz por cortesía de Warner Music / © *El otro lado de la cama*, Telespan 2000 / © *Juana la loca*, Enrique Cerezo

Contenido del CD audio: © "Bailando" de Nacho Canut y Carlos Berlanga, Ediciones Musicales Hispavox, S. A., interpretada por Clara Luna © "Un año de amor" de Luz Casal, EMI Music Spain, interpretada por Clara Luna © Fundación de Ayuda contra la Drogadicción (campaña nº 22: "Todos somos responsables", enero, 2003) **Locutores:** Begoña Pavón (España), Jorge Peña (España), Leila Salem (Argentina), Mª Isabel Cruz (Colombia), Guillermo García (Argentina), Paulina Fariza (España), David Velasco (España), Nuria Viu (España), Cristina Carrasco (España), Mamen Rivera (España), Camilo Parada (Chile).

Agradecimientos: Léster Gutiérrez Cruz (Nicaragua), Ana Gulías, Ignacio Alonso Pérez, Natalia Elies (*Habitania*), Centro Kursaal, Industrias Semar (Mallorca), Pedro Santa Cruz Castillo, Chrissi y Odysseas, Cooperativa del campo Virgen de la Esperanza, Mila Lozano, Pablo Lacolla, Julián Kancepolski, Siria Gómez, J. M. Palau, Josean Cantalapiedra, Fundación Oso Pardo, Fundación de Ayuda contra la Drogadicción, Eva Velasco, Alicia Gómez

© Los autores y Difusión, S.L. Barcelona 2005
ISBN: 978-84-8443-230-2
Depósito legal: TO-593-2005
Impreso en España por Novoprint
Reimpresión: septiembre 2009

difusión
Centro de
Investigación y
Publicaciones
de Idiomas, S. L.

C/ Trafalgar, 10, entlo. 1ª
08010 Barcelona
Tel. (+34) 93 268 03 00
Fax (+34) 93 310 33 40
editorial@difusion.com

www.difusion.com

AULA
INTERNACIONAL
2

Jaime Corpas
Agustín Garmendia
Carmen Soriano

Coordinación pedagógica
Neus Sans

CÓMO ES AULA INTERNACIONAL

Este volumen consta de 12 unidades didácticas que presentan la siguiente estructura:

1. COMPRENDER

Se presentan textos y documentos muy variados (anuncios, entrevistas, artículos, fragmentos literarios, etc.) que contextualizan los contenidos lingüísticos y comunicativos básicos de la unidad, y frente a los que los alumnos desarrollan fundamentalmente actividades de comprensión.

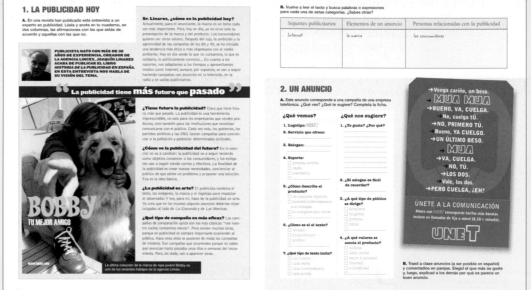

2. EXPLORAR Y REFLEXIONAR

En el segundo bloque, los alumnos realizan un trabajo de observación de la lengua a partir de nuevas muestras o de pequeños corpus. Se trata de ofrecer un nuevo soporte para la tradicional clase de gramática con el que los alumnos, dirigidos por el propio material y por el profesor, descubren el funcionamiento de la lengua en sus diferentes niveles (morfológico, léxico, sintáctico, funcional, discursivo…).

Se trata, por tanto, de ofrecer herramientas alternativas para potenciar y para activar el conocimiento explícito de reglas, sin tener que caer en una clase magistral de gramática. En el mismo apartado, se presentan esquemas gramaticales y funcionales a modo de cuadros de consulta. Con ellos, se ha perseguido, ante todo, la claridad, sin renunciar a una aproximación comunicativa y de uso a la gramática.

3. PRACTICAR Y COMUNICAR

El tercer bloque está dedicado a la práctica lingüística y comunicativa. Incluye propuestas de trabajo muy variadas, pero que siempre consideran la significatividad y la implicación del alumno en su uso de la lengua. El objetivo es experimentar el funcionamiento de la lengua a través de "microtareas comunicativas" en las que se practican los contenidos presentados en la unidad. Muchas de las actividades que encontramos en esta parte del manual están basadas en la experiencia del alumno: sus observaciones y su percepción del entorno se convierten en material de reflexión intercultural y en un potente estímulo para la interacción comunicativa dentro del grupo-clase.

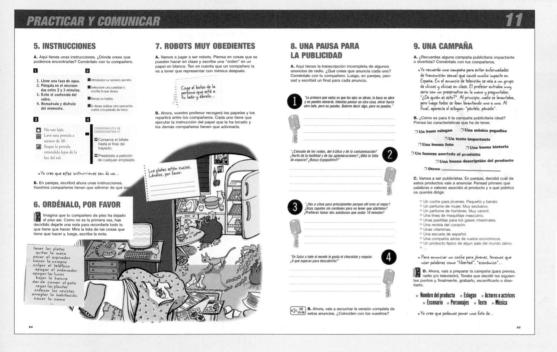

Al final de esta sección, se proponen una o varias tareas cuyo objetivo es ejercitar verdaderos procesos de comunicación en el seno del grupo, que implican diversas destrezas y que se concretan en un producto final escrito u oral (una escenificación, un póster, la resolución negociada a un problema, etc.).

Este icono señala qué actividades pueden ser incorporadas a tu PORTFOLIO.

4. VIAJAR

El último bloque de cada unidad incluye materiales con contenido cultural (artículos periodísticos, textos divulgativos, canciones, fragmentos literarios, juegos...) vinculados temáticamente con la unidad y que ayudan al alumno a comprender mejor la realidad cotidiana y cultural de los países de habla hispana.

Además, el libro se completa con las siguientes secciones:

MÁS EJERCICIOS

En este apartado se proponen nuevas actividades de práctica formal que estimulan la reflexión y la fijación de los aspectos lingüísticos presentados en las unidades. Los ejercicios están diseñados de modo que los alumnos los puedan realizar de forma autónoma, aunque también pueden ser utilizados en la clase para ejercitar aspectos gramaticales y léxicos de la secuencia.

MÁS CULTURA

Esta sección incluye una selección de textos de diferentes tipos (artículos, fragmentos literarios, anuncios, etc.) y explotaciones pensadas para que el estudiante amplíe sus conocimientos sobre temas culturales relacionados con los contenidos de las unidades. El carácter complementario de esta sección permite al profesor incorporar estos contenidos a sus clases y al estudiante profundizar en el estudio del español por su cuenta.

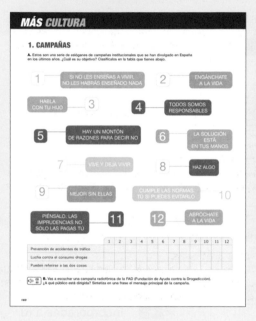

MÁS INFORMACIÓN

Al final del libro se incluye una serie de fichas enciclopédicas con información sobre las diferentes comunidades autónomas de España.

MÁS GRAMÁTICA

Además del apartado de gramática incluido en cada unidad, el libro cuenta con una sección que aborda de forma más extensa y detallada todos los puntos gramaticales de las diferentes unidades. Se incluyen, asimismo, modelos de conjugación para todos los tiempos verbales, así como una lista de verbos y sus modelos de conjugación correspondientes.

ÍNDICE

1

EL ESPAÑOL Y TÚ

En esta unidad vamos a

hacer recomendaciones a nuestros compañeros para aprender mejor el español

Para ello vamos a repasar y/o a aprender:

> a hablar de hábitos > a expresar duración
> a preguntar y a responder sobre motivaciones
> a hablar de dificultades > a hacer recomendaciones
> los presentes regulares e irregulares
> verbos reflexivos > **porque/para**

COMPRENDER

1. TEST ORAL

CD 1 **A.** Barbara está en la Costa del Sol para hacer un curso de español. En su escuela le han hecho una entrevista para conocer su nivel. Escucha y completa la ficha.

Test oral
Cursos intensivos de español
Academia Mediterráneo

- NOMBRE:
- PAÍS:
- TIEMPO QUE PIENSA ESTAR EN ESPAÑA:
- PROFESIÓN:
- OTROS IDIOMAS:
- ¿POR QUÉ ESTUDIA ESPAÑOL?
- ¿CUÁNTO TIEMPO HACE QUE ESTUDIA ESPAÑOL?
- COSAS QUE LE GUSTA HACER EN CLASE:
- DIFICULTADES QUE TIENE CON EL ESPAÑOL:
- AFICIONES:

CD 1 **B.** Compara tu ficha con la de un compañero. ¿Tenéis toda la información? Podéis volver a escuchar la entrevista para completar los datos que os faltan.

C. Formula las siguientes preguntas a tu compañero y anota sus respuestas.

1. ¿Cómo te llamas?
2. ¿De dónde eres?
3. ¿A qué te dedicas?
4. ¿Cuántos idiomas hablas?
5. ¿Por qué estudias español?
   - [ ] Para conseguir un trabajo mejor.
   - [ ] Porque tengo que hacer un examen.
   - [ ] Porque tengo amigos españoles/latinoamericanos.
   - [ ] Para conocer otra cultura, otra forma de ser.
   - [ ] Porque quiero pasar un tiempo en algún país de habla hispana.
   - [ ] Porque necesito el español para mi trabajo.
   - [ ] Porque me gusta.
6. ¿Cuánto tiempo hace que estudias español?
7. ¿Qué cosas te gusta hacer en clase?
   - [ ] Ejercicios de gramática.
   - [ ] Actividades orales.
   - [ ] Leer textos.
   - [ ] Juegos.
   - [ ] Trabajar en grupo.
   - [ ] Traducir.
   - [ ] Actividades con Internet.
   - [ ] ....
8. ¿Qué te cuesta más del español?
   - [ ] Entender la gramática.
   - [ ] Pronunciar correctamente.
   - [ ] Recordar el vocabulario.
   - [ ] Hablar con fluidez.
   - [ ] ....
9. ¿Qué te gusta hacer en tu tiempo libre?

- ¿Cuánto tiempo hace que estudias español?
- Un año. ¿Y tú?

D. Ahora, cuenta a la clase las cosas más interesantes que has descubierto de tu compañero.

- David habla un poco de chino y estudia español porque tienen una amiga en Guatemala...

2. TERROR EN LAS AULAS

A. Aquí tienes un fragmento de un artículo sobre el aprendizaje de lenguas. Léelo y subraya las cosas que también te pasan a ti o con las que estás de acuerdo.

¿Qué siente un alumno en una clase de idiomas? ¿Cómo vive la experiencia de aprender una nueva lengua?

En la clase de lenguas pueden aparecer muchas emociones negativas, como la ansiedad, el miedo o la frustración, que pueden afectar el proceso de aprendizaje. Pero también hay ilusiones, objetivos, actitudes positivas. Hemos entrado en las aulas para recoger las opiniones de los alumnos. He aquí una muestra de los comentarios más repetidos.

"Creo que el profesor tiene que motivar a los estudiantes"

74%

32%

"El español es una lengua difícil de aprender"

"Me siento ridículo cuando hablo español; tengo mucho acento"

38%

- "Creo que aprender idiomas ayuda a ser más tolerante con personas de otras culturas."
- "Me siento inseguro cuando tengo que responder a las preguntas del profesor."
- "Creo que hay idiomas más fáciles que otros."
- "Me siento mal cuando el profesor me corrige delante de mis compañeros."
- "La corrección gramatical no es lo más importante. Lo realmente importante es poder comunicarse."
- "No me gusta salir a la pizarra."
- "Me siento bien cuando el profesor y mis compañeros se interesan por lo que digo y no solo por cómo lo digo."
- Me siento inseguro cuando hablo con un compañero que sabe más español que yo."

- "Me siento muy bien cuando trabajo en pequeños grupos."
- "Me gusta leer en voz alta mis redacciones."
- "Para un italiano o para un brasileño el español es bastante fácil."
- "Me siento un poco frustrado si no entiendo todas las palabras en una conversación."
- "Me siento fatal cuando todos me escuchan."

B. ¿Y tú? ¿Qué opinas? ¿Cómo te sientes en clase? Coméntalo con tus compañeros.

- Yo creo que el profesor tiene que motivar a los estudiantes.
- Sí, es verdad.
- Yo no estoy de acuerdo...

3. LOS NUEVOS ESPAÑOLES

A. Estas personas viven en España por distintos motivos. Lee los textos y decide cuál crees que vive mejor. Justifica tu respuesta.

1. PAUL JONES (inglés). Hace más de veinte años que **vive** en Barcelona y no **piensa** volver a su país. "Me gusta la vida aquí: el clima, la comida, la gente..." **Es** el director de una escuela de idiomas y **trabaja** muchas horas al día. **Viaja** mucho, no solo por España sino por toda Europa y Asia. **Está** casado con una española. "En casa **hablamos** en español, pero mi problema es que, después de 20 años, todavía **confundo** los tiempos del pasado."

2. LOTTA LANGSTRUM (sueca). Tiene 29 años y hace dos que vive cerca de Santiago, en una casa en el campo. Es profesora de canto y **enseña** en una escuela de música. Tiene las mañanas libres; normalmente **se levanta** temprano y **desayuna** en un bar. "Trabajo toda la tarde y por las noches estudio español, **veo** la tele y **leo**." Todavía no **entiende** perfectamente el español, pero le gusta su vida en España. No **quiere** volver a Suecia, de momento.

3. LUIS NARANJO (colombiano). Tiene una beca para hacer un máster de Medicina y vive en Granada desde enero del año pasado. Va a clase por la tarde, así que se levanta tarde y **pasea** por la ciudad. "Cada día **descubro** un rincón nuevo. Los fines de semana **vamos** de marcha y no **volvemos** a casa hasta las cinco o las seis de la mañana. La gente aquí **sale** mucho." No sabe si quedarse en España o no.

B. En el texto hay algunos verbos destacados en negrita. Todos están en Presente. ¿Sabes cuál es su Infinitivo? Escríbelo en tu cuaderno.

C. Aquí tienes un modelo de verbo regular de cada conjugación. De los verbos anteriores, ¿cuáles funcionan como los del cuadro? ¿Cuáles no?

	hablar	comer	vivir
(yo)	hablo	como	vivo
(tú)	hablas	comes	vives
(él/ella/usted)	habla	come	vive
(nosotros/nosotras)	hablamos	comemos	vivimos
(vosotros/vosotras)	habláis	coméis	vivís
(ellos/ellas/ustedes)	hablan	comen	viven

4. ME CUESTA...

A. Lee los problemas de estos estudiantes. ¿Con cuáles de ellos te identificas más?

1 Mary (inglesa) "No me acuerdo de las palabras cuando las necesito."

2 Pedro (brasileño) "Para mí, es muy difícil pronunciar la erre."

3 Gudrun (sueca) "Me cuesta entender a la gente."

4 Paul (alemán) "Tengo poco vocabulario."

5 Akira (japonés) "Hablo demasiado despacio."

6 Lucy (canadiense) "Me siento insegura cuando hablo."

7 Hans (holandés) "Para mí, lo más difícil son los verbos."

8 Igor (ruso) "Me cuesta entender los textos."

• A mí también me cuesta pronunciar la erre.

B. ¿Qué problemas tienes tú? Completa las frases según tu experiencia.

1. A mí me cuesta/n ....
2. A mí no me cuesta/n ....
3. Para mí lo más fácil es/son ....
4. Para mí lo más difícil es/son ....

C. Estos son algunos consejos para los estudiantes del apartado A. ¿Para quién crees que son? ¿Puedes darles otros?

1. Para eso **lo mejor es** ver películas en español, escuchar canciones...

2. Para eso **va bien** repetir muchas veces una frase y grabarla.

3. Creo que **tienes que** leer más revistas, libros...

4. Yo creo que **va bien** hablar mucho, perder el miedo...

5. **Lo mejor es** no preocuparse por entenderlo todo.

6. Yo creo que **va bien** intentar utilizar las palabras nuevas en las conversaciones.

7. **Tienes que** mirar la cara y las manos de la gente porque eso ayuda a entender lo que dicen.

8. Yo creo que **va bien** escribir las cosas que quieres recordar.

• El primer consejo puede ser para Paul y para Gudrun.

PRESENTE DE INDICATIVO

VERBOS REFLEXIVOS

	levantarse	sentirse
(yo)	me levanto	me siento
(tú)	te levantas	te sientes
(él/ella/usted)	se levanta	se siente
(nosotros/nosotras)	nos levantamos	nos sentimos
(vosotros/vosotras)	os levantáis	os sentís
(ellos/ellas/ustedes)	se levantan	se sienten

- Empiezo las clases a las 16h; así que **me levanto** tarde.

VERBOS IRREGULARES MÁS FRECUENTES

ser	estar	ir	tener
soy	estoy	voy	tengo
eres	estás	vas	tienes
es	está	va	tiene
somos	estamos	vamos	tenemos
sois	estáis	vais	tenéis
son	están	van	tienen

O - UE	E - IE	E - I	C - ZC
poder	querer	pedir	conocer
puedo	quiero	pido	conozco
puedes	quieres	pides	conoces
puede	quiere	pide	conoce
podemos	queremos	pedimos	conocemos
podéis	queréis	pedís	conocéis
pueden	quieren	piden	conocen
volver	entender	vestirse	traducir
acordarse	pensar	servir	conducir

! Hay algunos verbos que tienen la primera persona irregular: **hacer** (hago), **poner** (pongo), **salir** (salgo)...

HABLAR DE LA DURACIÓN

- ¿**Cuánto** (tiempo) **hace que** estudias español?
- (**Hace**) Dos años.

- ¿**Hace mucho que** vivís en España?
- Yo no, no mucho. Solo **hace** seis meses.
- Yo sí, mucho tiempo; diez años ya.

- ¿**Desde cuándo** conoces a Pedro?
- **Desde** el año pasado.

> Es incorrecto decir:
> - *Vivo en esta casa desde dos años.*
> Pero sí se pueden combinar **desde** y **hace**:
> - *Vivo en esta casa desde hace dos años.*

HABLAR DE PROBLEMAS Y DE DIFICULTADES EN EL APRENDIZAJE

Me		
Te		
Le	**cuesta** (mucho/un poco)	hablar *(INFINITIVO)* / la gramática *(NOMBRES EN SINGULAR)*
Nos		
Os	**cuestan** (mucho/un poco)	los verbos *(NOMBRES EN PLURAL)*
Les		

[anotación manuscrita: verb costar = to cost]

- A mí **me cuesta** mucho pronunciar la erre, ¿y a ti?
- A mí **me cuesta** más la jota.

- ¿Qué es lo que más **te cuesta**?
- No sé... **Me cuestan** mucho los verbos, por ejemplo.

SENTIRSE + ADJETIVO + CUANDO + PRESENTE

- **Me siento** ridículo **cuando** hablo español.
- Yo **me siento** insegura **cuando** hablo con nativos.

OTROS RECURSOS

- Para mí, **lo más difícil es** entender a la gente.
- Pues para mí, (**lo más difícil**) son los verbos.

- Para mí, **es muy difícil** entender películas en español.
- Para mí, **son muy difíciles** las palabras largas.

HACER RECOMENDACIONES

Tienes/Tiene que	
Lo mejor es	+ Infinitivo

- Me cuesta entender a la gente.
- Pues **tienes que** escuchar la radio o ver más la tele.

- Necesito más vocabulario.
- Pues, **para eso, lo mejor es** leer mucho.

Va (muy) bien	+ Infinitivo / + nombres en singular
Van (muy) bien	+ nombres en plural

- Para perder el miedo a hablar, **va muy bien** salir con nativos.
- Y también **van muy bien** los intercambios.

HABLAR DE MOTIVACIONES

- ¿**Por qué*** estudiáis español?
- Yo, **porque** quiero trabajar en España.
- Pues yo, **para** conseguir un trabajo mejor.

! * En las preguntas, **por qué** se escribe separado y con acento.

5. DOS TRABAJOS

A. Lee el siguiente artículo sobre un día normal en la vida de Marta y relaciona las imágenes con las actividades que realiza.

Unas seis millones de españolas trabajan dentro y fuera de casa. Algunas tienen ayuda: su madre, su suegra, a veces su marido, o alguien que va a casa para limpiar o para cuidar a los niños. Pero hay muchas otras mujeres que no pueden o que no quieren pagar por este servicio. Marta Cortés, secretaria, de 37 años y con un hijo, es una de ellas. Este es su horario de lunes a viernes.

La jornada de Marta Cortés: [01] 6.45h. Se levanta, se ducha, limpia un poco y plancha la ropa del día anterior. [02] 7:20h. Despierta a su hijo, Hugo, y a su marido, Bruno. [03] 7:50h. Viste al niño, hace las camas y lleva a Hugo al colegio. [04] 8.30h. Empieza su jornada en una empresa de informática. [05] 15:30h. Vuelve a su casa, come, pone la lavadora y descansa un rato en el sofá. [06] 17.00h. La abuela va a buscar a Hugo al cole y lo lleva al parque mientras Marta va a clases de inglés. [07] 19.00h. Marta hace la compra en el supermercado. [08] 19.40h. Vuelve a casa y prepara la cena. Bruno baña al niño. [09] 20.30h. Después de cenar y acostar al niño, Marta y su marido charlan un rato o ven la tele. Es el momento de mayor intimidad antes de irse a la cama.

B. ¿Hay algo que te sorprende del horario y de la vida cotidiana de Marta? Coméntalo con un compañero.

C. ¿Puedes imaginar cómo es un día normal en la vida de Bruno, el marido de Marta? Escríbelo y, luego, compara tu versión con la de tu compañero.

6. MI BIOGRAFÍA LINGÜÍSTICA

A. La Biografía lingüística es una parte del *Portfolio europeo de las lenguas*, un documento en el que las personas pueden registrar sus experiencias de aprendizaje de lenguas y culturas, y reflexionar sobre ellas. ¿Puedes hacer un cuadro en tu cuaderno siguiendo este modelo?

LENGUA/S	POLACO	INGLÉS	ITALIANO
¿DÓNDE LA/S USO? (EN CASA, CON MIS AMIGOS, EN LA ESCUELA, EN LA CALLE…)	en casa con mis padres y mis hermanos	en la escuela, con mi vecino	de vacaciones y por Internet
¿QUÉ HAGO? (HABLO, LEO, ESCUCHO MÚSICA, VIAJO…)	comprendo, hablo y leo	veo la tele, escucho música, leo revistas, viajo…	comprendo y hablo un poco, escucho música, viajo…
¿DÓNDE LA/S APRENDÍ? (EN CASA, EN LA ESCUELA, DE VACACIONES, CON AMIGOS…)	en mi casa y en casa de mis abuelos en Polonia	en la escuela y en un curso de verano en Irlanda	en Italia, tenemos un apartamento cerca de Génova.

B. Compara tu ficha con la de un compañero. ¿Cuál de los dos sabe más lenguas?

7. DIME CÓMO APRENDES Y...

A. En parejas, decidid cuáles de estas cosas son más útiles para aprender bien un idioma. ¿Podéis añadir alguna otra idea?

1. Es muy útil   **2. Va bien**

3. No es muy útil

- Memorizar muchas palabras — 2
- Escribir pequeños mensajes (de móvil...)
- Leer periódicos
- Hablar con gente cuando viajo
- Hacer muchos ejercicios de gramática
- Repetir frases y palabras muchas veces
- Hacer un intercambio con un nativo
- Ver la tele

- Hacer listas de palabras
- Tener un novio o una novia nativos
- Traducir todas las palabras de los textos
- Leer textos en voz alta
- Chatear
- Buscar muchas palabras en el diccionario
- Vivir en el país
- Escribir un diario
- Intentar comprender las palabras por el contexto
- Escribir frases y palabras, y pegarlas en las paredes de casa

  ....

B. Ahora, explicad a vuestros compañeros cuáles son, para vosotros, las tres cosas más importantes.

- Para nosotros, las tres cosas más importantes son...

8. PARA APRENDER ESPAÑOL...

A. En parejas, vais a preparar un cuestionario para estudiantes de español. ¿Cuáles de las siguientes preguntas os parecen más adecuadas? Comentadlo y, entre los dos, elegid las seis mejores.

- ¿Te gusta estudiar español?
- ¿Estudias muchas horas al día?
- ¿Ves la televisión o películas en español?
- ¿Navegas por páginas web en español?
- ¿Escribes correos electrónicos en español normalmente?
- ¿Lees periódicos en español?
- ¿Hablas español fuera de clase? ¿Con quién?
- ¿Qué es lo más difícil del español para ti?
- ¿Te sientes cómodo cuando hablas español?
- ¿Cuándo te sientes más seguro en clase? ¿Y más inseguro?
- ¿Para ti es fácil o difícil aprender un idioma?
- ¿Qué haces para recordar lo que aprendes?
- ¿Qué es lo que más te gusta hacer en clase?

B. Ahora, haceos las preguntas el uno al otro y anotad las respuestas.

C. Cambiad de pareja. Entre los dos, pensad qué consejos les podéis dar a los compañeros con los que habéis trabajado en los apartados A y B. Elaborad una ficha con vuestras recomendaciones para cada uno.

Recomendaciones para _____

–

–

–

–

...

VIAJAR

9. ¿QUÉ SABES?

A. ¿Qué sabéis de los países en los que se habla español? En pequeños grupos, intentad completar el cuadro.

UN/A ESCRITOR/A

UN/A DIRECTOR/A DE CINE

UN ACTOR O UNA ACTRIZ

UN MÚSICO O UN GRUPO MUSICAL

UN/A PINTOR/A, UN/A ESCULTOR/A, UN/A ARQUITECTO/A

UN PLATO TÍPICO / UNA BEBIDA

UN LUGAR QUE HAY QUE VISITAR

UN/A DEPORTISTA

UNA FIESTA POPULAR

UN PRODUCTO TÍPICO

B. Ahora, comprobad si vuestros compañeros saben las mismas cosas que vosotros.

- Botero...
- Es un escultor colombiano.
- ¡Sí! ¡Muy bien!

2
HOGAR,
DULCE HOGAR

En esta unidad vamos a
**buscar un compañero para compartir piso
y a diseñar una vivienda**

Para ello vamos a aprender:

> a expresar gustos y preferencias > a describir una casa
> a comparar > a expresar coincidencia
> a ubicar objetos en el espacio
> a describir objetos: formas, estilos, materiales...
> los muebles y las partes de la casa

1. DOS PISOS

A. Aquí tienes los salones de dos pisos bastante distintos. ¿Cuál te gusta más? ¿Por qué? Completa el cuadro y, luego, coméntalo con un compañero.

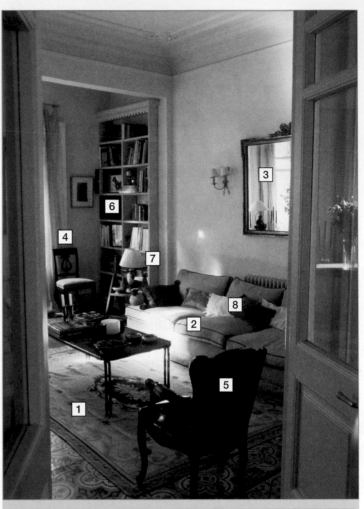

Apartamento en el centro
1. Alfombra de fibra vegetal **2.** Sillón rojo de Natalia Gómez-Angelats **3.** Mesa rectangular de madera **4.** Lámpara blanca **5.** Estantería baja de madera **6.** Cuadros de Javi Navarro **7.** Mesa pequeña de madera **8.** Jarrón de cristal

Piso en zona residencial
1. Alfombra persa **2.** Sofá clásico de tres plazas **3.** Espejo con marco dorado **4.** Silla modelo Arpa **5.** Butaca negra de piel **6.** Estantería de madera **7.** Lámpara estilo imperio **8.** Cojines de terciopelo de varios colores

¿QUÉ SALÓN ES MÁS...?	Apartamento	Piso
acogedor		
frío		
luminoso		
oscuro		
moderno		
clásico		

- A mí me gusta más el apartamento. Es muy moderno y parece muy acogedor.
- Pues a mí me gusta más el piso. Es muy luminoso y parece muy grande. El apartamento es demasiado...

B. Ahora, fíjate en los muebles. ¿Cuáles te gustan? ¿Cuáles no? Coméntalo con tu compañero.

- A mí me gustan la alfombra y la lámpara del piso...
- Pues a mí...

C. ¿Os gustan los mismos muebles? Comentadlo con los demás compañeros.

Tenemos	los mismos gustos
	gustos (muy) parecidos
	gustos (muy) diferentes

- Peter y yo tenemos los mismos gustos. A los dos nos gusta...

2. PROMOCIONES INMOBILIARIAS

A. Una agencia inmobiliaria ha publicado estos anuncios de pisos y de casas de alquiler. Lee el del chalé y observa el plano correspondiente. ¿Identificas algunas partes de la casa? Luego, decide a qué vivienda corresponde el plano de la derecha.

OFERTAS INMOBILIARIAS

● **Chalé** de nueva construcción. 367 m² en parcela de 600 m². Dos plantas + garaje (2 plazas) + jardín. Recibidor, despacho, 3 baños, lavadero, cocina, salón-comedor de 60 m², terraza de 40 m², 5 habitaciones, trastero, sala de juegos. Fantásticas vistas. 3500 €/mes.

● **Estudio** de 40 m². Sin amueblar. Ascensor. Bien situado y muy luminoso. 1 habitación. Edificio antiguo con encanto. Terraza. 500 €/mes.

● **Piso** de 110 m². Muy bien comunicado. Muy tranquilo. Buena distribución: 3 habitaciones, 2 baños, amplio salón y balcón. Mucho sol. Listo para entrar a vivir. 1300 €/mes.

● **Ático** de 85 m² en perfecto estado. Parquet, 2 terrazas (una de 20 m²), 3 habitaciones, cocina totalmente equipada, baño + aseo. 1200 €/mes.

● **Piso** de 80 m² en primera línea de mar. Salón, 2 habitaciones, cocina americana, balcón con vistas. 850 €/mes.

● **Apartamento** de 60 m², a 5 minutos de la playa, 2 habitaciones, 1 baño, salón de 16 m². 600 €/mes.

B. Estas son las fichas de algunos clientes de la agencia inmobiliaria. ¿Cuál de las viviendas anteriores puede ser más adecuada para cada uno de ellos? Coméntalo con un compañero.

NOMBRE: Ángel Pérez (42) y Lola Fuertes (36)
PROFESIÓN: director de una empresa multinacional y dentista (consulta en domicilio)
NIVEL ADQUISITIVO: alto
HIJOS: dos niños (de 7 y 4 años)
ANIMALES: –
AFICIONES: ir en bici, jugar a tenis, pasear

NOMBRE: Carlos de Andrés (23)
PROFESIÓN: repartidor de pizzas a domicilio
NIVEL ADQUISITIVO: medio-bajo
HIJOS: -
ANIMALES: dos perros y un gato
AFICIONES: windsurf, jugar a fútbol, pescar

NOMBRE: Pedro Ruiz (32) y Mila Fontana (30)
PROFESIÓN: músico y profesora de español para extranjeros
NIVEL ADQUISITIVO: medio
HIJOS: dos (de 6 y 3 años)
ANIMALES: un perro
AFICIONES: ir al cine, ir a museos, nadar

● Yo creo que Pedro y Mila pueden alquilar el ático.
○ No sé, tienen dos hijos y...

C. ¿Cuál sería la vivienda más adecuada para ti? Explícaselo a tus compañeros.

● A mí la casa que más me gusta es el apartamento porque...

3. UNA CASA DE LOCOS

En esta casa, los muebles están en lugares muy extraños. Mira el dibujo y completa las frases.

1. Hay una .... **encima de** la mesa.
2. Hay una .... **detrás del** sofá.
3. **Debajo de** la .... hay un jarrón con flores.
4. Hay una .... **delante del** frigorífico.
5. Hay un .... **entre** la nevera y la cocina.
6. El .... está **a la derecha del** cuadro.
7. La .... está **a la izquierda del** cuadro.
8. El .... está **al lado del** sofá.
9. **En el centro de** la habitación hay una ....

4. LA CASA DE JULIÁN

CD 2 **A.** Vas a escuchar a Julián describiendo su casa. Escucha y completa las frases.

La casa de Julián...

es ....
está ....
tiene ....
da ....

B. ¿Cómo es tu casa? Completa las frases. Luego, explícaselo a tu compañero y comparad las dos viviendas.

Vivo ❏ en un piso / ❏ en una casa / ❏ en un estudio
Es ....
Está ....
Tiene ....
Da ....

mi casa ➡ **la mía**	mi piso ➡ **el mío**
tu casa ➡ **la tuya**	tu piso ➡ **el tuyo**
su casa ➡ **la suya**	su piso ➡ **el suyo**

● Yo vivo en una casa. Es bastante grande, luminosa y tranquila. Está en las afueras y da a un parque. Tiene...
○ Pues la mía...

5. SON BASTANTE DIFERENTES

A. Javier ha vivido un tiempo en Madrid y un tiempo en Barcelona. Lee estas frases en las que compara las dos ciudades. ¿En cuál de las dos crees que tú podrías vivir mejor? ¿Por qué?

1. En Madrid hay **más** rascacielos **que** en Barcelona.

2. Barcelona no es **tan** grande **como** Madrid.

3. En Barcelona hay **menos** problemas de tráfico **que** en Madrid.

4. En Barcelona no hay **tantos** parques **como** en Madrid.

5. En Barcelona no hay **tantas** casas unifamiliares **como** en Madrid.

6. En Barcelona no hay **tanta** vida nocturna **como** en Madrid.

7. En Barcelona no hay **tanto** ruido en las calles **como** en Madrid.

8. El invierno en Barcelona es **menos** frío **que** en Madrid.

9. Madrid es una ciudad **más** monumental **que** Barcelona.

B. Ahora, observa las estructuras que están marcadas en negrita en las frases anteriores. Todas sirven para comparar. Clasifícalas en este cuadro.

con nombres	con adjetivos
tanto ... como	

C. Piensa en dos ciudades que conoces y escribe frases comparándolas. Usa las estructuras que acabas de clasificar en B.

● En Milán hay menos parques que en Londres.

EXPRESAR GUSTOS

GUSTAR/ENCANTAR

(A mí)	me	**gusta/** **encanta**	esta casa *(NOMBRES EN SINGULAR)*
(A ti)	te		comer *(VERBOS EN INFINITIVO)*
(A él/ella/usted)	le		
(A nosotros/as)	nos		
(A vosotros/as)	os	**gustan/** **encantan**	estos muebles *(NOMBRES EN PLURAL)*
(A ellos/ellas/ustedes)	les		

PREFERIR

(yo)	**prefiero**	
(tú)	**prefieres**	
(él/ella/usted)	**prefiere**	este sofá/estas sillas *(NOMBRES)*
(nosotros/as)	**preferimos**	vivir sola/tener jardín *(VERBOS EN INFINITIVO)*
(vosotros/as)	**preferís**	
(ellos/ellas/ustedes)	**prefieren**	

EXPRESAR COINCIDENCIA

- Me encantan las casas con mucha luz. **¿Y a ti?**
- **A mí también.**

- A mí no me gusta mucho cocinar. **¿Y a ti?**
- **A mí tampoco.**

- No me gustan las playas. **¿Y a usted?**
- **¿A mí? A mí sí.**

- Me encanta vivir en el centro. **¿A usted no?**
- No. **A mí no.**

- Yo vivo en una casa antigua. **¿Y tú?**
- **Yo también.**

- No como nunca en casa. **¿Y tú?**
- **Yo tampoco.**

- No tengo mucho espacio en casa. **¿Y usted?**
- Pues **yo sí**. Vivo solo.

- Busco una casa con jardín. **¿Y usted?**
- **Yo no**. Yo busco un apartamento.

MATERIAL

una silla **de**	madera/metal/cristal/mármol/plástico/hierro/ cartón/tela/mimbre/papel/piedra/...
	un armario metálico / una mesa metálica

- **¿De qué es** esta silla?
- **De** aluminio.

SIN/CON/DE/PARA

una casa	**con/sin** vistas/jardín/piscina/... *(NOMBRE)*
	de madera/piedra/ladrillo/... *(NOMBRE)*
	para vivir/ir de vacaciones/... *(INFINITIVO)*
	para las vacaciones/los fines de semana *(NOMBRE)*

UBICAR

debajo (de) encima (de) detrás (de) delante (de) entre

a la derecha (de)   a la izquierda (de)   al lado (de)   en el centro (de)

- *No es bueno poner la cama **debajo de** una ventana.*
- *¿Te gusta el sofá aquí, **entre** los dos sillones?*

COMPARAR

SUPERIORIDAD

Con nombres
- Madrid tiene **más** parques **que** Barcelona.

Con adjetivos
- Madrid es **más** grande **que** Barcelona.

Formas especiales:	**más bueno/a** ➡	**mejor**
	más malo/a ➡	**peor**

IGUALDAD

Con nombres

- Esta casa tiene
  - **tanto** espacio
  - **tanta** luz
  - **tantos** balcones
  - **tantas** habitaciones
  - **como** la otra.

Con adjetivos
- Aquí las casas son **tan** caras **como** en mi ciudad.

Con verbos
- Aquí la gente sale **tanto como** en España.

INFERIORIDAD

Con nombres
- Mi casa tiene **menos** balcones **que** esta.

- Esta casa **no** tiene
  - **tanto** espacio
  - **tanta** luz
  - **tantos** balcones
  - **tantas** habitaciones
  - **como** la otra.

Con adjetivos
- Esta casa es **menos** luminosa **que** la otra.
- Aquí las casas **no** son **tan** caras **como** en mi ciudad.

Con verbos
- Aquí la gente **no** sale **tanto como** en España.

6. MI LUGAR FAVORITO

CD 3-6 **A.** Cuatro personas nos hablan de sus lugares favoritos en casa. Escucha y completa los datos que faltan en el cuadro.

Nombre	Lugar favorito	Actividades
Jorge		
Fiona		
Pedro		
Carolina		

B. ¿Cuál es tu lugar favorito de tu casa? ¿Por qué? Coméntalo con un compañero.

- Mi lugar favorito es la cocina porque me encanta cocinar.
- Pues el mío es el balcón porque me gusta ver pasar a la gente.

C. ¿En qué lugar de la casa haces cada una de estas actividades? Escríbelo y, luego, coméntalo con tu compañero.

- estudiar ....
- escuchar música ....
- vestirte ....
- leer ....
- usar el ordenador ....
- estar con tus amigos ....
- hacer los deberes ....
- ver la televisión ....
- maquillarte/afeitarte ....
- reunirte con la familia ....
- echar la siesta ....
- desayunar ....

- Yo, normalmente, estudio en mi habitación. ¿Y tú?
- Depende. A veces en mi habitación, a veces en el salón.

7. COSAS IMPRESCINDIBLES

A. Imagina que un compañero y tú os vais a instalar en una casa nueva. ¿Qué cosas consideráis indispensables para vivir? Elegid cinco entre las cosas que tenéis aquí y, luego, pensad otras tres que consideréis imprescindibles.

lámpara de pie, espejo, armario, frigorífico, televisión, mesa de centro, lavavajillas, sillón, sofá, silla, cama, lavadora, estantería, mesa, lámpara de mesa, alfombra

- Lo más importante es la cama, ¿no?
- Sí claro. Y también...

B. Ahora, comentad con el resto de la clase los muebles y los electrodomésticos que habéis elegido.

- Para nosotros, las cosas imprescindibles son...

8. EL BAÑO, AL FONDO A LA DERECHA

A. Dibuja en una hoja el contorno y la puerta de entrada de tu casa. A continuación, intercambia tu hoja con la de un compañero. Cada uno describe cómo es su casa y el otro dibuja un plano a partir de la descripción.

- *Entras y, a la derecha, está la cocina...*

B. Mirad juntos los planos. Cada uno tiene que dar nuevas explicaciones para corregirlos o mejorarlos, pero sin tocar el dibujo del otro.

- *La cocina no es tan grande.*
- *¿Así?*

9. COMPAÑEROS DE PISO

A. Imagina que tienes que compartir piso y que estás buscando un compañero. ¿Qué preguntas puedes hacerle para saber si sois compatibles? Te proponemos algunas, pero puedes añadir otras.

1	¿Eres ordenado/a?
2	¿Tienes novio/a?
3	¿Lavas los platos después de comer?
4	¿Te gustan los animales? ¿Tienes alguno?
5	¿Estudias o trabajas?
6	¿Te gusta hacer fiestas en casa?
7	¿Te gusta escuchar la música muy alta?
8	¿Sabes cocinar?
9	¿Hablas mucho por teléfono?
10	¿Tu familia te visita a menudo?
11	¿Te gusta ver la tele? ¿Qué tipo de programas?
12	....
13	....
14	....

B. Ahora, en grupos de tres, haz las preguntas a tus dos compañeros y decide con quién puedes compartir piso. Luego, explícaselo a los demás compañeros.

- *Yo puedo vivir con Peter porque los dos somos bastante ordenados...*

10. LA CASA IDEAL

A. Imagina que eres promotor inmobiliario y que quieres construir viviendas en la zona donde estás. Piensa, primero, en el tipo de público al que vas a dirigirte (jóvenes profesionales, jubilados, familias con hijos...) y en su nivel adquisitivo. Luego, busca a otro compañero que ha elegido el mismo tipo de público.

B. Ahora, en parejas, vais a decidir las características de la vivienda ideal para ese tipo de público.

Una vivienda para ……....…….. sobre todo tiene que...

> Ser
céntrica
luminosa
exterior
tranquila
muy grande
no muy cara
acogedora
espaciosa
cómoda

un chalé
un apartamento
un estudio
una casa
un ático
....
....
....
....
....
....
....
....
....

> Estar
en el centro de la ciudad
en el centro histórico
un poco lejos del centro
en las afueras
en una urbanización
en el campo
en la costa
en la sierra
....
....

> Tener
mucho espacio
dos/tres... habitaciones
garaje
terraza
jardín
una sala grande
chimenea
dos/tres... baños
una cocina grande
piscina
....

- *Yo creo que para jóvenes profesionales, una casa tiene que ser céntrica y tiene que estar bien comunicada.*
- *Sí, y tener restaurantes y tiendas cerca.*

C. Elegid un nombre para vuestro proyecto y preparad la presentación por escrito. Tenéis que dar información sobre el tipo de público al que va dirigido, cómo son las viviendas, dónde están situadas, etc. ¿Por qué no preparáis también un pequeño anuncio publicitario?

D. Ahora, podéis presentar el proyecto a vuestros compañeros.

- *Nuestro proyecto se llama Urbanización JASP. Son apartamentos en la playa para jóvenes profesionales. Tienen dos habitaciones, jardín con piscina...*

11. UNA CIUDAD ANDALUZA

A. Andalucía es la región situada más al sur de la Península Ibérica. ¿Sabes algo de esta región española? ¿Con cuáles de las siguientes palabras puedes asociarla? ¿Se te ocurren otras? Coméntalo con tus compañeros.

sol	playas	mezquita	surf	jamón

montañas	caballos	flamenco	blanco	esquí	luz

B. Córdoba es una de las ciudades anzaluzas más importantes. Lee este texto sobre una de sus características.

FESTIVAL DE PATIOS CORDOBESES

Los patios cordobeses son una herencia de la cultura romana adaptada a las condiciones climatológicas de esta bella ciudad. De los árabes proviene el gusto por las flores y el agua (las fuentes y los pozos siempre están presentes), que convierten estos espacios en verdaderos oasis dentro de una ciudad tan calurosa. Aún hoy día, el patio es un elemento fundamental de la casa y en él se desarrolla parte de la vida familiar.

Los patios de Córdoba son únicos en el mundo. Existen diferentes tipos: por un lado, están los patios de palacios o de conventos y, por otro, los patios populares, que están en el interior de las casas particulares. Aunque casi todos tienen las paredes pintadas de blanco y macetas con geranios, jazmines o rosas, es difícil encontrar dos patios iguales.

En mayo, Córdoba abre las puertas de sus casas para enseñar a los visitantes sus patios, sus flores y su luz. El festival premia los patios mejor decorados. Por eso, mayo es un mes ideal para verlos, aunque muchos están abiertos todo el año. Es especialmente recomendable visitarlos al anochecer para poder disfrutar del olor del jazmín o del azahar. En algunos de ellos, además, ofrecen una bebida al visitante.

El ayuntamiento ofrece mapas especiales para la ocasión con itinerarios recomendados y explicaciones. De todos modos, es aconsejable "callejear" sin rumbo y dejarse guiar por los vecinos, que siempre conocen "el mejor patio" de la ciudad.

C. ¿Existe algo similar en tu país? ¿Cómo es la casa típica de la zona donde vives? ¿Qué parte de la casa es más característica?

3

ESTA SOY YO

En esta unidad vamos a
describir a nuestros compañeros de clase

Para ello vamos a aprender:

> a identificar y a describir físicamente a las personas
> a hablar de las relaciones y de los parecidos entre personas
> Presentes irregulares: **c-zc** > **llevarse bien/mal**
> **este/esta/estos/estas, ese/esa/esos/esas**
> **el/la/los/las** + adjetivo, **el/la/los/las** + **de** + sustantivo,
el/la/los/las + **que** + verbo > las prendas de vestir

1. HERMANOS

A. Estos son los hermanos Contreras. Elige mentalmente a uno de ellos. Un compañero te va a hacer preguntas para averiguar cuál es.

- ¿Es rubio?
- No.
- ¿Es calvo?
- Sí.
- ¿Lleva gafas?
- Sí.

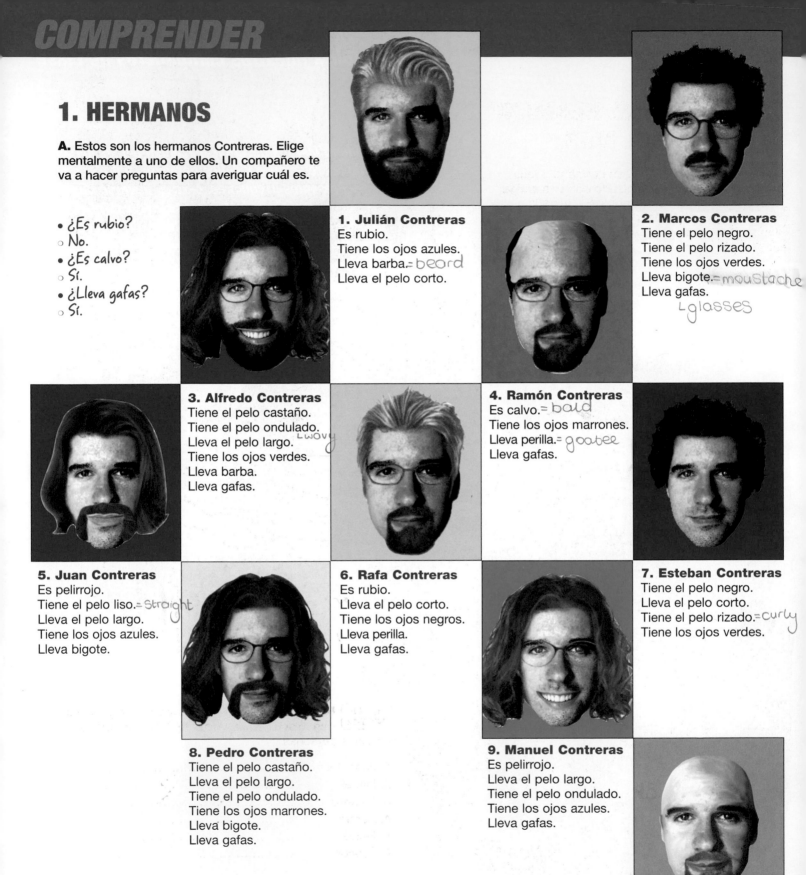

1. Julián Contreras
Es rubio.
Tiene los ojos azules.
Lleva barba.= beard
Lleva el pelo corto.

2. Marcos Contreras
Tiene el pelo negro.
Tiene el pelo rizado.
Tiene los ojos verdes.
Lleva bigote.= moustache
Lleva gafas.
└ glasses

3. Alfredo Contreras
Tiene el pelo castaño.
Tiene el pelo ondulado. └ wavy
Lleva el pelo largo.
Tiene los ojos verdes.
Lleva barba.
Lleva gafas.

4. Ramón Contreras
Es calvo.= bald
Tiene los ojos marrones.
Lleva perilla.= goatee
Lleva gafas.

5. Juan Contreras
Es pelirrojo.
Tiene el pelo liso.= straight
Lleva el pelo largo.
Tiene los ojos azules.
Lleva bigote.

6. Rafa Contreras
Es rubio.
Lleva el pelo corto.
Tiene los ojos negros.
Lleva perilla.
Lleva gafas.

7. Esteban Contreras
Tiene el pelo negro.
Lleva el pelo corto.
Tiene el pelo rizado.= curly
Tiene los ojos verdes.

8. Pedro Contreras
Tiene el pelo castaño.
Lleva el pelo largo.
Tiene el pelo ondulado.
Tiene los ojos marrones.
Lleva bigote.
Lleva gafas.

9. Manuel Contreras
Es pelirrojo.
Lleva el pelo largo.
Tiene el pelo ondulado.
Tiene los ojos azules.
Lleva gafas.

10. Miguel Contreras
Es calvo.
Tiene los ojos marrones.
Lleva perilla.

B. Para ti, ¿cuál es el más guapo? ¿Y el más feo? ¿Cuál crees que es el más simpático?

- Para mí el más guapo es Esteban y el que parece más simpático...

2. LA BODA DEL HERMANO DE MARÍA DEL MAR

CD 7-12 **A.** En la boda de su hermano, María del Mar está hablando con una amiga sobre algunos de los invitados. Escucha la conversación e intenta identificar en la ilustración a cada una de las personas de las que hablan.

CD 7-12 **B.** Vuelve a escuchar la conversación y escribe que relación tiene María del Mar con cada una de estas personas.

1. Juan José .....F..................... Primo
2. Isabel .....H..................... La hermana
3. Ricardo .....I..................... compañero de trabajo
4. Aurora .....O..................... jefa
5. Felipe .....B..................... vecino
6. Leonor .....K..................... la tía

C. Ahora, intenta describir a alguien de la ilustración. Tu compañero tiene que descubrir de quién se trata.

- Es rubia, lleva el pelo largo y un vestido rojo.
○ ¿Esta?
- Sí.

3. ¿A QUIÉN SE PARECE?

A. Observa estas fotografías. Cada una de estas personas es pariente de otra. Decide quién se parece a quién. Luego, coméntalo con tu compañero.

- Yo creo que Federica se parece a...

B. En parejas, comentad qué relación creéis que tienen.

- Federica y Regina son hermanas, ¿no?

C. Y tú, ¿a quién te pareces? Explícaselo a tu compañero.

> Yo, físicamente/en el carácter, me parezco a...

- Yo, físicamente, me parezco mucho a mi madre. Soy alto, como ella, y los dos tenemos los ojos azules. En el carácter me parezco más a mi padre...

4. MIS AMIGOS...

A. Mar está pasando una temporada en Uruguay. Hoy ha escrito un correo electrónico a su hermana y le ha enviado una fotografía. ¿Puedes identificar a sus amigos?

¡Hola Pili!

¿Cómo va todo? ¡Yo genial! Estoy muy contenta de estar aquí ("acá", como se dice aquí en Uruguay). Aparte de estudiar, también he tenido tiempo para ver muchas cosas y para conocer gente. Te envío una foto con mis amigos de aquí: las dos chicas de la izquierda son hermanas. Leila es la morena y Sandra es la que lleva gafas, son supersimpáticas. El que está entre Sandra y yo es Diego, el novio de Sandra. La chica de la derecha, la de las coletas, se llama Abigail y es la primera persona que conocí al llegar. A ver si vienes a visitarme pronto y los conoces a todos en persona. Muchos besos, hermanita.

Mar

Leila   Sandra & Diego   Mar   Abigail.
         Girlfriend Boyfriend

B. Para identificar algo o a alguien dentro de un grupo podemos utilizar las siguientes estructuras. Marca todas las que encuentres en el correo electrónico de Mar.

el/la/los/las + adjetivo
el/la/los/las + **de** + sustantivo
el/la/los/las + **que** + verbo

5. ME LLEVO MUY BIEN CON...

A. Lee las opiniones de Luisa sobre cuatro personas. ¿Cómo crees que es su relación con ellas? ¿Buena o mala? Márcalo en cada caso.

1. Luisa **se lleva** ☑ bien / ☐ mal **con** Luis.
2. Luisa **se lleva** ☑ bien / ☐ mal **con** Carla.
3. Luisa **se lleva** ☐ bien / ☑ mal **con** Susi.
4. Luisa **se lleva** ☐ bien / ☑ mal **con** Fernando.

B. Ahora, piensa en las personas que conoces. ¿Con quién te llevas bien? ¿Con quién te llevas regular? ¿Con quién te llevas mal? Escríbelo en tu cuaderno y, luego, explícaselo a tus compañeros.

> Yo me llevo (muy) bien/regular/mal/fatal con...

- Yo me llevo muy bien con mi padre, pero...

ASPECTO FÍSICO

Es	Tiene		Lleva	
guapo/a	el pelo	rubio	el pelo	largo
feo/a		castaño		corto
rubio/a		negro		teñido
moreno/a		gris	barba	
pelirrojo/a		blanco	bigote	
calvo/a		rizado	perilla	
alto/a		liso	gafas	
bajo/a*	los ojos	negros	gorra	
gordo/a*		azules	sombrero	
delgado/a		verdes	camisa	

! * Los adjetivos **bajo/a** y **gordo/a** pueden resultar ofensivos. Se suelen utilizar en su lugar los diminutivos **bajito/a** y **gordito/a**.

IDENTIFICAR
PRONOMBRES DEMOSTRATIVOS

	Masculino singular	Femenino singular	Masculino plural	Femenino plural
aquí	**este**	**esta**	**estos**	**estas**
ahí	**ese**	**esa**	**esos**	**esas**

- ¿Quién es **ese/esa**?
- Mi hermano/hermana.
- ¿Quiénes son **esos/esas**?
- Mis hermanos/hermanas.

El/la/los/las Pronombre demostrativo + adjetivo

- **El** rubio es mi hermano.
- **Ese** rubio de ahí es mi hermano.

El/la/los/las Pronombre demostrativo + de + sustantivo

- **Los del** coche azul son mis vecinos.
- **Esos del** coche azul son mis vecinos.

El/la/los/las Pronombre demostrativo + que + verbo

- **La que** está en la puerta es mi jefa.
- **Esa que** está en la puerta es mi jefa.

HABLAR DE PARECIDOS
PARECERSE (C-ZC)

(yo)	**me parezco**
(tú)	**te pareces**
(él/ella/usted)	**se parece**
(nosotros/nosotras)	**nos parecemos**
(vosotros/vosotras)	**os parecéis**
(ellos/ellas/ustedes)	**se parecen**

Otros verbos con esta irregularidad (**c-zc**): **nacer, conocer**…

Yo **me parezco a** mi padre. = Mi padre y yo **nos parecemos**.

! **Parecerse (a)** sirve para hablar de parecidos y se conjuga como un verbo reflexivo o recíproco. **Parecer** sirve para expresar la impresión que nos provoca algo o alguien y funciona como el verbo **gustar**.

- El novio de Ana no me gusta nada.
- Pues a todo el mundo **le parece** muy simpático.

COMO

- Soy bastante alto, **como** mi padre.
- En el carácter soy **como** mi madre.

HABLAR DE RELACIONES
IDENTIFICAR

- **Es un** compañero de trabajo.
- **Son unos** compañeros de piso.

- **Es mi** marido.
- **Son mis** hermanos.

- **Es un/a** primo/a **mío/a, tuyo/a, suyo/a, nuestro/a, vuestro/a, suyo/a**.
- **Son unos/as** amigos/as **míos/as, tuyos/as, suyos/as, nuestros/as, vuestros/as, suyos/as**.

VALORAR UNA RELACIÓN

	llevarse	
(yo)	**me llevo**	
(tú)	**te llevas**	
(él/ella/usted)	**se lleva**	**bien/mal (con)**…
(nosotros/nosotras)	**nos llevamos**	
(vosotros/vosotras)	**os lleváis**	
(ellos/ellas/ustedes)	**se llevan**	

- Merche **se lleva bien con** Luis, ¿no?
- Sí, **se llevan muy bien**.

! ~~Luis Miguel **se lleva** bigote.~~   Luis Miguel **lleva** bigote.

RELACIONES DE PAREJA

Estar	casado/a soltero/a divorciado/a separado/a viudo/a	**Tener**	pareja novio/a	**Salir con**	un chico una chica alguien

- ¿Sabes si Marta **tiene pareja**?
- Pues creo que **sale con alguien**, pero no estoy seguro.

6. BUSCAR PAREJA

A. Lee estos dos anuncios de la sección de contactos de una página web. En parejas, elegid uno de ellos y escribid el anuncio de alguien ideal para esa persona.

Dirección: @ www.vivirlavida.es/tumedianaranja

@ Página inicial de actualidad @ Apple @ iTools @ Soporte de Apple @ Apple Store @ Productos para Mac @ Microsoft Office @ Internet Explorer

Favoritos | Historial | Buscar | Álbum | Marcador de página

tumedianaranja

1. ABOGADA SOLTERA BUSCA

Me llamo Daniela y estoy soltera. Tengo 45 años, mido 1,65 y peso 67 kilos. Soy morena y tengo los ojos azules. Soy abogada. Me gusta la jardinería, pasar los fines de semana en el campo y montar a caballo. Soy una persona optimista, alegre y en general me llevo bien con todo el mundo. Quiero conocer a un hombre cariñoso, preferentemente moreno y maduro, de entre 40 y 45 años, para matrimonio. No importa su situación económica.

2. CHICA EXPLOSIVA

¡Hola! ¿Quieres conocer a una chica explosiva? Me llamo Sonia y tengo 22 años. Mido 1,72 y peso 66 kilos. Soy rubia y tengo los ojos verdes. Mis amigos dicen que me parezco a Pamela Anderson. Actualmente trabajo en una agencia inmobiliaria. Me encanta viajar, bailar y salir. Quiero conocer a un chico alegre, a ser posible alto y guapo, para ser amigos y, poco a poco, descubrir si podemos ser algo más. ¡Escríbeme!

B. Ahora, vais a leer vuestro anuncio en voz alta. Vuestros compañeros tienen que decidir si la persona encaja con Daniela o con Sonia.

7. ¿A QUIÉN SE PARECE TU COMPAÑERO?

A. En parejas, elegid a alguien de la clase y pensad a quién se parece. Luego, comentádselo a los demás, que tienen que descubrir quién es.

- Se parece un poco a Madonna.
- ○ ¿Cristina?
- No.
- ■ ¿Julia?
- ...

B. Ahora, justificad el parecido ante vuestros compañeros.

- Julia lleva el pelo como Madonna y tiene los mismos ojos. Las dos son muy modernas...

8. UNA CITA A CIEGAS

A. Imagina que vas a encontrarte con alguien que nunca te ha visto. Escríbele un correo electrónico para explicarle cómo eres y entrégaselo a tu profesor.

B. Tu profesor va a repartir las descripciones. ¿Quién es el más rápido en saber de quién se trata?

9. ¿CÓMO ES THOMAS?

A. Observa bien durante un minuto a todas las personas de la clase e intenta memorizar todo lo que puedas de su aspecto. Luego, tu profesor va a dividir la clase en dos grupos. Cada grupo tiene que colocarse de espaldas al otro.

B. Tu profesor va a decir el nombre de una persona del grupo contrario. Entre los miembros del grupo tenéis que escribir todo lo que recordéis (de su físico y de la ropa que lleva).

C. Ahora cada grupo lee en voz alta la información que ha recopilado. ¿Qué grupo recuerda más cosas?

- Thomas es muy guapo y tiene los ojos azules.
  ○ Sí.
- Lleva una camisa negra.
  ○ Sí.

10. MODELOS DE FAMILIA

A. Aquí tienes cinco familias españolas. Lee los textos. ¿Cuál crees que es el modelo de familia más típico en España? ¿Y el menos típico? ¿Conoces a alguna familia española? Coméntalo con tus compañeros.

01

02

↑ Pilar y Manuel, de 57 y 62 años, respectivamente, viven en un pueblo de la provincia de Zamora. Él es electricista y ella, ama de casa. Viven con sus tres hijos: Eli, de 31 años, Mercedes, de 27, y Ricardo, de 23.

03

↑ Ángela tiene 34 años. Es propietaria de un pequeño negocio. Vive con su hijo de tres años en una casa adosada en las afueras de Madrid.

05

04

↑ Lupe, dominicana de 25 años, y Francis, valenciano de 26, hace dos años que viven juntos en un piso de 45 metros en el centro de Valencia. Francis trabaja en un restaurante y Lupe es dependienta en una tienda de moda y, por las tardes estudia Psicología. No están casados y, por el momento, no piensan tener hijos.

↑ Gabriel vive en un ático en el centro de Palma de Mallorca. Vive con su gato. Tiene 26 años y dice que no necesita vivir en pareja porque con sus amigos nunca está solo.

← David es inglés y tiene 41 años. Nuria es española y tiene 39. Están casados y tienen una hija adoptiva de un año, Laura, de origen chino. Los dos son profesores. Viven en el centro de Barcelona.

B. ¿Qué modelos de familia existen en vuestro país? En pequeños grupos, escribid la descripción de un modelo de familia de vuestro país.

C. Ahora, lee los siguientes titulares de prensa. ¿Con qué personas del reportaje del apartado A los puedes relacionar? Puede haber más de una opción.

noticias en papel

A *El porcentaje de parejas de hecho no supera el 5%*

D Crece el número de matrimonios y uniones entre españoles y extranjeros

B LAS FAMILIAS MONOPARENTALES REPRESENTAN SOLO EL 4,5% DE LAS MUJERES Y EL 1% DE LOS HOMBRES

C EL GOBIERNO APRUEBA COMPENSACIONES ECONÓMICAS PARA LAS FAMILIAS NUMEROSAS

E Aumento del número de adopciones de matrimonios españoles en China

F *La tasa de fecundidad española es una de las más bajas del mundo (1,2 hijos por mujer)*

G Aumenta el número de jóvenes que se independizan en las grandes ciudades

4

En esta unidad vamos a

**simular situaciones de contacto social
utilizando diferentes niveles de formalidad**

Para ello vamos a aprender:

> a desenvolvernos en situaciones muy codificadas:
invitaciones, presentaciones, saludos y despedidas
> a pedir cosas, acciones y favores
> a pedir y a conceder permiso
> a dar excusas > *estar* + Gerundio

¿CÓMO VA TODO?

1. SALUDOS Y DESPEDIDAS

A. Lee estas cuatro conversaciones. ¿A qué par de fotografías corresponde cada una? Márcalo. ¿En cuáles se saludan? ¿En cuáles se despiden?

3
- Hombre, Manuel, ¡cuánto tiempo sin verlo! ¿Cómo va todo?
- ○ Bien, bien, no me puedo quejar. ¿Y usted cómo está? *"so, so"*
- Pues hombre, tirando…
- ○ ¿Y la familia?
- Bien, gracias.

1
- ¡Hola Susana! ¿Qué tal?
- ○ Bien, muy bien. ¿Y tú? ¿Cómo estás?
- Muy bien también. ¡Cuánto tiempo!
- ○ Pues, por lo menos un año…, ¿no?
- Más, creo.

4
- Bueno, pues nada, que me tengo que ir, que tengo un montón de recados que hacer… Me alegro mucho de verla…
- ○ Sí, yo también. Venga, pues, adiós. ¡Y recuerdos a su familia!
- Igualmente. ¡Y un abrazo muy fuerte a su madre! *~hug*
- ○ De su parte. ¡Adiós!
- Adiós.

2
- Bueno, me voy…
- ○ Vale, pues nos llamamos, ¿no?
- Sí, venga, te llamo.
- ○ ¡Hasta luego!
- ¡Nos vemos!

B. ¿Conoces otras formas de saludarse o de despedirse? ¿La gente se saluda de la misma manera en tu país? ¿Qué gestos acompañan a los saludos?

2. ¿ME PRESTAS 5 EUROS?

A. Observa estas ilustraciones. ¿Qué relación crees que tienen estas personas entre ellas? ¿Qué crees que pasa en cada situación? Coméntalo con un compañero.

B. Ahora, escucha las conversaciones y comprueba tus hipótesis. ¿Cuáles de estas cosas hacen los protagonistas en cada una de las situaciones? Márcalo.

CD 13-18

■■■	1	2	3	4	5	6
pedir un favor	✓			✓	✓	
pedir permiso			✓	✓		
justificarse	✓		✓			
agradecer *dar las gracias*	✓	✓		✓	✓	
presentar a alguien *introduce*		✗				✓
interesarse por la vida de alguien		✓		✗		
pedir algo a un camarero		✓				

3. ¿QUÉ ESTÁN HACIENDO?

A. Todas estas frases hacen referencia a acciones relacionadas con el presente, pero con matices diferentes. Marca si las acciones resaltadas se presentan como algo que ocurre en el momento exacto en el que hablamos (A), como algo habitual (B) o como algo temporal o no definitivo (C).

1. • ¿Diga? Sí. Estoy saliendo de casa. En cinco minutos estoy allí.
2. • Estás trabajando demasiado. Necesitas unas vacaciones.
3. • Normalmente voy al trabajo en moto.
4. • Pues ahora estoy saliendo con Jorge. Es un compañero de la facultad.
5. • Estoy esperando a Luis. Llega en el tren de las diez.
6. • Estamos comiendo un jamón buenísimo. ¿Quieres probarlo?
7. • Mi madre cocina muy bien.
8. • Señores pasajeros, estamos volando sobre los Pirineos, a 9000 metros de altitud.
9. • ¿En Málaga? Muy bien, es una ciudad maravillosa. Estamos viviendo en un apartamento fantástico al lado de la playa.
10. • Creo que voy a tener que hacer una dieta para adelgazar. Es que como demasiados dulces.

	Acciones...		
	A ... que suceden en el momento en el que hablamos AHORA	**B** ... que presentamos como habituales AHORA	**C** ... que presentamos como no definitivas o temporales AHORA
1	✓		
2			✓
3		✓	
4	✓		
5			✓
6	✓		
7		✓	
8	(✓)		✓
9	✓		
10		✓	

B. En las acciones como las de A y C encontramos una nueva estructura: estar + Gerundio. Escribe en tu cuaderno todos los gerundios de las frases anteriores y, al lado, sus infinitivos correspondientes. ¿Puedes deducir cómo se forma el Gerundio?

4. PETICIONES

A. Observa las expresiones marcadas en negrita. ¿Para qué crees que sirven: para pedir permiso o para pedir un favor?

1. • Disculpe, ¿**podría abrirme** la puerta? *Pedir un favor* ✓
4. • **¿Me puede abrir** la puerta? *Pedir permiso x. favor*
3. • **¿Le importa abrirme** la puerta? *Pedir un favor* ✓
2. • **¿Le importa si abro** la puerta? *Pedir permiso* ✓
2. • **¿Le importaría abrirme** la puerta, por favor? *pedir permiso / favor*
3. • **¿Puedo abrir** la puerta? *Pedir un favor permiso*
5. • **¿(Me) abre** la puerta, por favor? *Pedir permiso favor*

B. De las formas anteriores, ¿cuáles crees que son más directas? ¿De qué factores depende que escojamos una u otra? Coméntalo con tus compañeros.

5. ES QUE...

A. Observa estas viñetas. ¿Qué crees que significa **es que**? ¿Para qué crees que sirve?

• Oye, si sales, ¿me puedes traer el periódico?
○ Bueno, pero **es que** quizá vuelvo tarde.

• ¿Problemas con el autobús?
○ No... Mmm... **Es que** me he dormido. Lo siento.

B. Ahora, responde a estas preguntas con la excusa más original, divertida o surrealista que se te ocurra.

1. **Tu profesor:** ¿Así que no has hecho los deberes?
   Tú: No, es que he perdido mi bolsa

2. **Un amigo íntimo:** ¿Me puedes dejar tu coche?
   Tú: Posible, sin embargo es que necesito para mi cita con la doctora

ESTAR + GERUNDIO

Cuando presentamos una acción o situación presente como algo temporal o no definitivo, usamos **estar** + Gerundio.

(yo)	**estoy**	
(tú)	**estás**	
(él/ella/usted)	**está**	+ Gerundio
(nosotros/nosotras)	**estamos**	
(vosotros/vosotras)	**estáis**	
(ellos/ellas/ustedes)	**están**	

- *Estoy dando clase en varias escuelas.*

A veces podemos expresar lo mismo en Presente con un marcador temporal: **últimamente**, **estos últimos meses**, **desde hace algún tiempo**…

- *Últimamente doy clase en varias escuelas.*

Cuando queremos especificar que la acción se está desarrollando en el momento preciso en el que estamos hablando, solo podemos usar **estar** + Gerundio.

- *No se puede poner al teléfono, se ducha.*
- *No se puede poner al teléfono, se está duchando.*

GERUNDIOS REGULARES		GERUNDIOS IRREGULARES	
hablar ➡	hablando	leer ➡	leyendo*
beber ➡	bebiendo	oír ➡	oyendo*
escribir ➡	escribiendo	decir ➡	diciendo
		dormir ➡	durmiendo

❗ Cuando delante de la terminación -**er**/-**ir** hay una vocal, la terminación del Gerundio es -**yendo**.

PEDIR COSAS, ACCIONES Y FAVORES

PEDIR UN OBJETO

Dependiendo de la situación, del interlocutor y de la dificultad que implique la petición, usamos una u otra estructura.

	tú	usted
+ formal / + dificultad	¿Me podrías dejar/dar…?	¿Me podría dejar/dar…?
	¿Me puedes dejar/dar…?	¿Me puede dejar/dar…?
- formal / - dificultad	¿Me dejas/das…?	¿Me deja/da…?

Para pedir un objeto que no pensamos devolver: **dar**.

- **¿Me das** un vaso de agua, por favor?

Para pedir que nos acerquen un objeto: **pasar**.

- **¿Me podrías pasar** la chaqueta, por favor?

Para pedir un objeto ajeno: **prestar** o **dejar**.

- **¿Me prestas/dejas** tu coche este fin de semana?

Para pedir algo que no sabemos si la persona tiene: **tener**.

- **¿Tienes** un bolígrafo?

Para pedir algo en un bar o en una tienda de alimentación: **poner**.

- **¿Me pone** un cortado, por favor?

> Para entregar un objeto: **tomar** o **tener** en Imperativo.
> - **Toma/e.**
> - **Ten/Tenga.**

PEDIR UN FAVOR

Para pedir una acción, usamos las mismas estructuras que para pedir un objeto.

- **¿Podría decirme** la hora si es tan amable?
- **¿Puede ayudarme** con el carrito, por favor?
- **¿Me ayudas** un momento con esta traducción, por favor?

También podemos utilizar el verbo **importar** (en Presente o en Condicional) + Infinitivo.

- **¿Te importa/importaría pasar** por casa esta tarde?

PEDIR Y CONCEDER PERMISO

Para pedir permiso, usamos el verbo **poder** (en Presente o en Condicional) + Infinitivo.

- **¿Puedo/Podría dejar** la bolsa aquí un momento?
- **Sí, sí, claro.**

También podemos usar: **importar** (en Presente) + **si** + Presente de Indicativo.

- **¿Te importa si hago** una llamada?
- **No, no. En absoluto.**

DAR EXCUSAS O JUSTIFICARSE

Es una norma de cortesía casi obligada explicar o justificar por qué rechazamos una invitación o por qué nos negamos a hacer algo. Esa justificación se suele introducir con **es que**.

- ¿Vienes a cenar el sábado?
- No puedo. **Es que** tengo que estudiar.

Es que también sirve para justificar una petición.

- ¿Puedo cerrar la ventana? **Es que** entra mucho ruido.

SALUDOS Y DESPEDIDAS

- **Y** la familia, **¿qué tal?**
- **Y** tu/su mujer, **¿cómo está?**
- **¡Recuerdos a** tu/su familia!
- **¡Saludos a** Pedro!
- **¡Dale un beso a** tu/su madre!

6. EN UN VAGÓN DE TREN

Imagina que eres el personaje blanco que aparece en este vagón de tren. ¿Qué cosas pides a los demás pasajeros? ¿Cómo? Escríbelo. Luego, compáralo con un compañero. ¿Quién ha escrito más peticiones?

7. ¡CÁLLESE, SEÑORA!

A. Fíjate en cómo Jacinto "el educado" y Pancho "el maleducado" piden algunas cosas o responden a una serie de peticiones. ¿Quién crees que dice cada cosa?

supermercado

1. Si vas al súper, ¿me traes un zumo de naranja, por favor?
a) ¿Por qué no vas tú? *Pancho*
b) Es que no pensaba volver a casa. Lo siento.
Jacinto

2. Oiga, perdone, ¿le importaría dejarme pasar? Es que tengo prisa...
a) Lo siento mucho, pero es que yo también tengo prisa. *Jacinto*
b) Todos tenemos prisa.
Pancho

bolígrafo

3. Oye, perdona, ¿tienes un boli?
a) En la esquina hay una papelería. *Pancho*
b) Es que solo tengo este. Lo siento.
Jacinto

4. Están en el cine y la mujer de al lado no deja de hablar.
a) Oiga señora, ¿podría hablar más bajito, por favor? Es que no se oye nada. *Jacinto*
b) Señora, ¿sería tan amable de callarse? Muchísimas gracias. *Pancho*

JACINTO

PANCHO

5. ¿Te apetece una taza de chocolate?
a) No. *Pancho*
b) No gracias, es que estoy a régimen.
Jacinto

6. Oiga, perdone, ¿se pueden hacer fotos en el museo?
a) Lo lamento, está prohibido. Pero si quiere, en la tienda venden postales de los cuadros. *Jacinto*
b) Está prohibido.
Pancho

B. Ahora, en parejas decidid qué personaje de los anteriores queréis ser y preparad vuestras respuestas a estas peticiones. Vuestros compañeros tendrán que adivinar quién sois.

- ¿Puedo ir un momento al baño?
- ¿Me dejas tu libro un momento, por favor?
- ¿Me pasas la sal?
- ¿Me puedo quedar a dormir en tu casa esta noche? Es que he perdido el autobús. *missed*
- ¿Tienes hora?
- Perdone, ¿me deja pasar? Es que bajo en la próxima.

8. ESTOY BUSCANDO TRABAJO

A. ¿Estás haciendo estas cosas actualmente? Márcalo.

1. Estoy haciendo régimen. ☐
2. Estoy buscando trabajo. ☑
3. Estoy leyendo un libro en español. ☑
4. Estoy escribiendo un diario. ☐
5. Estoy ahorrando para comprar algo. ☐
6. Estoy trabajando los fines de semana. ☑
7. Estoy estudiando otro idioma. ☑
8. Estoy haciendo bastante deporte. ☐
...

B. Ahora, compara tus respuestas con las de un compañero. ¿Tenéis muchas cosas en común?

- Jasmina y yo tenemos bastantes cosas en común. Las dos estamos estamos leyendo un libro en español...

9. UN TEXTO INADECUADO

A. Lee este texto y, luego, completa la ficha.

> Sr. Profesor:
>
> Soy Karen, una alumna de su clase de español. ¿Se acuerda de mí? Normalmente me siento en la primera fila, en las sillas de la derecha. Quiero hablar con usted el próximo jueves a las 15.00h. Quiero un consejo para el trabajo de final de curso. Ya sé que su día de visita es el miércoles pero yo no puedo ese día. Resulta que, como desde hace un tiempo estoy un poco nerviosa, me apunté a unas clases de yoga y voy dos días a la semana: los miércoles y los viernes. Estoy segura de que a usted no le va a importar, pero si hay algún problema, llámeme al 608 56 47 90.
>
> Gracias.

¿Tipo de texto?	....
¿Quién lo escribe?	....
¿A quién?	....
¿Para qué?	....
¿Es adecuado?	....

B. Ahora, compara tu ficha con la de un compañero. Luego, entre los dos tenéis que mejorar el texto anterior para hacerlo más adecuado.

10. ¿CÓMO LO DICES?

A. En parejas, vais a representar una de estas cinco situaciones. Elegid una y pensad cómo vais a decir las cosas para conseguir vuestros objetivos.

1 A: Te encuentras a un vecino en el supermercado. Vas muy cargado porque has comprado muchas cosas. No lo conoces mucho pero os saludáis todos los días. Quieres pedirle que te lleve a casa.
B: Estás en el supermercado y te encuentras a un vecino que no te cae muy bien. Tienes algo de prisa porque has quedado.

2 A: Estás en una floristería en la que has comprado bastantes veces. Tienes que comprar urgentemente un ramo de flores para hacer un regalo. Te das cuenta de que no llevas dinero en metálico ni tampoco la tarjeta de crédito. Quieres decirle al dependiente que se lo pagarás otro día.
B: Trabajas en una floristería. En la tienda hay un cliente que no conoces y del que no te fías.

3 A: Estás tomando algo con un amigo. Quieres pedirle su coche porque tienes que ir a un centro comercial a comprar unos muebles.
B: Estás tomando algo con un amigo. Tú te has comprado un coche nuevo y no quieres dejárselo a nadie. Tu amigo conduce fatal.

4 A: Compartes piso con un amigo. La casa está desordenada y sucia. Tú siempre haces un esfuerzo por limpiarla aunque no sea tu turno. Tus padres van a venir a visitarte dentro de un par de días. ¿Cómo le dices a tu compañero de piso que tiene que limpiar la casa?
B: Estás algo molesto con tu compañero de piso porque siempre está dando órdenes. Además, hace poco tú le pediste un favor y él no lo hizo.

5 A: Hace dos meses prestaste 200 € a un amigo. Te dijo que te los iba a devolver en una semana o dos, pero todavía no lo ha hecho. Crees que no se acuerda, pero necesitas el dinero. Hoy estáis tomando un café los dos en un bar. ¿Cómo se lo pides?
B: Estás tomando un café con un amigo. Hace tiempo le pediste dinero pero todavía no se lo has devuelto. Ahora mismo no tienes mucho dinero y quieres pedirle otros 200 €.

B. Ahora, vais a representar la situación. Pensad cómo vais a reaccionar y qué entonación vais a adoptar (podéis grabarlo para evaluar vuestra producción oral). Vuestros compañeros decidirán si habéis sido...

amables	directos
educados	bruscos	claros
simpáticos	maleducados

11. ¿VOS SOS ESPAÑOLA? — Latin American

A. En toda América Latina se usa solamente **ustedes** para la segunda persona del plural en registros formales e informales. En España, en cambio, se distingue entre **vosotros** y **ustedes**. Por otra parte, en algunos países, se usa **vos** en lugar de **tú**. Lee lo que dicen estas cuatro personas y completa el cuadro.

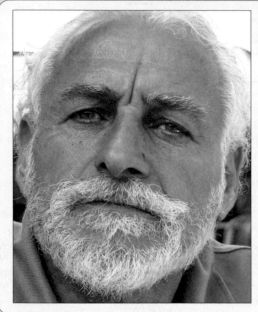

1. Guillermo Zanetti, argentino
Nosotros utilizamos más "vos". Y en plural, decimos "ustedes". Y, claro, tenemos algunas formas verbales diferentes. Yo te pregunto, por ejemplo, "¿Vos sos española?" en lugar de "¿Tú eres española?". En realidad es muy fácil, solo hay que quitar la "i" de vosotros. Por ejemplo, de "coméis", "comés". También usamos "che" para dirigirnos a alguien: "¡Che! ¿Cómo andás?".

2. Rosalía Salazar, mexicana
En México usamos "tú", y para demostrar respeto "usted". Lo que no usamos es "vosotros". Decimos "ustedes". En México D. F. la palabra que usamos para dirigirnos a los amigos es "cuate", o "cuata" para las mujeres. Un saludo típico entre amigos es: "¿Cómo están mis cuates?".

3. Omar Ferrer, cubano
En Cuba usamos "tú" y hacemos las preguntas de una forma especial, usando el pronombre: "¿Cómo tú te llamas?". Y para el plural usamos "ustedes". "Vosotros" lo entendemos y lo estudiamos en la escuela, pero nadie lo utiliza.

4. Fernanda Ramos, española
En España se usa "tú" y "vosotros". Pero yo soy de Sevilla, de un pueblo que se llama Coria del Rio, y allí no usamos "vosotros", decimos "ustedes". Creo que en Canarias también dicen "ustedes" en vez de "vosotros". Por ejemplo, yo puedo decirle a un grupo de amigos: "Ustedes tienen que venir conmigo".

	Tú	Vos	Vosotros	Ustedes
Argentina		✓		✓
México	✓			✓
Cuba	✓		✓	✓
España	✓		✓	✓

in Coria del R.

B. ¿En cuántos países se habla tu lengua? ¿Sabes si hay diferencias como estas entre las diferentes zonas o países? Coméntalo con tus compañeros.

5

Para ello vamos a aprender:

> a hablar de actividades de ocio > a hablar de horarios
> a relatar experiencias pasadas > a describir lugares
> a hablar de intenciones y de proyectos
> el Pretérito Perfecto > ir a + Infinitivo
> ya/todavía no

GUÍA DEL OCIO

Parque de atracciones Tibidabo, Barcelona (España)

1. GUÍA DEL OCIO

A. Fíjate en el texto de la derecha y contesta a las siguientes preguntas. Luego, comenta tus respuestas con el resto de tus compañeros.

¿Qué tipo de texto es?

¿Qué tipo de información vas a encontrar en él?

¿Lees este tipo de textos a menudo?

¿Lees toda la información cuando lees un texto como este?

¿Lo lees igual que un artículo de prensa o que un poema?

¿Crees que será imprescindible entender todas las palabras que aparecen en el texto?

B. El texto pertenece a la *Guía del ocio* de Madrid. Imaginad que estáis en la ciudad. En parejas, decidid cuál es el mejor lugar para cada una de las siguientes situaciones.

1. Queréis bailar hasta las 5h de la mañana.
2. Queréis ir a un museo, pero solo tenéis 4 euros cada uno.
3. Queréis ir al cine a ver una película en versión original.
4. Queréis ir a un karaoke.
5. Es la 1h de la madrugada de un sábado y os apetece cenar.
6. Son las 12h de la noche y os apetece tomar unas tapas.
7. Queréis ir al cine con un niño de 8 años.
8. Os apetece cenar fuera, pero no queréis gastar más de 20 euros.
9. Es domingo por la mañana y os apetece ir al cine a ver una película.
10. Queréis escuchar música en directo.

- *Para bailar toda la noche podemos ir a "Joy Madrid". Está abierto hasta las 5.30h de la mañana.*
- *O también podemos ir a...*

C. Fíjate en los horarios (días y horas) de la *Guía del ocio*. ¿Hay algo que te sorprende? ¿Es igual en tu país? ¿Te sorprenden otros aspectos? Coméntalo con tu compañero.

- *En Madrid las discotecas cierran muy tarde.*
- *Sí... Y aquí los museos son gratuitos.*

guía del ocio

Bares y discotecas

Berlín Cabaret. Costanilla de San Pedro, 11. Ⓜ La Latina. ☎ 91 3662034. Bar con actuaciones en directo. Abierto todos los días de 22 a 5h. Viernes, sábados y vísperas de festivo hasta las 6h. Domingos cerrado.

Casa Patas. Cañizares, 10. Ⓜ Antón Martín. ☎ 91 3690496. Tablao flamenco y restaurante. Especialidad en rabo de toro. Precio medio: de 15 a 25 €. Abierto todos los días de 22.30 a 24h. Viernes y sábados de 21 a 2h.

Joy Madrid. Arenal, 11. Ⓜ Ópera. ☎ 91 3663733. Discoteca. Abierto todos los días de 23 a 5.30h. Entrada: 12 € con consumición. Viernes y sábados hasta las 6.30h. Entrada 15 €.

La Negra Tomasa. Cádiz, 9 (esquina Espoz y Mina). Ⓜ Sol. ☎ 91 5235830. Tapas con sabor cubano. Abierto de domingo a jueves de 12 a 4h. Música cubana en directo de jueves a domingo a las 23.30h y viernes y sábados también a las 3h.

Reina por un día. Sandoval, 16. Ⓜ San Bernardo. ☎ 639 646 171. Cocina creativa, tapas y restaurante interactivo. Espectáculo de bailarines y acróbatas. Karaoke. Abierto solo los viernes y sábados de 21 a 6h. No se admiten tarjetas. Imprescindible reservar.

Museos

Museo del Prado. Paseo del Prado, s/n. Ⓜ Banco de España, Atocha. ☎ 91 3302800. Uno de los museos más completos y visitados del mundo. Horario de 9 a 19h de martes a domingo (días 24 y 31 de diciembre y 6 de enero abierto de 9 a 14h). Cerrado todos los lunes del año y los días 1 de enero, 1 de mayo, 25 de diciembre y Viernes Santo. Entrada general 6 €, reducida 3 €. Exposición temporal: *Durero. Obras maestras de la Albertina*. Recorrido cronológico y temático que incide en los intereses y en la versatilidad de su creador.

Centro Cultural de la Villa. Jardines del descubrimiento, s/n. Ⓜ Colón, Serrano ☎ 91 480 0300. Horario: de martes a sábado de 10 a 21h. Domingos y festivos de 10 a 14h. Lunes cerrado. Entrada gratuita. Exposiciones temporales:
Los museos de los niños en el mundo (Fotografía). Imágenes de los niños de todo el mundo cedidas por diferentes museos. *Colores* (Divulgativa). A través de un recorrido por la muestra, mediante juegos y actividades, los "peques" descubren cómo el color influye en la percepción de la realidad. Horario: de miércoles a viernes a las 17.30h, sábados a las 10.30, 12.30, 14.30 y 18.30h. Domingos y festivos solo mañanas. No se permitirá el acceso a adultos si no van acompañados de niños, y viceversa.

Monasterio de la Encarnación. Pl. de la Encarnación, s/n. Ⓜ Ópera. ☎ 915470510. De mar. a sáb. de 10.30 a 12.45h y de 16 a 17.45h. Dom. de 11 a 13.45h. Viernes de 10.30 a 12.45h. Lunes cerrado. Días 31 de diciembre, 1 y 6 de enero, cerrado. Entrada: 3,60 €. Menores de edad, estudiantes y jubilados (ciudadanos de la Unión Europea): 2 €. Miércoles gratis para los ciudadanos de la Unión Europea. Fundado por la emperatriz Margarita de Austria, sigue habitado por religiosas Agustinas Recoletas. Pinturas de la Escuela Madrileña y retratos de los Borbones.

Museo Municipal de Arte Contemporáneo. Conde Duque, 11. Ⓜ Noviciado. Abierto de martes a sábado de 10 a 14h y de 17 a 21h. Domingos y festivos solo mañanas. Lunes cerrado. Entrada libre.
PERMANENTE: colección de obra gráfica, pintura, dibujo escultura y fotografía.
TEMPORAL: *Aérea. Cielos futuristas*. Recorrido por el arte futurista italiano a través de pinturas, esculturas y cerámicas.

Thyssen-Bornemisza. Pº del Prado, 8. Ⓜ Banco de España. Abierto de martes a domingo de 10 a 19h. Lunes cerrado. Entrada: 6 €. Exposición temporal: 6 €. Reducida: 4 €. Todo incluido: 10 €. Precios reducidos para mayores de 65 años y estudiantes con carné. Gratuito para menores de 12 años acompañados. Edificio de finales del siglo XVIII. Pintura desde los primitivos flamencos hasta el siglo XX.
TEMPORAL: *Brucke. El nacimiento del expresionismo alemán*. Muestra antológica que descubre los logros artísticos de este grupo de jóvenes pintores de primeros del siglo XX.

Cines

Pequeño Cine Estudio. Magallanes, 1. Ⓜ Quevedo. ☎ 91 4472920. Entrada: 5,90 €. Lunes no festivos día del espectador: 4,80 €. Precio reducido primera sesión de martes a domingo: 4 €. Todas las películas en V.O. con subtítulos en castellano.

Ciudadano Kane. Pases: 18.10, 20.30 y 22.50h.

Lo que el viento se llevó. Pases a las 16.30 y a las 21h.

Viridiana. Pases: 16.30, 19 y 21.30h.

Psicosis. Pases. Viernes y sábados a las 0.30h.

Gilda. Pases: 17.50, 20.30 y 22.50h.

Ideal Yelmo Cineplex. Doctor Cortezo, 6. Ⓜ Sol. ☎ 91 3692518. Entrada 6 €. Lunes no festivos día del espectador: 4,80 €.

Destino final 3 Pases: 16, 18.10, 20.25 y 22.50h.

Monstruos, S.A. (apta). Pases: 18.10, 20.30 y 22.45h.

Mar adentro. Pases: 16.00, 18.10, 20.25 y 22.50h.

Warner Príncipe Pío. Centro de Ocio, Cultura y Comercio Príncipe Pío. Entrada: 5,85 €. Sábados, domingos, festivos y sesión de madrugada: 6,10 €. Día del espectador: miércoles no festivos. Sábados y domingos sesiones matinales en todas las salas a las 12.15h.

Los increíbles (apta). Pases: 16.15, 18.30, 20, 35 y 22.50h.

Matrix 5. Pases: 16.10, 18.40, 20.45 y 23h.

Cara a cara. Pases: 16, 18.20, 20.40 y 23.00h.

2. DE VUELTA A CASA

🔊 **CD 19-22** **A.** En el aeropuerto, a la vuelta de las vacaciones de Semana Santa, unas personas nos han contado cómo han pasado esos días. Relaciona las conversaciones con las fotos.

Ruth y Anabel

2

Pedro y Araceli
venice

3

Jaime, Lola y Vincent
Argentina -cataratas Azul

🔊 **CD 19-22** **B.** Ahora, vuelve a escuchar y completa el cuadro. Puede haber más de una opción.

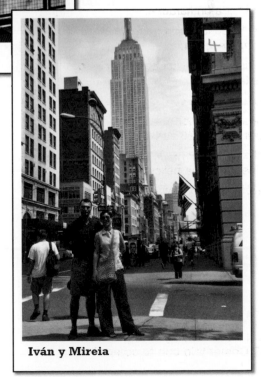

Iván y Mireia

■ ■ ■	1	2	3	4
1. Han estado en varias regiones del mismo país.	✓		✓	✓
2. Han estado sobre todo en una ciudad.		✓	✓	
3. Han comido muy bien.	✓	✓	✓	
4. Han ido a museos.		✓	✓	✓
5. Han alquilado un coche.				✓
6. Han salido de noche.			✓	
7. Han ido de compras.			✓	
8. Han ido al teatro.			✓	✓
9. Han ido en barco.	✓	✓		

3. UN ANUNCIO

A. Mira este anuncio publicitario. ¿Qué tipo de producto crees que anuncia?

Preterio perfecto

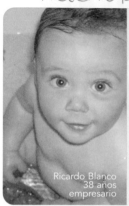

Este año no ha tenido vacaciones.
Nunca ha llegado tarde a una reunión. Ha sido dos veces el "empleado del año". Este mes ha viajado seis veces por trabajo. Esta semana ha tenido tres cenas de negocios. Esta mañana ha escrito más de treinta correos electrónicos. Esta tarde se ha tomado dos aspirinas. Hoy ha salido de la oficina a las 10 de la noche. Y esta noche ha quedado para salir.

Ricardo Blanco
38 años
empresario

Por suerte,
cuando llega a casa tiene...

- Yo creo que anuncia...
- No sé... Yo creo que...

B. Vuelve a leer el anuncio. ¿En qué tiempo verbal están las frases? ¿Qué marcadores temporales acompañan a este tiempo? Márcalos.

C. Y tú, ¿qué has hecho? Escríbelo y, luego, coméntalo con tus compañeros.

Este año *he ido muy pocas veces al cine.*
Este mes *no he ido al cine*
Esta semana *he trabajado mucho*
Esta mañana *he andado a mi empleo*
Hoy *he enseñado a mi estudiante*
Estos días *he llevado vestidos porque muchos*
  He montado dos veces *en mi escuela di equitac*
Nunca *he viajado de Latino América*
  a

- Este año he ido muy pocas veces al cine.
- Pues yo he ido mucho, sobre todo este mes.

4. RECUERDOS DESDE CUBA

= Saludos

A. Bibi es una chica española que está de vacaciones en Cuba con una amiga. Lee la postal que ha enviado a sus padres y decide si está pasando unas vacaciones aburridas o divertidas.

¡Hola familia!

Después de unos días en Varadero ya hemos llegado a La Habana. Estamos morenísimas. Hemos tomado mucho el sol y hemos hecho submarinismo... ¡con tiburones!
Sharks
Al final vamos a quedarnos aquí hasta el día 10 porque esto es increíble. Hemos conocido a unos chicos que nos están enseñando la ciudad. Mañana nos van a enseñar la Habana Vieja y este fin de semana vamos a ir a la Isla de la Juventud. Suena bien, ¿no?

Mami, finalmente he decidido que el año que viene voy a seguir en la Universidad. ¿Estás contenta?

Un besote a papá.

Bibi

B. Vuelve a leer la postal y completa el cuadro.

Planes	¿Cuándo?/¿Hasta cuándo?
Vamos a quedarnos aquí	hasta el día 10

C. En la columna de planes encontramos una estructura nueva. ¿Con qué verbo se construye? Escríbelo en la parte de arriba del cuadro. Luego, completa el cuadro.

	IR	a	+ Infinitivo
(yo)	voy		
(tú)	vas		
(él/ella/usted)	va		viajar
(nosotros/as)	vamos	a +	correr
(vosotros/as)	vais		salir
(ellos/ellas/ustedes)	van		

D. Todos estos marcadores temporales pueden referirse al futuro. ¿Puedes ordenarlos cronológicamente?

pasado mañana | el año que viene | el 31 de diciembre
| esta tarde
mañana | el mes que viene | el lunes que viene
dentro de dos años | esta noche | en Semana Santa
within a years

E. Y tú, ¿tienes algún plan para el futuro? Piensa en tu trabajo, en tus estudios, en tus vacaciones... Escríbelo y, luego, cuéntaselo a un compañero.

- El año que viene voy a apuntarme a un curso de...

HABLAR DE HORARIOS

- ¿A qué hora **abre/cierra** el banco?
  ¿A qué hora **empiezan/acaban** las clases?
  ¿A qué hora **llega/sale** el tren de Sevilla?
- **A las** nueve/diez/once y media...

- **Abre/Está abierto de** diez a una.
- **Cierra/Está cerrado de** una a cinco.

HABLAR DE EXPERIENCIAS EN EL PASADO: PRETÉRITO PERFECTO

	Presente de **haber**	+	Participio
(yo)	he		
(tú)	has		visit**ado**
(él/ella/usted)	ha	+	com**ido**
(nosotros/as)	hemos		viv**ido**
(vosotros/as)	habéis		
(ellos/ellas/ustedes)	han		

Los participios irregulares más frecuentes son:

abrir	➡	**abierto**	morir	➡	**muerto**
decir	➡	**dicho**	poner	➡	**puesto**
descubrir	➡	**descubierto**	romper	➡	**roto**
escribir	➡	**escrito**	ver	➡	**visto**
hacer	➡	**hecho**	volver	➡	**vuelto**

Usamos el Pretérito Perfecto cuando hablamos de experiencias que relacionamos con el momento en el que hablamos: **hoy, esta mañana, este mes, este fin de semana, este año, esta semana, estos días**...

- ¿Qué **has hecho** hoy?
- Pues esta mañana **he ido** al médico. Es que no me encuentro muy bien.

También usamos el Pretérito Perfecto para hablar de experiencias, pero sin mencionar cuándo se han realizado. En este caso, usamos expresiones como **alguna vez, varias veces, nunca**...

- ¿**Has estado** alguna vez en Roma?
- ¿En Roma? Sí, (**he estado**) dos veces.

> Recuerda que cuando hablamos de hechos pasados que no vinculamos con el Presente (con frecuencia acompañados por marcadores como **ayer, la semana pasada**, etc.) usamos el Pretérito Indefinido.
>
> - ¿Qué tal en Barcelona?
> - Genial. Hemos visto muchísimas cosas. El primer día **fuimos** al Museo Picasso...

YA/TODAVÍA NO + PRETÉRITO PERFECTO

Usamos **ya** cuando preguntamos por una acción cuya realización esperamos o creemos posible, o cuando confirmamos su realización.

- ¿**Ya** habéis estado en Madrid?
- Sí, **ya** hemos estado.

Con **todavía no** expresamos que una acción no se ha producido en el pasado, pero que puede ocurrir en el futuro.

- ¿Ya habéis visto La Giralda?
- Sí, yo sí.
- Yo **todavía no**.

- ¿Ya habéis probado la paella?
- No, **todavía no**.

HABLAR DE INTENCIONES Y PROYECTOS

	ir	a	+	Infinitivo
(yo)	voy			
(tú)	vas			cenar
(él/ella/usted)	va	a		ir a Málaga
(nosotros/nosotras)	vamos			tomar una copa
(vosotros/vosotras)	vais			
(ellos/ellas/ustedes)	van			

- ¿Qué **vais a** hacer el sábado por la noche?
- Seguramente **vamos a** ir a casa de Pedro.

Para referirnos al futuro, podemos usar los siguientes marcadores temporales.

esta tarde/noche...
este jueves/viernes/sábado/fin de semana...
mañana
pasado mañana
dentro de un año/dos meses/tres semanas...
el lunes/mes/año... que viene

También podemos usar el Presente de Indicativo para hablar de intenciones y de proyectos que queremos presentar como firmes o decididos.

- Mañana **cenamos** en casa de Alicia.

5. TODA UNA VIDA

A. Aquí tienes una lista de hechos que pueden darse en la vida de una persona. ¿Lo entiendes todo? Pregúntale a un compañero lo que no entiendas.

jubilarse   estudiar en un país extranjero

enamorarse   divorciarse   montar un negocio   tener hijos

casarse   aprender a ir en bicicleta   acabar los estudios

ser famoso/a   comprar una casa   dar la vuelta al mundo

aprender a tocar un instrumento   ir a la Universidad

escribir un libro   plantar un árbol   vivir solo/a

B. De la lista anterior, anota en tu cuaderno cosas que has hecho, cosas que estás haciendo en la actualidad, cosas que vas a hacer muy pronto y cosas que crees que no vas a hacer nunca.

C. Ahora, coméntalo con tu compañero. Luego, cuenta a la clase lo que más te ha sorprendido.

- Rubí se ha casado tres veces.

6. EL AÑO MÁS...

A. Vas a averiguar cómo ha sido la vida de uno de tus compañeros durante uno de estos tres periodos: esta semana, este mes o este año. Prepara preguntas que te ayuden a decidir si ha tenido una semana, un mes o un año interesante, divertido, aburrido...

- ¿Has ido mucho al cine este mes?
- Sí, un par de veces. Fui la semana pasada y ayer por la noche.
  ...

B. Ahora, comentad con el resto de la clase cómo ha sido la vida de vuestro compañero en el periodo que hayáis elegido.

- Olga ha tenido un mes bastante interesante: ha ido dos veces al cine, ha...

7. UN PARQUE TRANQUILO

A. ¿Quién de vosotros conoce mejor la ciudad o la región en la que estáis? Piensa en los lugares que conoces e intenta completar el cuadro de la derecha.

B. Ahora, coméntalo con tus compañeros.

- Yo conozco un local con muy buena música.
- ¿Y dónde está?
- Cerca del puerto.

C. ¿Has descubierto algo nuevo? Pide información a los compañeros que conocen los lugares que te interesan y decide a cuál quieres ir y cuándo. Cuéntaselo a la clase.

- Creo que voy a ir a "Sounds" este fin de semana. Anna ha estado y dice que la música es muy buena.

	Nombre	¿Dónde está?
1. Un local con buena música	Sounds	Cerca del puerto
2. Un parque tranquilo		Arthurs seab
3. Un lugar donde se puede hacer deporte	Meadow Banks	Leith
4. Una tienda con ropa muy barata	H&M	Princess St
5. Un lugar para hacer los deberes	Cafe	Black medicipe
6. Una biblioteca donde hay libros/películas en español	Biblioteca Public	Morningside
7. Un restaurante de comida española o latinoamericana	Poncho Villa	Royal Mile
8. Una buena tienda de discos	Flip	Rose Street
9. Un pueblo con encanto	Dean Village	
10. Un gimnasio con piscina	Virgin	Omni centre
11. Un bar con música latinoamericana	El barrio	
12. Una tienda de productos biológicos	Body shop	Princess St

Real Food Tollcross
Earthy foods
Causeways

5

8. GUÍAS TURÍSTICOS

A. Aquí tenéis un artículo sobre Sevilla. En grupos de tres, imaginad que sois guías turísticos y que tenéis que preparar actividades para un día en Sevilla para uno de los siguientes grupos de turistas.

- Un grupo de jubilados (65+) *retirados*
- Un grupo de 35 estudiantes de 18 años
- Una familia con chófer
- Una pareja que está de luna de miel
- Un grupo de niños de 10 a 14 años

SEVILLA
LA CAPITAL DEL TAPEO

LO IMPRESCINDIBLE

El casco antiguo de Sevilla es el más grande de Europa. Es imprescindible visitar la **catedral**, la mayor construcción religiosa de España, subir a la **Giralda**, perderse por el **barrio de Santa Cruz**, observar la **torre del Oro**, dar un paseo por la **calle Sierpes**, el mejor lugar para ir de compras en Sevilla, y recorrer el **parque de María Luisa** y la Plaza de España. No se puede dejar Sevilla sin cruzar el río y pasear por **Triana**. Hay que visitar también el **museo de Bellas Artes**, con las obras más importantes de Zurbarán y de Murillo.

TAPAS

Para comer tapas, es recomendable acercarse al **centro** de Sevilla hacia el mediodía. Destacan **El rinconcillo**, la taberna más antigua de la ciudad, **La bodeguita Romero**, famosa por su exquisita "pringá" (tapa a base de la carne, el tocino, la morcilla y el chorizo del cocido) y **La alicantina**, al lado de la hermosa Iglesia del Salvador. En **Triana** podemos comer tapas en **Casa Cuesta**, **La blanca paloma** o **Casa Manolo**. Recomendamos acabar el día en **La Alameda**, un barrio situado cerca del centro que se está convirtiendo en la zona más "chic" de la nueva Sevilla.

DÓNDE COMER

Poncio (Victoria, 8). Cocina de autor.
Kiosco de las flores (Betis, s/n). El templo del "pescaíto frito". Todo un clásico.
Casablanca (Zaragoza, 50). Famoso mundialmente por sus tapas.
Casa Robles (Álvarez Quintero, 58). Uno de los escenarios de lujo de la vida social sevillana.

DÓNDE SALIR

Latino (Plaza de Chapina). Una terraza junto al río con marcha hasta el amanecer.
Chile (Paseo de las Delicias, s/n). Punto de encuentro de universitarios y treintañeros.
Café de la prensa (Betis, 8). Un café con solera al pie del puente de Triana.
Picalagartos (Hernando Colón, 7). Un glamuroso café, ideal para los visitantes más sofisticados.
Catedral (Cuesta del Rosario). Pequeño club con *tecno* y *house* de calidad.

FLAMENCO

El tamboril (Plaza Santa Cruz, s/n). Flamenco en directo a partir de medianoche.
El palacio andaluz (Avda. Mª Auxiliadora, 18). Espectáculo y cena. En pleno centro.

VARIOS

Cuentacuentos y animaciones a la lectura (Feria, 121). Ideal para que el niño se familiarice con los libros. Todos los días a partir de las 18h.
XXIII Feria Internacional del títere de Sevilla (Crédito, 11). Espectáculos de marionetas y títeres en el Teatro Alameda.
Isla Mágica. Parque de atracciones situado no muy lejos del centro de la ciudad.

Cálida, abierta y hospitalaria, Sevilla es una explosión de color en primavera. La Feria de Abril puede ser la excusa ideal para descubrir la luz de sus días y perderse en la magia de sus noches.

EXCURSIONES

Crucero de 1 hora por el Guadalquivir. Visitas comentadas.
Ruta de 3 horas por el casco antiguo. Visitas comentadas.
Córdoba. Salida a las 8h y llegada a las 3h. Visitas comentadas a: la Mezquita, el Alcázar, la Sinagoga y Medina Al-Zhara.
Sierra Norte. Salida a las 8h y llegada a las 2h. Parque natural situado al norte de la provincia de Sevilla. Visitas guiadas. Las actividades en la zona incluyen pesca, caza, deportes acuáticos y escalada.
Tarifa. Salida a las 7h y llegada a las 3h. Excursión para ver ballenas y delfines.
Doñana. Salida a las 8h y llegada a las 3h. Parque natural situado entre las provincias de Huelva, Sevilla y Cádiz. Las actividades en la zona incluyen paseos a caballo, tenis, cicloturismo y observación de aves.

B. Ahora, vais a presentar vuestra propuesta al resto de la clase. Tenéis que justificarla teniendo en cuenta los posibles gustos de vuestro grupo de turistas, los precios, los horarios, etc.

- Nosotros hemos preparado un día para una pareja que está de luna de miel. Por la mañana, vamos a ir a...

C. En pequeños grupos, podéis buscar información y elaborar una pequeña guía de otra ciudad del mundo hispano.

VIAJAR

9. TIEMPO LIBRE

A. ¿Sabes a qué dedican los españoles su tiempo libre? Completa el apartado "antes de leer" del cuadro de la derecha y, luego, coméntalo con tus compañeros.

B. Aquí tienes un artículo que habla de los hábitos de ocio de los españoles. Léelo y comprueba tus hipótesis anteriores.

Los españoles...	ANTES DE LEER		DESPUÉS DE LEER	
	V	F	V	F
1. dedican poco tiempo a actividades de ocio.				
2. gastan mucho dinero en grandes viajes.				
3. quedan mucho con amigos y familiares.				
4. no hacen mucho deporte.				
5. pasan muchas horas delante del ordenador.				
6. pasan mucho tiempo en bares y restaurantes.				
7. tienen pocos días de vacaciones.				
8. normalmente tienen vacaciones en verano.				

¿A QUÉ DEDICAN LOS ESPAÑOLES SU TIEMPO LIBRE... ...SI LO TIENEN?

Según un estudio reciente, solo un 13,2% de los españoles prefiere tener más horas de ocio que de trabajo. No gastan mucho dinero en viajes y prefieren pasar su tiempo libre con familiares y amigos en su propia ciudad.

Ocio o trabajo
La mayoría de los españoles dedica más horas a trabajar que a realizar actividades de ocio. El estudio desmiente por completo el tópico de que los españoles solo piensan en divertirse.

El motor del ocio
Para los españoles una actividad de ocio tiene que ser entretenida, creativa y debe permitir relacionarse con otras personas. De ahí la importancia de los bares y de los restaurantes como lugares de encuentro social. El español va a un bar no solo a tomar algo sino a estar con los demás.

Lo más y lo menos deseado
Entre todas las actividades de ocio, los españoles prefieren por este orden: quedar con amigos o con familiares, hacer actividades relacionadas con el cuerpo y la salud, comer bien, llevar a cabo actividades de tipo cultural, ir a la playa e ir de excursión a la montaña. Como actividades menos interesantes, consideran hacer deportes de aventura, pasar horas delante del ordenador y hacer cosas relacionadas con la formación personal.

Vacaciones
Según la ley, los españoles tienen derecho a un mes de vacaciones al año. El estudio revela que un 28,6% de los españoles no tuvo ni un día de vacaciones el año pasado. Entre los que sí tuvieron vacaciones, el 56,8% las tuvo en los meses de verano. La mayoría de los españoles, además, no suele hacer grandes viajes. Muchos prefieren quedarse en su ciudad y estar con la familia o con amigos.

C. En grupos de tres, comentad cómo creéis que sería esta información referida a vuestro país. ¿Es muy diferente? Elaborad un informe.

6

NO COMO CARNE

En esta unidad vamos a
**preparar el bufé para una fiesta
con toda la clase**

Para ello vamos a aprender:
> a hablar de gustos y de hábitos alimentarios
> los pronombres personales de OD
> las formas impersonales con **se**
> algunos usos de **ser** y de **estar**
> pesos y medidas > y/pero/además

Mercado de la Libertad, Guadalajara (México)

1. COMO DE TODO

A. Aquí tienes las ofertas de la semana de una cadena de supermercados. ¿Conoces todos los productos? ¿Existen en tu país?

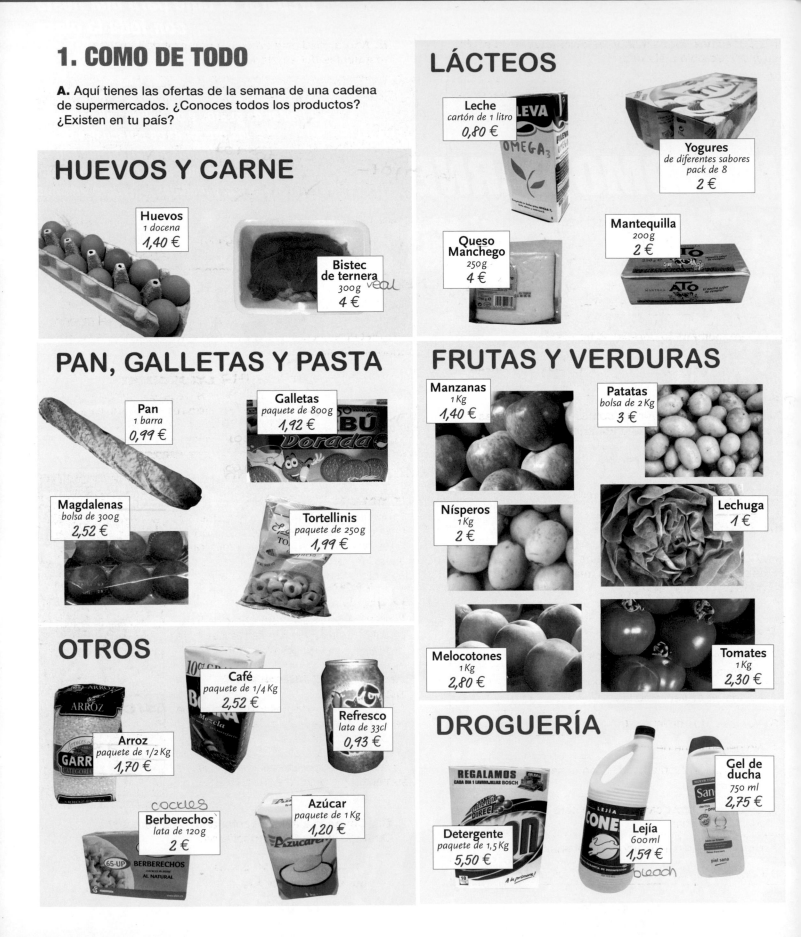

HUEVOS Y CARNE

Huevos
1 docena
1,40 €

Bistec de ternera
300g *veal*
4 €

LÁCTEOS

Leche
cartón de 1 litro
0,80 €

Yogures
de diferentes sabores
pack de 8
2 €

Queso Manchego
250g
4 €

Mantequilla
200g
2 €

PAN, GALLETAS Y PASTA

Pan
1 barra
0,99 €

Galletas
paquete de 800g
1,92 €

Magdalenas
bolsa de 300g
2,52 €

Tortellinis
paquete de 250g
1,99 €

FRUTAS Y VERDURAS

Manzanas
1 Kg
1,40 €

Patatas
bolsa de 2 Kg
3 €

Nísperos
1 Kg
2 €

Lechuga
1 €

Melocotones
1 Kg
2,80 €

Tomates
1 Kg
2,30 €

OTROS

Café
paquete de 1/4 Kg
2,52 €

Refresco
lata de 33cl
0,93 €

Arroz
paquete de 1/2 Kg
1,70 €

Berberechos *cockles*
lata de 120g
2 €

Azúcar
paquete de 1 Kg
1,20 €

DROGUERÍA

Detergente
paquete de 1,5 Kg
5,50 €

Lejía
600ml
1,59 € *bleach*

Gel de ducha
750 ml
2,75 €

B. ¿Consumes normalmente los productos de la página anterior? Completa el cuadro.

con frecuencia   a veces   raramente

a menudo o muy a menudo	de vez en cuando	nunca o casi nunca
Leche yogures Arroz *cuando tengo invitados* cafe Pan tomates Manzanas lechuga Melocotones —fruta en general—	huevos Queso Galletas Magdalenas Tortellinis Azucar cuando estoy cociendo Detergente Lejia gel de ducha *porque son productos que duran*	Mantequilla *porque me prefiero margarina* Bistec de ternera Berberechos Nisperos

C. Ahora, coméntalo con un compañero.

- Yo como de todo, pero la fruta no me gusta mucho.
- Pues yo nunca uso lejía.

D. ¿Hay otras cosas que no comes o que no bebes nunca? Coméntalo con tu compañero.

- Yo no como pescado, soy alérgico.

2. VEGETARIANOS

A. ¿Qué sabes de los vegetarianos más estrictos? Lee estas afirmaciones y, en parejas, marcad si os parecen verdaderas (V) o falsas (F).

■■■	V	F
1. Los vegetarianos más estrictos se llaman veganos.	✓	
2. No toman azúcar, pero sí miel. *honey*		✓
3. No usan ropa de lana. *wool*	✓	
4. No beben leche de vaca. *cow*	✓	
5. Creen que ayudan a acabar con el hambre en el mundo.	✓	
6. Creen que comer carne es malo para el medio ambiente.	✓	
7. No consumen ningún tipo de proteínas.		✓
8. Consumen frutos secos: nueces, almendras... *dry nuts almonds*	✓	

B. Ahora, leed este artículo y comprobad vuestras respuestas del apartado A.

vegetarianos estrictos

Existen varios tipos de vegetarianos. Los más estrictos son los llamados "veganos". Los vegetarianos "veganos" no comen carne, pescado, lácteos, huevos, miel, ni otros productos de origen animal. Tampoco compran productos de origen animal fabricados con lana o con piel. Dicen que, además de ser el estilo de vida más sano que existe *healthy*, el vegetarianismo ayuda a acabar con el hambre en el mundo *to finish*, a proteger el medio ambiente y a mejorar la calidad de vida de todo el planeta. ¿Por qué?

LOS ANIMALES
Los veganos opinan que los animales utilizados para producir carne, leche y huevos viven, en general, en muy malas condiciones.

EL HAMBRE
En la Tierra se crían 1300 millones de animales, que ocupan casi el 24% del planeta. Estos animales consumen enormes cantidades de cereales y de agua, necesarias para alimentar a millones de humanos. *to feed*

LA SALUD
Para los veganos, una dieta a base de fruta, verdura, cereales y legumbres es ideal para mantener el cuerpo limpio y sano.

¿QUÉ COME UN VEGETARIANO ESTRICTO?
Además de frutas frescas y verduras, come cereales, pasta, pan, patatas, legumbres, arroz, frutos secos, leche de soja, tofu y otros productos hechos a base de proteína vegetal. Estos alimentos aportan, según ellos, todos los elementos que necesita el cuerpo humano.

C. ¿Conoces a algún vegetariano? ¿Es estricto? Coméntalo con tus compañeros.

- Yo conozco a un vegetariano, pero creo que no es estricto porque...

3. COCINA FÁCIL

A. Imagina que unos amigos te invitan esta noche a cenar a su casa y que quieres llevar algo de comer. Aquí tienes tres platos muy fáciles de preparar. ¿Cuál es el más fácil? ¿Cuál vas a preparar?

Melón con jamón

<u>Ingredientes para 6 personas</u>: un melón grande y doce lonchas finas de jamón serrano de buena calidad. <u>Preparación</u>: se <u>abre el melón</u> (tiene que estar maduro), se sacan las semillas y se corta en doce trozos. Se colocan dos trozos en cada plato y se pone una loncha de jamón encima de cada trozo.

to be ripe *seeds* *Lon top of*

Gazpacho

<u>Ingredientes para 4 personas</u>: seis tomates maduros grandes, dos pimientos verdes, un pimiento rojo, un pepino, un corazón de cebolla grande, dos rebanadas de pan, sal, aceite de oliva virgen extra, vinagre. <u>Preparación</u>: se pone el pan en remojo y se coloca en un cuenco con agua, un poco de sal y aceite. Se pelan y se trocean los tomates, los pimientos, el pepino, la cebolla y el ajo. A los pimientos se les quitan las semillas. Se mezclan y se baten todos los ingredientes hasta conseguir una mezcla cremosa. Si es necesario, se añade más agua para conseguir la textura adecuada. <u>Se sirve frío</u> y se acompaña con pepino crudo cortado en cubitos, dados de pan, pimiento cortado en trocitos y cebolla picada.

Guacamole con nachos

<u>Ingredientes para 6 personas</u>: dos aguacates, un tomate, dos cucharadas de cebolla picada, una cucharadita de ajo picado, uno o dos chiles picados, un poco de zumo de limón, sal y una bolsa de nachos. <u>Preparación</u>: se pelan los aguacates, se colocan en un recipiente y, con un tenedor, se aplastan hasta obtener un puré. Se pela el tomate, se quitan las semillas, se corta en trocitos pequeños y se añade al puré. Luego, se añaden la cebolla picada, el ajo, los chiles, el zumo de limón y la sal. Se acompaña con nachos.

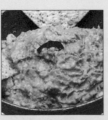

B. Marca en las recetas la palabra *se* y fíjate en la forma verbal que hay a continuación. A veces es la tercera persona del singular y a veces la tercera del plural. ¿Cuándo crees que se usa una y cuándo la otra?

4. ¡MAMÁ!

A. Flora es una gran cocinera y sus hijos siempre le piden consejos. En estas conversaciones hay una serie de palabras en negrita: los pronombres de Objeto Directo (OD) **lo, la, los** y **las**, que usamos para no repetir un sustantivo. Marca a qué sustantivo se refieren en cada caso.

1. • Mamá, ¿tú cómo haces (los huevos fritos?)
   ○ Pues mira, (**los**) frío con bastante aceite, pero tengo un truco: siempre echo un diente de ajo. Cuando el ajo está dorado, **lo** saco y...

2. • (Las lentejas) están buenísimas. ¿Cómo **las** has hecho?
   ○ **Las** he tenido toda la noche en remojo y...

3. • Mamá, ¿cómo puedo hacer (la pasta?)
   ○ Bueno, yo siempre **la** hiervo con una hoja de laurel y...

B. Completa estas frases con un pronombre de OD.

1. • Hoy las verduras tienen un sabor diferente, ¿no?
   ○ Sí, es que .....**LAS**..... he hecho al vapor.

2. • ¡Qué pan tan rico! ¿De dónde es?
   ○ ....**lo**........ he comprado en la panadería de abajo.

3. • ¿Dónde están los plátanos?
   ○ ....**LOS**........ he guardado en el frigorífico.

4. • ¿Has preparado la ensalada?
   ○ Sí, ...**la**........ he dejado allí encima, mira...

5. ADEMÁS...

A. Lee estas dos frases. Las palabras destacadas son conectores. ¿Entiendes qué significan?

Este restaurante es muy bueno, y **además** no es muy caro.
Este restaurante es muy bueno, **pero** es muy caro.

B. Ahora, escribe la opción más lógica en cada una de estas frases: **además** o **pero**.

1. • La sopa está muy buena	pero	le falta un poco de sal, ¿no crees?
2. • Al lado de mi casa han abierto un supermercado muy barato	además	está abierto hasta las doce de la noche.
3. • Me encanta el café	pero	no tomo por la noche.
4. • Prueba estas galletas. Son muy ligeras	además	tienen mucha fibra.
5. • Normalmente tomo postre	pero	hoy no me apetece.

FORMAS IMPERSONALES

Cuando no podemos o no nos interesa especificar quién realiza una acción, utilizamos formas impersonales. Usamos estas formas para dar instrucciones o para hacer generalizaciones.

SE + 3ª PERSONA

● Primero, **se** lav**an** y **se** pel**an** las frutas, y luego...
● En este restaurante **se** com**e** muy bien.

lavar	➡	**se lava/n**
congelar	➡	**se congela/n**
pelar	➡	**se pela/n**
echar	➡	**se echa/n**
sacar	➡	**se saca/n**
cortar	➡	**se corta/n**
calentar	➡	**se calienta/n**
asar	➡	**se asa/n**
cocer	➡	**se cuece/n**
hacer	➡	**se hace/n**
freír	➡	**se fríe/n**

2ª PERSONA DEL SINGULAR

● Mira, pon**es** aceite en una sartén, luego ech**as** un diente de ajo...

¿Cómo se hace gazpacho?

Es muy fácil: con unos tomates bien maduros...

CONECTORES: Y/PERO/ADEMÁS

Los conectores sirven para enlazar frases y para expresar las relaciones lógicas de una frase con otra.

Y añade un segundo elemento sin dar ningún matiz.

● Es una ciudad muy bonita **y** muy moderna.

Pero añade un segundo elemento que presentamos como contrapuesto al primero.

● Es una ciudad muy bonita, **pero** el clima es horrible.

Además añade un segundo elemento que refuerza la primera información.

● Es una ciudad muy bonita y, **además,** la gente es muy simpática.

PRONOMBRES PERSONALES DE OBJETO DIRECTO (OD)

Los pronombres personales de Objeto Directo (**lo**, **la**, **los**, **las**) aparecen cuando, por el contexto, ya está claro cuál es el OD de un verbo y no lo queremos repetir.

	singular	plural
masculino	**lo**	**los**
femenino	**la**	**las**

● *¿Dónde está la miel?*
○ ***La** he guardado en el armario.*

● *¿Dónde está el queso?*
○ ***Lo** he puesto en el frigorífico.*

● *¿Son buenas las manzanas?*
○ *No sé, todavía no **las** he probado.*

● *¿Tienes aquí tus libros de cocina?*
○ *No, **los** he dejado en casa de mi madre.*

Lo es también un pronombre de OD neutro y puede sustituir a una parte del texto.

● *¿Qué es esto?*
○ ***Lo** ha traído Luis. Creo que es un regalo para ti.*

● *¿Sabes que van a abrir un centro comercial nuevo?*
○ *Sí, **lo** he leído en el periódico.*

También usamos los pronombres cuando el OD está delante del verbo, para contrastarlo con otros objetos.

● *El pescado **lo** he preparado yo, pero la carne **la** he comprado hecha.*

! No usamos los pronombres cuando el OD no lleva determinantes (artículos, posesivos, demostrativos).

● *¿Esta tortilla lleva Ø cebolla?*
○ *No, no Ø lleva.*

SER/ESTAR

Para hacer una descripción o una valoración de algo, usamos el verbo **ser**.

● *El queso extremeño **es** excelente.*

Pero para comentar una experiencia directa, usamos **estar**.

● *¡Qué bueno **está** este queso!* (lo estoy probando)

PESOS Y MEDIDAS

1 kg (**un kilo**) **de** arroz
1/2 kg (**medio kilo**) **de** azúcar
1/4 kg (**un cuarto de kilo**) **de** café
200 g (**gramos**) **de** harina
1 l (**un litro**) **de** aceite
1/2 l (**medio litro**) **de** agua

6. LAS PATATAS SE LAVAN…

A. Relaciona los verbos con las ilustraciones.

cocer ✓

hacer a la plancha

pelar ✓

to roast

asar

cortar ✓

calentar *to heat up*

congelar — *to freeze*

echar

lavar

batir

freír

to throw / to put in / add

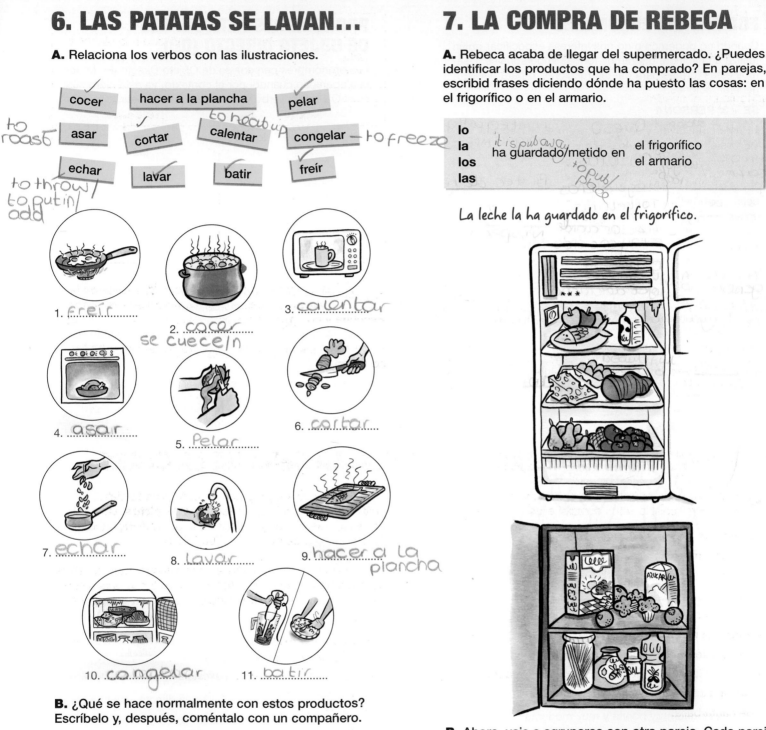

1. freír
2. cocer *se cuece/n*
3. calentar
4. asar
5. pelar
6. cortar
7. echar
8. lavar
9. hacer a la plancha
10. congelar
11. batir

B. ¿Qué se hace normalmente con estos productos? Escríbelo y, después, coméntalo con un compañero.

las patatas	el pescado	el melón
las naranjas	la carne	la leche
el arroz	los huevos	la pasta

- Las patatas se lavan y se pelan. Se pueden freír, se pueden asar, pero nunca se hacen a la plancha, ¿verdad?
- No, creo que no.

7. LA COMPRA DE REBECA

A. Rebeca acaba de llegar del supermercado. ¿Puedes identificar los productos que ha comprado? En parejas, escribid frases diciendo dónde ha puesto las cosas: en el frigorífico o en el armario.

lo		
la	ha guardado/metido en	el frigorífico
los		el armario
las		

it is put away / to put / place

La leche la ha guardado en el frigorífico.

B. Ahora, vais a agruparos con otra pareja. Cada pareja dice una frase y la otra tiene que adivinar de qué se trata. Pero cuidado: no podéis decir el nombre de la cosa sino que tenéis que usar los pronombres de OD.

- Las ha guardado en el frigorífico.
- ¿Las peras?
- No.
- ¿Las manzanas?

8. LA DIETA DE SILVIA

A. Esta es Silvia Sastre, una modelo española de 24 años. ¿Qué crees que hace para mantenerse en forma? ¿Qué cosas de la lista crees que come? ¿Cuáles no? Escríbelo en el cuadro.

✓verdura	✓sushi	⁄carne a la plancha
✓marisco	✓piña	⁄pescado a la plancha
tarta	chocolate	hamburguesas
✓lasaña	pan integral	pan blanco

Come	No come
verdura lasaña	pan blanco
bastante carne sushi	marisco
pescado-plancha	chocolate ? prohibito
fruita- muchos	
dolces aveces cumpleaños	
chocolate pan integral (marisco)	

B. Ahora, vas a escuchar una entrevista en la que Silvia cuenta cómo se mantiene en forma. Escucha y comprueba tus hipótesis. CD 23

to look after/care

C. ¿Y tú? Cuando quieres cuidarte, ¿qué haces? ¿Qué no comes?

• Yo, cuando quiero cuidarme, no como chocolate.

9. UNA COMIDA FAMILIAR

A. ¿Cómo es una comida familiar en un día festivo en tu casa? Explícaselo a tus compañeros.

- (No) se toma un aperitivo.
- Se come mucho/bastante/poco.
- (No) se puede ver la televisión durante la comida.
- Se bebe cerveza/agua/champán/vino...
- (No) se toma café después de la comida.
- Antes del postre, se come queso.
- (Nunca) se pone música.
- Después de la comida, nos quedamos sentados mucho tiempo/damos un paseo/...
- Se canta/baila.

• En mi casa, en las comidas familiares normalmente se come mucho, se toma un buen vino...

B. ¿Cómo te imaginas que son las comidas familiares en España? Coméntalo con tus compañeros.

• Creo que en España el queso normalmente se come antes de la comida, ¿no?
○ Sí, creo que lo toman como aperitivo.

10. LA CENA DE LA CLASE

A. Hoy vais a preparar un bufé para la clase. En parejas, tenéis que preparar tres platos. Decidid, primero, qué platos y, a continuación, qué ingredientes llevan y cómo se preparan. Escribidlo.

B. Presentad los tres platos a vuestros compañeros. Ellos os van a hacer preguntas. Al final, entre todos vais a elegir los mejores platos, aquellos que gustan a la mayoría.

• Nosotros vamos a preparar un plato típico sueco que se llama "gravad lax". Se hace con salmón crudo: se deja unos días con sal, azúcar y una hierba que no sé cómo se llama en español...
○ ¿Lleva vinagre?
• No.
■ Mmm... A mí no me gusta mucho el salmón...

C. Ahora, tenéis que hacer la lista de la compra. Tened en cuenta cuántos sois.

• Tenemos que comprar salmón para el "gravad lax". 500 gramos es suficiente, ¿no?
○ No sé, somos siete...

11. DENOMINACIÓN DE ORIGEN

A. ¿Sabes qué es una "denominación de origen"? Coméntalo con tus compañeros y, luego, lee este texto.

B. Imagina que estás en España de vacaciones. ¿Qué productos comprarías para llevar a tu país?

Uno de los aspectos más interesantes de cualquier cultura es la gastronomía. Qué come la gente, qué bebe, qué productos son típicos, cuáles se consumen en épocas especiales como la Navidad o las fiestas familiares, cuáles son las especialidades de los restaurantes tradicionales o de los más modernos.

Seguramente, la mejor manera de saber cuáles son los productos más típicos y de mejor calidad en España es conocer las denominaciones de origen. Las denominaciones de origen son la garantía de que un producto típico, como un vino o un queso, están hechos de manera tradicional, en una región determinada y siguiendo estrictos controles de calidad.

Actualmente en España hay muchas denominaciones de origen: de vinos, de aceites, de quesos, de frutas, de verduras, de turrones, de arroces, de carnes, etc. Los productos con denominación de origen son, en general, algo más caros, pero casi siempre vale la pena pagar un poco más y tener la seguridad de llevarse a casa un producto de calidad.

queso Cabrales

queso Idiazábal

vino de la Rioja

mejillón de Galicia

cordero de Castilla y León

espárragos de Navarra

avellanas de Reus

sobrasada de Mallorca

jamón de Extremadura

melocotón de Calanda

vino de jerez

aceite de Sierra Mágina

queso manchego

arroz de Calasparra

naranjas de Valencia

7

NOS GUSTÓ MUCHO

En esta unidad vamos a

hacer una lista de las cosas más interesantes del lugar en el que estamos

Para ello vamos a aprender:

> a hablar de experiencias y a valorarlas
> a expresar el deseo de hacer algo
> usos del Pretérito Perfecto y del Pretérito Indefinido
> *parecer* > *caer bien/mal*
> me/te/le/nos/os/les gustaría + Infinitivo

Lago de sal, desierto de Atacama (Chile)

1. SAN SEBASTIÁN

A. Imagina que vas a ir de viaje a San Sebastián. Lee el siguiente artículo sobre esta ciudad y decide a cuál de los cuatro lugares de los que se habla te gustaría ir. Coméntalo con un compañero.

4 SITIOS QUE NO TE PUEDES PERDER DE...

San Sebastián, la perla del Cantábrico

un museo

CHILLIDA-LEKU. Este museo, dedicado a la obra del escultor donostiarra Eduardo Chillida, se encuentra a menos de 10 kilómetros del centro de San Sebastián. Las obras se encuentran repartidas entre la casa, un bello caserío del siglo XVI, y el hermoso parque que lo rodea.

un edificio

KURSAAL. Este espectacular centro de congresos y convenciones funciona también como auditorio, teatro y sede del Festival Internacional de Cine. Obra del arquitecto navarro Rafael Moneo, ganó en el año 2001 el premio Mies van der Rohe, el "Nobel de la Arquitectura", y es una de las nuevas imágenes de la ciudad.

un lugar

BAHÍA DE LA CONCHA. Desde que, en 1845, la Reina Isabel II empezó a tomar baños de mar en San Sebastián para curar sus problemas de salud, las playas de La Concha y Ondarreta son el centro turístico de la ciudad. En el largo paseo que bordea la bahía, destacan los jardines de Alderdi-Eder, el palacio de Miramar y *El peine de los vientos*, de Chillida.

un restaurante

ARZAK. Juan Mari Arzak es el propietario y chef de este conocido restaurante, ubicado en una casa de tres pisos del Alto de Miracruz. Arzak fue uno de los primeros restaurantes de España que consiguió tres estrellas en la *Guía Michelin* y hoy continúa ofreciendo las creaciones más vanguardistas de la cocina vasca.

● A mí me gustaría ir al museo Chillida-Leku porque me gusta mucho la escultura moderna.
○ Pues a mí me gustaría ir al restaurante Arzak porque me gustaría probar la cocina vasca.

B. ¿Cuál es el último lugar interesante (un museo, un edificio, un restaurante...) en el que has estado?

● Yo hace dos semanas estuve en...

2. CONOCER MÉXICO

CD 24-26 **A.** Una revista recomienda algunas obras para conocer mejor la cultura contemporánea mexicana. Vas a oír tres conversaciones. En ellas, dos personas hablan de estas obras. Trata de entender, en primer lugar, qué obra están valorando y escribe el título en el cuadro.

1	
2	
3	

DISCOS ⬤

Sí

En su tercer disco, Julieta Venegas combina pop, sonidos electrónicos y aires mexicanos. Julieta firma todos los temas, que suenan más maduros, más sencillos y más emotivos que sus composiciones anteriores.

LIBROS 📖

Mal de amores

En esta novela, la escritora Ángeles Mastretta nos relata la historia de una mujer que, a principios del siglo XX, en el México de la Revolución, intenta vivir respetando su identidad en todos los aspectos de la vida, incluido el amor. Una lectura obligada (y no solo para ellas).

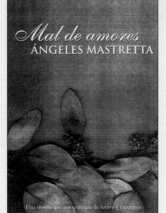

PELÍCULAS 🎥

Amores perros

Esta película de Alejandro González Iñárritu ha ganado multitud de premios e incluso estuvo nominada a los Oscar de Hollywood como mejor película extranjera. Las historias de Octavio, Valeria y el Chivo han interesado a críticos y a espectadores por igual, y han convertido a *Amores perros* en el primer fenómeno del cine mexicano del siglo XXI.

CD 24-26 **B.** Vuelve a escuchar las conversaciones y completa el cuadro.

	¿Le gustó?	¿Qué cosas dicen de la obra?
1		
2		
3		

C. ¿Conoces la agenda cultural de tu ciudad? ¿Qué te gustaría hacer? Coméntalo con tus compañeros.

una fiesta
una conferencia
una obra de teatro
una exposición
un concierto
una película

• El jueves hay una obra de teatro en...

3. ¿HAS ESTADO EN MÁLAGA?

A. En estos diálogos aparecen dos tiempos verbales. ¿Cuáles?

- ● **¿Has estado** alguna vez en Málaga?
- ○ Sí, **he estado** tres o cuatro veces.

- ● **¿Has estado** en Málaga?
- ○ No, no **he estado** nunca.

- ● **¿Has estado** en Málaga?
- ○ Sí, **estuve** la primera vez el año pasado, y esta primavera **he estado** otra vez.

- ● ¿Qué tal el fin de semana?
- ○ Fantástico, ¡**hemos estado** en Málaga!

- ● ¿Viajas mucho?
- ○ Bastante, el mes pasado **estuve** en Málaga, en Barcelona y en Milán.

B. Ahora, mira el cuadro y decide qué tiempo verbal se usa en cada uno de los tres casos: el Pretérito Perfecto o el Pretérito Indefinido.

1. Cuando hablamos del pasado, pero no queremos hacer referencia a cuándo se produjeron los hechos. En estos casos, solemos usar expresiones como **alguna vez**, **varias veces**, **nunca** o **todavía no**.

☐ Pretérito Indefinido
☑ Pretérito Perfecto

2. Cuando hablamos del pasado y queremos expresar que los hechos se produjeron en un momento relacionado con el presente. En estos casos, solemos usar expresiones como **hoy**, **este año**, **esta primavera**, **este mes** o **este fin de semana**.

☐ Pretérito Indefinido
☑ Pretérito Perfecto

3. Cuando hablamos del pasado y queremos expresar que los hechos se produjeron en un momento no relacionado con el presente. En estos casos, solemos usar expresiones como **el año pasado**, **ayer**, **el otro día** o **la semana pasada**.

☑ Pretérito Indefinido
☐ Pretérito Perfecto

4. ME CAYÓ GENIAL

A. Aquí tienes tres correos que Claudia ha escrito a amigos suyos. Marca todas las frases en las que hace alguna valoración (de experiencias, de lugares, de personas, etc.).

Asunto: **¿Qué tal?**

¡Hola Edith!
¿Qué tal por Londres? Yo, por aquí, feliz. ¿A que no sabes qué hice el viernes pasado? Me fui en tren a Sevilla a pasar el fin de semana con Carlos. ¡Fue fantástico! Salimos a cenar, paseamos mucho y estuvimos con sus amigos. Me lo pasé fenomenal. ¡Ah! También conocí a sus padres: me cayeron muy bien, son muy simpáticos. ¡Un fin de semana perfecto! ¿Y tú? ¿Qué me cuentas? ¿Cómo te va todo? Escríbeme.

Besos desde Madrid,

Claudia

Asunto: **holaaaaaaa**

¡Hola Paco!
¿Qué tal la vida en París? Por Madrid, todo bien. Últimamente salgo bastante con Santi y con Laila. El lunes me llevaron al restaurante de su hermano. La verdad, no me gustó mucho, y me pareció un poco caro. Ayer fui con ellos al cine a ver la última película de Medem. ¡Qué película tan buena! Me encantó. ¿La has visto?
Ya ves, por aquí todo está como siempre. ¿Cuándo vienes?

Claudia

Asunto: **(exposición)**

¡¡¡Hola Félix!!!
¿Qué tal? Ayer fui a la inauguración de la exposición de cerámica de tu amiga Sandra. Tengo que decir la verdad: ¡¡no me gustó nada!! ¡Qué horror! Pero no todo fue negativo. Conocí a su hermano Pablo, que me cayó genial y... hoy vamos a ir a cenar... ¿Qué me dices?

Besos,

Claudia

B. ¿Entiendes por qué dice **sus padres me cayeron muy bien** pero **Pablo me cayó genial**?

C. Ya has visto cómo funciona la expresión **caer bien/mal**. Ahora, relaciona estas frases.

1. Ayer conocí a Luis y a Mar. Son muy simpáticos.
2. Ayer conocí a Alfonso. Es muy simpático.
3. Ayer conocí a los padres de Pau. No son muy simpáticos.
4. Ayer conocí a Fede. No es muy simpático.

A. No me cayó muy bien.
B. Me cayeron muy bien.
C. Me cayó muy bien.
D. No me cayeron muy bien.

HABLAR DE EXPERIENCIAS EN EL PASADO

Usamos el Pretérito Perfecto cuando preguntamos si se ha realizado o no se ha realizado algo sin interesarnos por cuándo se ha realizado.

- ¿**Has estado** en la catedral?
- ¿**Has ido** a Toledo?
- ¿**Has visto** la última película de Medem?

También usamos el Pretérito Perfecto cuando informamos de un hecho situándolo en un tiempo que tiene relación con el presente.

- Hoy **he desayunado** un café con leche y unas tostadas.
- Este fin de semana **he comido** demasiado.
- Esta semana **he leído** tres libros.

También usamos el Pretérito Perfecto cuando no interesa el momento en el que hemos realizado algo.

- **He estado** en Barcelona varias veces.
- Todavía no **he probado** la paella.
- Ya **he visto** la película. Es buenísima.

Usamos el Pretérito Indefinido cuando informamos de una acción pasada sin relacionarla con el presente.

- Ayer **estuve** en casa de Carlos.
- El otro día **fui** a la catedral.
- El martes pasado no **hice** los deberes.

EXPRESAR EL DESEO DE HACER ALGO

(A mí)	me	
(A ti)	te	
(A él/ella/usted)	le	**gustaría** + Infinitivo
(A nosotros/nosotras)	nos	
(A vosotros/vosotras)	os	
(A ellos/ellas/ustedes)	les	

- ¿**Te gustaría** ir al circo esta tarde?
- Sí, mucho.

- Este fin de semana **me gustaría** ir al campo.

VALORAR

PARECER

(A mí)	me		excelente
(A ti)	te		muy bueno/a
(A él/ella/usted)	le	**pareció**	una maravilla
(A nosotros/nosotras)	nos	**parecieron**	un rollo
(A vosotros/vosotras)	os		un horror
(A ellos/ellas/ustedes)	les		

COSAS

- ¿**Qué tal** la obra de teatro?
- **Me encantó**.

- ¿**Qué te/le pareció** la exposición?
- **Me gustó mucho/bastante**.

- ¿**Qué tal** los libros?
- **No me gustaron mucho/nada**.

- ¿**Qué te/le parecieron** los libros?
- (**Me parecieron**) increíbles/un poco aburridos/un rollo...

PERSONAS

- ¿**Qué te/le pareció** Luis?
  ¿**Qué te/le parecieron** los padres de Luis?

- **Me cayó/cayeron bien/muy bien**.
  No me cayó/cayeron muy bien.
  Me cayó/cayeron muy mal.

ACTIVIDADES LÚDICAS

	pasárselo			+ **bien/mal**
(yo)	me	lo	pasé	
(tú)	te	lo	pasaste	
(él/ella/usted)	se	lo	pasó	bien/mal
(nosotros/as)	nos	lo	pasamos	
(vosotros/as)	os	lo	pasasteis	
(ellos/ellas/ustedes)	se	lo	pasaron	

- ¿Qué tal la fiesta de cumpleaños?
- Yo **me lo pasé muy bien**, pero Ángela se aburrió un poco.

! En muchos países se dice **pasársela bien/mal**.

FRASES EXCLAMATIVAS

qué + adjetivo
¡**Qué** guapo/horrible/bonito...!

qué + sustantivo
¡**Qué** follón/corte/horror/maravilla...!

qué + sustantivo + tan/más + adjetivo
¡**Qué** día **tan/más** estupendo!

5. SONIQUETE, ROSARIO Y MORELLA

🔊 **CD 27-29** **A.** Vas a escuchar tres conversaciones. ¿De qué hablan en cada una de ellas? Escríbelo en el cuadro.

1. Soniquete	
2. Rosario	
3. Morella	

🔊 **CD 27-29** **B.** Escucha de nuevo las conversaciones y escribe una frase que resuma la opinión que se formula en cada una.

1. Soniquete	
2. Rosario	
3. Morella	

C. Piensa en un lugar (una ciudad, un país, una región) que te impresionó cuando estuviste por primera vez. Luego, pregunta a tus compañeros si han estado en ese lugar y si les causó la misma impresión.

- Yo estuve hace dos años en San Petersburgo y me encantó. Me pareció la ciudad más bonita del mundo. ¿Alguien ha estado?
- Yo estuve hace 3 años y...

6. COSAS EN COMÚN

A. En parejas, tenéis que encontrar un libro y una película que hayáis visto los dos y que os hayan gustado.

- ¿Has leído "El señor de los anillos"?
- ¿"El señor de los anillos"?
- Sí, el libro de Tolkien: "The Lord of the rings".
- Ah, sí, sí, lo he leído. Me gustó mucho.

B. Ahora, explicadlo al resto de la clase. ¿Vuestros compañeros tienen la misma opinión?

- Los dos hemos leído "El Señor de los anillos" y...

> Lo/la/los/las he visto/leído.
> Lo/la/los/las vi/leí hace tiempo/el año pasado/...
> No lo/la/los/las he visto/leído.

7. SOÑAR ES GRATIS

PORTFOLIO **A.** En parejas, imaginad que tenéis mucho dinero y que podéis crear el negocio de vuestros sueños: un restaurante, una discoteca, una galería de arte, etc. Decidid qué tipo de negocio es y completad la ficha.

Qué es:	
Cómo se llama:	
Dónde está:	
Qué cosas/actividades hay/se hacen:	
Otras características:	

B. Ahora, vais a explicar a vuestros compañeros cómo es vuestro negocio. El profesor escribirá los nombres en la pizarra y, luego, comentaréis a cuáles os gustaría ir.

- Nuestro negocio es un restaurante vegetariano y se llama "La lechuga feliz". Tenemos unas ensaladas muy buenas y cultivamos nuestras propias verduras...

8. EL PEOR SÁBADO DE LA VIDA DE TRISTÁN

A. Tristán es una persona muy negativa. El sábado pasado hizo muchas cosas, pero nada le gustó. En parejas, escribid el correo electrónico que Tristán envió a un amigo suyo para explicarle cómo le fue el día. Después, leédselo a vuestros compañeros. ¿Qué pareja ha escrito el mensaje más divertido.

→ *Imperativo / orden*

muy

¡Qué película más aburrida!
¡Qué restaurante tan caro!
¡Qué gente tan antipática!
¡Qué mala suerte!
...

De:	tristan@cristi.com
Para:	leoncioborrada@cigro.net
CC:	
Asunto:	el peor sábado de mi vida

▶ Datos adjuntos: ninguno

Querido amigo Leoncio:

Qué sábado tan terrible... *porque cuando me llavanté tuve una gotera / a gotera en el tejado de mi habitacion Mi cama se mojó. Fue imposible contactar un fontanero. Yo decidí desayunar sin embargo no tuve leche por mi café A causa de el agujero no me duché (cogí una ducha), por eso salí mi casa sin una ducha. emiré y terrible y fuí maloliente Ademas salí mi casa sin mi cartero y*

B. ¿Has tenido alguna vez un día tan horrible o experiencias como las descritas en los correos electrónicos que se han leído? Coméntalo con tus compañeros.

tuve no dinero

9. CONOCER NUESTRA CIUDAD

A. Una revista quiere publicar un artículo sobre qué cosas se pueden hacer en vuestra ciudad. En pequeños grupos, tenéis que poneros de acuerdo en qué cinco cosas se pueden recomendar a un visitante.

- UN RESTAURANTE
- UN MUSEO
- UN PARQUE
- UN BARRIO
- UNA CALLE
- UNA COMIDA
- UNA EXCURSIÓN
- UNA BEBIDA
- UN EDIFICIO
- UN RINCÓN CON ENCANTO

- Podemos recomendar el Museo de Arte Contemporáneo, ¿no?
- Yo no lo conozco; no he estado nunca...
- A mí me encanta. Es superinteresante.
- ¿Y un parque? ¿Os gusta el jardín Botánico? ¿Habéis estado?

B. Escribid el artículo y colgadlo en una pared del aula para que vuestros compañeros lo puedan leer.

C. Ahora, entre todos, vais a elegir las cinco mejores recomendaciones.

10. REGALOS

A. Imagina que estás de viaje por España y te encuentras estos discos, libros y películas en el aeropuerto. ¿Cuáles te gustaría llevarte a tu país? ¿Por qué? Coméntalo con un compañero.

Mar adentro
Ganadora del Oscar a la mejor película extranjera en 2005, *Mar adentro* cuenta la historia de Ramón Sanpedro, un marinero gallego que, tras casi 30 años sin poder moverse a causa de un accidente, reclama su derecho a morir dignamente.

Alejandro Sanz
Más
Posiblemente el mejor disco de esta estrella de la música española. Incluye "Corazón partío", una de las canciones más conocidas de todo su repertorio.

Juana la loca
Película histórica que cuenta la vida de Juana, hija de los Reyes Católicos, quien, a causa del exagerado amor que siente por su marido, es declarada loca. Cabe destacar la fantástica actuación de Pilar López de Ayala en el papel de Juana.

Mala Rodríguez
Lujo ibérico
Hip hop valiente que huye de estereotipos y una voz con aires flamencos es lo que ofrece esta joven sevillana en su primer disco.

Amaral
Estrella de mar
Tercer disco de este interesante grupo zaragozano formado por Eva Amaral y Juan Aguirre. Amaral combina en *Estrella de mar* lo mejor del pop español de los últimos años con influencias del mejor rock anglosajón.

El otro lado de la cama
Historia de cruces de pareja y de infidelidades, *El otro lado de la cama* es una comedia musical, original e inteligente, que habla del amor, del sexo y sobre todo de la mentira. Una de las películas más taquilleras del cine español de los últimos años.

Manuel Rivas
¿Qué me quieres, amor?
Para muchos, Manuel Rivas es el mejor escritor gallego actual. *¿Qué me quieres, amor?* se compone de dieciséis relatos breves que destacan por su autenticidad y profunda carga poética.

Eduardo Mendoza
La ciudad de los prodigios
Ambientada en Barcelona en el período comprendido entre las dos Exposiciones Universales (1888 y 1929), narra las aventuras de un inmigrante que asciende a la cima del poder financiero y delictivo.

Almudena Grandes
Malena es un nombre de tango
Tercera novela de esta escritora madrileña. *Malena es un nombre de tango* cuenta, de una forma realista y apasionada, la historia de una mujer española desde la infancia hasta la madurez.

B. ¿Qué libro, qué disco y qué película le recomendarías a un extranjero que visita tu país? Coméntalo con tus compañeros.

8

ESTAMOS MUY BIEN

En esta unidad vamos a
**buscar soluciones para algunos
problemas de nuestros compañeros**

Para ello vamos a aprender:
> a dar consejos
> a hablar de estados de ánimo
> a describir dolores, molestias y síntomas
> usos de los verbos **ser** y **estar**
> las partes del cuerpo

1. EL CUERPO PERFECTO

A. Los lectores de una revista han elegido las partes del cuerpo que más les gustan del mundo del cine. ¿Sabes a cuáles de los actores y de las actrices pertenecen? Escríbelo.

1. La cara de
Gael García Bernal

2. Los hombros de
Tom Cruise

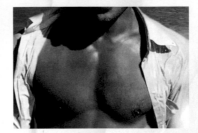

3. El pecho de
Brad Pitt

4. La espalda de
Nicole Kidman

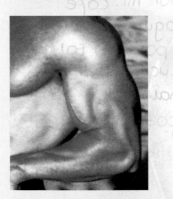

5. Los brazos de
Arnold Schwarzenegger

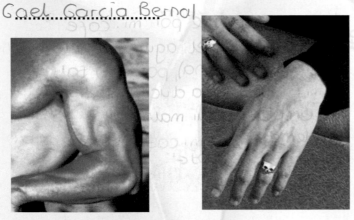

6. Las manos de
Johnny Depp

7. Las piernas de
Penélope Cruz

8. El pelo de
Marilyn Munroe

9. Los ojos de
John Malkovich

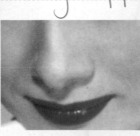

10. La nariz de
Audrey Hepburn

11. La boca de
Angelina Jolie

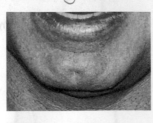

12. La barbilla de
John Travolta

Arnold Schwarzenegger · Brad Pitt · Angelina Jolie · Penélope Cruz · Tom Cruise · Johnny Depp · Nicole Kidman · Marilyn Monroe · John Travolta · John Malkovich · Gael García Bernal · Audrey Hepburn

B. ¿Cuál es la parte del cuerpo en la que te fijas primero en una persona? ¿Cuál es la parte del cuerpo que te gusta más de ti?

• Yo, cuando conozco a alguien, primero me fijo en los ojos...

• Yo cuando conozco a alguien, primero me fijo en los ojos y sonrisa.

• La parte de mi cuerpo que me gusta mas es mis ojos

66

2. LENGUAJE CORPORAL

A. Lee este artículo sobre el lenguaje corporal. ¿Te sorprende alguna información? ¿Conoces a alguna persona de las culturas que se mencionan en el texto? ¿Se comporta de esa manera?

SIN PALABRAS SIN PALABRAS SIN PALABRAS SIN PALABRAS
SIN PALABRAS SIN PALABRAS SIN PALABRAS SIN PALABRAS

Cuando conversas con alguien, no solo te comunicas con las palabras: tu cuerpo también envía mensajes. Pero el lenguaje corporal no es igual en todos los lugares; americanos del norte y del sur, mediterráneos y nórdicos, eslavos, africanos, árabes, asiáticos del Extremo Oriente, etc., todos tenemos, además de nuestro idioma, otra lengua. Lee atentamente las siguientes informaciones: te pueden ayudar en tus contactos con personas de otras culturas.

MIRA A LOS OJOS

Los ojos expresan todas las emociones: por la mirada podemos saber si una persona está alegre, triste, preocupada, etc. Para los españoles, alguien que mira directamente a los ojos de los demás es, generalmente, una persona segura y sincera.

MANOS QUE HABLAN

Las personas de culturas latinas y mediterráneas usan más las manos y tocan más a los demás que los anglosajones o algunos asiáticos (como los japoneses). Para los españoles, en general, tocar al interlocutor demuestra cariño, pero también es cierto que hay personas que se sienten molestas cuando las tocan. Por otro lado, casi nunca es aconsejable participar en una conversación con las manos en los bolsillos porque eso puede interpretarse como una falta de respeto.

MÁS CERCA

La distancia es algo relativo: depende de la cultura de cada uno. Los latinoamericanos, por ejemplo, se sienten cómodos hablando con personas que están a menos de 50 cm, mientras que un estadounidense normalmente necesita un metro, aproximadamente, para no sentirse "invadido".

GESTOS QUE MUESTRAN IMPACIENCIA O ABURRIMIENTO

Si una conversación no te interesa, la otra persona puede notarlo fácilmente por tus gestos. En las culturas occidentales, en general, levantarse todo el tiempo, cruzar las piernas varias veces o mirar constantemente el reloj son signos evidentes de aburrimiento. Por eso, cuando estás sentado, es recomendable situarse en una posición cómoda y descansada para así respirar mejor. Además, si mueves los pies constantemente durante la conversación, el otro puede interpretar que estás nervioso, cansado o impaciente.

SONRÍE POR FAVOR

Sonreír en una conversación transmite confianza y alegría, pero no hay que exagerar. Si sonríes demasiado, algunos españoles pueden tener la impresión de que no eres del todo sincero.

B. ¿Existen gestos o movimientos característicos de vuestra cultura o de vuestro país? ¿Hay alguna cosa importante que un extranjero que visita vuestro país tiene que aprender?

● *No debes...*

3. ESTÁ MAREADA

CD 30-34 **A.** Estas cinco personas tienen un problema de salud. Escucha las conversaciones y escribe qué problema tiene cada una.

[1] Le duele ...mucho cabeza

[2] Le duelen ...piesas
mi piesas
zapatos nuevos

[3] Tiene ...un tos
La tos

[4] Tiene dolor de ...estómago

[5] Está ...mareada
to feel / be sick

B. Ahora, piensa con qué palabras se pueden usar las estructuras del cuadro para hablar de síntomas o de dolores.

la cabeza	pies	tos	los oídos
cabeza	el estómago	fiebre	náuseas
las muelas	estómago	la espalda	enfermo/a
muelas	mareado/a	espalda	diarrea
los pies	resfriado/a	oídos	pálido/a

le duele	le duelen	tiene dolor de	tiene	está
La cabeza el estómago la espalda	las muelas los pies los oidos	cabeza muelas pies estómago espalda oidos	tos fiebre nauseas diarrea	mareado/a resfriado/a enfermo/a pálido/a

C. Estos son los consejos que les dan a las personas del apartado A. ¿A cuál crees que corresponde cada uno?

los separe
to put them

[2] Para eso, lo mejor es ponerlos en agua caliente y sal.

[5] ¿Por qué no te sientas y descansas un rato?

[4] Para eso, la manzanilla va muy bien.

[1] Deberías tomarte una aspirina y descansar un poco.

[3] Tienes que tomar, antes de dormir, un vaso de leche caliente con miel.

CD 35-39 **D.** Escucha y comprueba.

4. ¿ES O ESTÁ?

Estas son Eva y Antonia. Fíjate en que en las dos descripciones aparecen los verbos **ser** (es) y **estar** (está). ¿En qué tipo de informaciones crees que se usa cada uno? Completa el cuadro.

EVA
Es española.
Es una chica muy responsable.
Es muy guapa.
Está haciendo un máster.
Está un poco nerviosa porque mañana tiene un examen.
Está bastante cansada porque anoche estudió hasta tarde.
En la foto es la que **está** a la izquierda.

ANTONIA
Es italiana.
Es arquitecta.
Está trabajando en un estudio de arquitectura.
Es una chica muy simpática y sociable.
Es muy alta.
Está muy contenta porque su trabajo es muy interesante.
Está un poco cansada porque últimamente trabaja mucho.
En la foto es la que **está** a la derecha.

En la descripción (nacionalidad, origen, aspecto físico, profesión, carácter...) se usa el verbo **SER**

Para hablar de características que presentamos como temporales se usa **ESTAR**
estados físicos / psicología
Para hablar de la ubicación y de la posición se usa **ESTAR** -geografía / situacion / localizacio

Para hablar de acciones que se desarrollan en el presente se usa **ESTAR** + Gerundio.

SER = inherentes / permanente

PARTES DEL CUERPO

En español, en general, para hablar de las partes del cuerpo no se usan posesivos, sino artículos.

- Marta se lava mucho **el** pelo / ~~su pelo~~.
- El niño ha abierto **los** ojos / ~~sus ojos~~.
- Carlos tiene **unas** manos muy grandes.

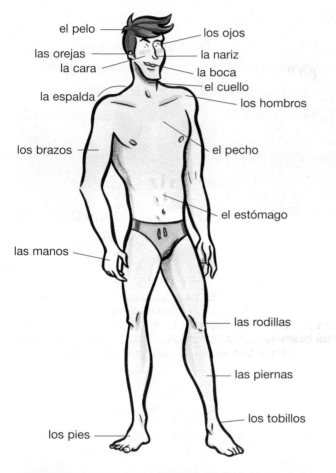

el pelo · los ojos · las orejas · la nariz · la cara · la boca · la espalda · el cuello · los hombros · los brazos · el pecho · el estómago · las manos · las rodillas · las piernas · los tobillos · los pies

HABLAR DE DOLORES, MOLESTIAS Y SÍNTOMAS

DOLER

me		
te		
le	**duele**	**la** cabeza *(NOMBRE EN SINGULAR)*
nos	**duelen**	**los** pie**s** *(NOMBRE EN PLURAL)*
os		
les		

Tener + **dolor de** Ø cabeza/espalda/oído…
Tener + tos/fiebre/frío/calor/náuseas/mala cara…
Estar + mareado/a, resfriado/a, cansado/a, pálido/a…

- ¿Qué le pasa, señora Torres? **Tiene** mala cara.
- **Me duele** mucho **la** cabeza y **estoy** un poco mareada.

DAR CONSEJOS

	Consejos impersonales
	lo mejor es hacer deporte. **va (muy) bien** desayunar fruta.
(Para adelgazar) **(Si** quiere/s adelgazar,)	Consejos personales **tiene/s que** comer menos. **debe/s** hacer más deporte. **debería/s** andar más. **puede/s** hacer una dieta. **intente/a** comer menos dulces.

SER Y ESTAR

SER
Identificar, definir y describir presentando las características como algo permanente y objetivo

- ¿El señor Rupérez?
- **Es** ese de ahí.
- Carlos **es** un amigo mío del colegio.
- Yuri **es** sueco, pero sus padres **son** rusos.
- Estos tomates **son** de Murcia.
- Sandra **es** dentista y Lola, periodista.
- El novio de Tania **es** un chico muy simpático. Además **es** muy guapo.
- ~~**Está** un chico guapo.~~

ESTAR
Presentar las características de algo o de alguien como temporales o subjetivas

- El novio de Tania **está** un poco raro últimamente: **está** triste, de mal humor, y además, **está** muy delgado…

Hablar de la ubicación y de la posición

- ¿Dónde **está** Karl?
- No sé, creo que **está** en su cuarto.
- El Teatro Real **está** cerca de aquí, ¿no?
- **Está** de pie. / sentado/a. / tumbado/a. / agachado/a.

Hay adjetivos que pueden combinarse con **ser** y con **estar** y que mantienen el mismo significado.

- **Es** impaciente. (= siempre)
- **Está** impaciente. (= en este momento o últimamente)
- **Es** muy tranquilo. (= siempre)
- **Está** tranquilo. (= en este momento o últimamente)

Algunos adjetivos van únicamente con el verbo **ser**.

- **Es** muy inteligente. • ~~**Está** muy inteligente.~~

Algunos adjetivos van únicamente con el verbo **estar**.

- **Está** contento. • ~~**Es** contento.~~

Los participios usados como adjetivos van siempre con **estar**.

- La puerta **está** abierta. • Las ventanas **están** cerradas.

Los adverbios **bien** y **mal** van siempre con **estar**.

- **Está** muy bien. • ~~**Es** muy bien.~~
- No **está** nada mal. • ~~No **es** nada mal.~~

Los sustantivos van siempre con **ser**.

- Antonio **es** un chico estupendo.

5. GESTOS

A. ¿Qué gestos o qué movimientos haces cuando estás enfadado, nervioso, contento, impaciente, triste...?

- Cuando estoy enfadado, creo que pongo la boca así y cruzo los brazos...

B. Ahora, vais a actuar. De uno en uno, tenéis que mostrar un estado de ánimo o una emoción. Los demás tienen que adivinar de qué emoción se trata.

- ¿Estás nervioso?
- ○ No.
- ■ ¿Enfadado?

6. ¿CÓMO LO DIGO?

¿Qué gestos haces cuando dices estas frases o cuando alguien no te oye y quieres expresar estas cosas? ¿Todos los de la clase lo hacéis igual?

Yo.	Me voy.
Ven aquí.	¿Vamos a comer?
¡Vete!	Tengo calor.
Te llamo por teléfono.	Hay mucha gente.
Nos vemos mañana.	Fíjate bien.
Tengo sueño.	La cuenta, por favor.

7. ¿POR QUÉ ESTÁ CONTENTA?

Mirad estas imágenes. ¿Cómo os parece que están estas personas? ¿Podéis imaginar las razones? En parejas, intentad escribirlas. ¿Coincidís con las demás parejas?

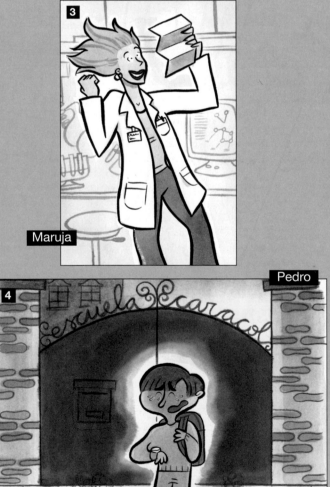
Maruja

Aurora

Ricardo
Sr. Pontes

Pedro

- Maruja está muy contenta porque...

8. CONSULTORIO

A. Tres personas han escrito al consultorio de una revista para pedir consejo. ¿Crees que las soluciones que les proponen son las más adecuadas? ¿Puedes darles tú otros consejos?

TUS PROBLEMAS

◆ *La semana que viene tengo que hablar en público y estoy muerto de miedo.* Pedro (Murcia)

Querido Pedro: lo primero que debes hacer es afrontar el problema; si sabes que te da miedo hablar en público y tienes que hacerlo, debes empezar a "entrenarte". Puedes hacer varios ensayos en casa, delante de tus amigos o de tu familia; seguro que te dan buenos consejos para mejorar tu técnica. También es muy útil controlar la respiración. La respiración es como el "motor" del cuerpo: si la controlas, puedes dominar tu nerviosismo. Por eso, en los ensayos y el día de la conferencia, debes intentar respirar de manera pausada.

◆ *Paso 12 horas al día delante del ordenador. ¿Qué puedo hacer para no perder la forma?* Cristina (Bilbao)

En primer lugar, Cristina, hay una cuestión que debes controlar especialmente: tu alimentación. Debes tomar alimentos con mucha fibra (verduras, frutas y cereales integrales), evitar las grasas animales (embutidos, carnes grasas y mantequilla) y comer preferentemente pescado. De cualquier modo, trabajas muchas horas, demasiadas, y el problema es que siempre estás sentada. Existe un ejercicio para los músculos abdominales que se puede hacer en estos casos: tienes que contraer el abdomen y mantener la contracción durante diez segundos y, luego, descansar durante diez segundos más. Puedes repetir este ejercicio cinco o seis veces cada dos horas.

◆ *Una compañera de trabajo se ha divorciado hace un mes. Me gusta mucho, pero no sé si es un buen momento para proponerle una relación.* Jorge (Madrid)

Jorge, cada persona es diferente pero, en general, podemos decir que se deben esperar unos meses antes de iniciar una nueva relación. Las personas que han roto con su pareja tienen un sentimiento de pérdida y pasan, casi siempre, por diferentes fases. Al principio no pueden creer que la separación es real, luego vienen la rabia y la tristeza y, finalmente, la aceptación. Tienes que esperar y observarla: ¿crees que lo ha aceptado? ¿O parece aún triste o enfadada? Sobre todo, debes ser paciente y ser muy cuidadoso con sus sentimientos.

B. Ahora, en parejas, vosotros vais a ser los consejeros. Escoged un problema de los siguientes y escribid un consejo.

1. Desde que lo dejé con mi última novia (hace 8 años) no he salido con ninguna chica y me siento muy solo.
2. Tengo 34 años y mis padres no saben que soy gay.
3. No quiero vivir en casa de mis padres, tengo 27 años, pero no tengo trabajo.
4. Mi hijo de 14 años se quiere hacer un *piercing* en la lengua.
5. Quiero mucho a mi novio, pero un compañero de trabajo que me gusta mucho me ha propuesto salir con él.

9. TENGO UN PROBLEMA

A. En una hoja aparte, escribe un problema o algo que te preocupa. Puede ser real o inventado, y tratar de cuestiones de salud, trabajo, de relaciones personales, etc. Fírmalo con un pseudónimo.

mi problema:
. . . .
. . . .

los consejos de mis compañeros:
. . . .
. . . .
. . . .
. . . .
. . . .
. . . .
. . . .

B. Ahora, tu nota va a circular por toda la clase. Cada uno de tus compañeros va a escribir en la misma hoja una solución o un consejo para ayudarte.

C. Ahora, presenta a la clase los consejos que han escrito tus compañeros para tu problema. ¿Cuáles son los mejores?

10. BAILANDO

A. Mira la fotografía. ¿De qué década crees que es? Coméntalo con tus compañeros. Después, lee el texto.

Los años ochenta fueron, sin duda, la década prodigiosa en España, una época de transformación, de cambio social, político y económico. Fueron muchos los sectores que contribuyeron a este cambio, pero uno de los más visibles fue la vida nocturna. Una de las musas de esa vida nocturna fue Alaska.

Olvido Gara, verdadero nombre de Alaska, fue el alma de una serie de grupos de música (Kaka de Luxe, Alaska y los Pegamoides, Alaska y Dinarama) que introdujeron en España algunas de las corrientes musicales más importantes de los 80 y de los 90. Algunos de sus grandes éxitos, como "Bailando", se convirtieron en himnos para casi todos los españoles. Actualmente, Alaska es la voz del grupo Fangoria.

🔊 **CD 40** **B.** Esta es la letra de "Bailando". Escucha la canción. ¿Cómo te imaginas que está la persona de la canción? ¿Por qué?

Bailando,
me paso el día bailando,
y los vecinos mientras tanto,
no paran de molestar.

Bebiendo,
me paso el día bebiendo,
la coctelera agitando,
llena de soda y vermú.

Tengo los huesos desencajados,
el fémur tengo muy dislocado,
tengo el cuerpo muy mal,
pero una gran vida social.

Bailo todo el día,
con o sin compañía.
Muevo la pierna, muevo el pie,
muevo la tibia y el peroné,
muevo la cabeza, muevo el esternón,
muevo la cadera siempre que tengo ocasión.

Tengo los huesos desencajados,
el fémur tengo muy dislocado,
tengo el cuerpo muy mal,
pero una gran vida social. Bailando...

(ALASKA Y LOS PEGAMOIDES. 1982)

C. Piensa ahora en otras actividades en lugar de bailar y beber (estudiar, hablar, jugar, pasear...) y escribe las dos primeras estrofas de tu canción.

9
ANTES Y AHORA

En esta unidad vamos a
decidir cuál ha sido la época de la historia más interesante

Para ello vamos a aprender:
> a hablar de hábitos, costumbres y circunstancias en el pasado
> a situar acciones en el pasado y en el presente
> a argumentar y a debatir
> algunos usos del Pretérito Imperfecto
> ya no/todavía

1. ESPAÑA EN LA ÉPOCA DE FRANCO

A. ¿Sabes algo sobre cómo era España en la época de Franco? Completa estas informaciones sobre algunos aspectos de esa época.

1. No existía ..... e ....
2. Había miles de ..... a ....
3. Muchas películas, ... g .... y libros estaban prohibidos.
4. Existía la ..... h ....
5. La televisión y los otros ..... f .... estaban controlados por el gobierno.
6. .... d .... eran ilegales.
7. Los preservativos y ..... i .... estaban prohibidos.
8. ..... b .... vivían en el exilio y no podían volver a España.
9. Estaba prohibido enseñar ..... c ....

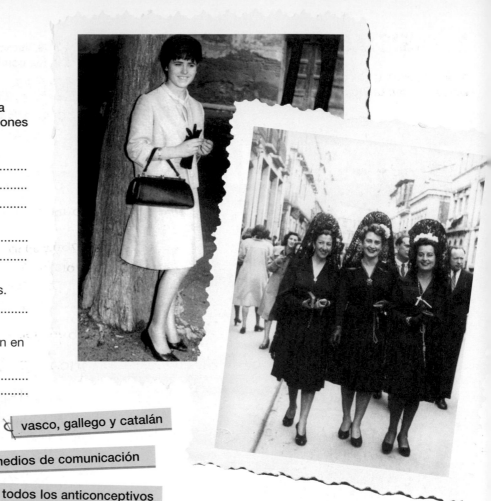

prisoner

a | presos políticos   b | miles de españoles   c | vasco, gallego y catalán

d | los partidos políticos   e | el divorcio   f | medios de comunicación

g | obras de teatro   h | pena de muerte   i | todos los anticonceptivos

B. Ahora, relaciona estos titulares con las informaciones anteriores.

A 2

Aprobada la ley de amnistía

(octubre de 1977)

B 3

Miles de españoles cruzan la frontera francesa para ver *El último tango en París*

(diciembre de 1972)

C 4

Ejecutados Salvador Puig Antich y Heinz Chez

(marzo de 1974)

D 8

El Senado español da las gracias oficialmente a México por su acogida a los exiliados españoles

(octubre de 1998)

acoger = to welcome

E 1.

APROBADA LA LEY DE DIVORCIO

(julio de 1981)

F 9

La Constitución reconoce la oficialidad de las lenguas catalana, gallega y vasca

(diciembre de 1978)

G 7

Las farmacias españolas empiezan a vender píldoras anticonceptivas

(marzo de 1978)

H 6

Se legaliza el Partido Comunista de España

(abril de 1977)

I 5

Este mes empieza a emitir Antena 3, la primera televisión privada de España

(diciembre de 1989)

2. TURISTAS O VIAJEROS

A. Aquí tienes un fragmento de un artículo sobre los viajes. ¿Estás de acuerdo con lo que dice?

Viajar...

ya no es una aventura

A principios del siglo pasado, los primeros turistas (ingleses, alemanes, franceses...) descubrían el mundo. Todo era exótico y nuevo: la lengua del lugar, la comida, las ciudades, los paisajes.

Cada lugar era una sorpresa y una experiencia única. Pero eso ha cambiado radicalmente: hoy en día el turismo mueve a diario a millones de personas en todo el mundo, pero muy pocos lo viven como una auténtica aventura.

• Yo estoy de acuerdo. Para mí viajar ya no es una aventura.
◦ Pues yo no estoy de acuerdo. Para mí...

B. Ahora, lee este cuestionario y marca las respuestas con las que estás más de acuerdo en cada caso.

1. Viajar es siempre una experiencia enriquecedora. La gente que viaja es más interesante.

☐ a) Estoy de acuerdo. Las personas que no han viajado son menos interesantes.

☑ b) Bueno, viajar es fantástico, pero hay gente interesantísima que no ha viajado nunca.

☐ c) Pues yo creo que hay gente que viaja mucho, pero que no aprende nada en sus viajes.

2. Hoy en día es muy difícil descubrir sitios nuevos y vivir aventuras.

☑ a) Es cierto, todos los sitios parecen iguales en todo el mundo: los restaurantes, los aeropuertos, los hoteles, ¡incluso la gente!

☑ b) Bueno, eso depende, si eres aventurero de verdad, puedes encontrar experiencias nuevas en cualquier lugar.

☐ c) No estoy de acuerdo. Para mí, subir a un avión ya es una aventura.

3. Ahora la gente puede viajar mucho más que antes y eso es positivo.

☑ a) Es verdad, hoy en día todo el mundo viaja y eso es muy bueno.

☐ b) No sé, creo que la gente viaja más pero no quiere descubrir cosas nuevas.

☐ c) Sí, todo el mundo viaja, pero eso también tiene efectos negativos; por ejemplo, en el medio ambiente.

4. Antes todo era más romántico. La gente viajaba en barco, en tren... y ese viaje era parte de la aventura. Ahora todo es demasiado rápido.

☐ a) Sí, antes los viajes duraban mucho, eso formaba parte del encanto.

☑ b) Eso depende de cómo viajas. Todavía hay maneras románticas de viajar.

☐ c) Pues yo creo que los viajes son todavía muy lentos. Se pierde mucho tiempo.

5. Se puede vivir aventuras sin ir muy lejos.

☑ a) Sí, claro, la aventura puede estar en tu propia casa.

☐ b) Bueno, creo que eso depende del carácter de cada uno.

☐ c) Para mí no. Yo creo que si realmente quieres vivir una aventura, tienes que romper con la rutina e irte lejos.

CD 41 **C.** En un programa de radio, una periodista especializada en viajes da sus opiniones sobre los temas anteriores. Escúchalas. ¿Coincide contigo?

3. HOY EN DÍA

A. ¿Sabes alguna cosa sobre Ibiza? Coméntalo con tus compañeros.

- Ibiza es una isla.
○ Sí, claro, y está en…

B. Una persona nos ha contado cosas sobre Ibiza. Lee las frases. ¿Habla de la actualidad o de los años 60/70?

- Hoy en día Ibiza es uno de los centros de la música electrónica de todo el mundo. *- Hoy en día / actualidad*
- Actualmente muchas estrellas del cine, de la música y de la moda pasan sus vacaciones en Ibiza. *- actualidad*
- Entonces era una isla más tranquila y menos turística. *los años 60/70*
- En aquella época, había muchos hippies que vivían en cuevas. *los años 60/70*
- En estos momentos la población es de unas 90 000 personas, pero en verano llega a las 300 000. *- actualidad*
- En aquellos tiempos, los hippies de todo el mundo viajaban a la India, a Tailandia o a Ibiza. *los años 60/70*
- Ahora muchos de los hippies que vivían en Ibiza son altos directivos de empresas. *-actualidad*

C. ¿Qué palabras (verbos y expresiones) te han ayudado a saber si se trata del presente o del pasado? Subráyalas.

4. A LOS 18 AÑOS

A. Aquí tienes una serie de informaciones sobre la vida de Ángel, un hombre de 70 años. ¿A qué etapa de su vida crees que pertenece cada una? Márcalo en el cuadro.

1. **A los** 18 **años** aún no sabía qué quería estudiar.
2. **Cuando** era pequeño, siempre recogía animales de la calle y los llevaba a casa: gatos, perros, pájaros…
3. **Cuando** iba a la universidad, en Madrid, salía mucho de noche e iba muy poco a clase.
4. **Cuando** vivía en Madrid con su segunda mujer, tenían una casa en Marbella, donde pasaban los veranos.
5. **Cuando** tenía 55 años, trabajaba mucho: era el director de una empresa multinacional y viajaba por toda Europa.
6. **De niño** era muy tímido y no tenía muchos amigos; le encantaba leer y quedarse en casa con sus hermanos.

infancia	juventud	madurez
…………	…………	…………
…………	…………	…………

B. Fíjate en las estructuras marcadas en negrita. Escribe ahora tú tres frases sobre tres momentos de tu vida.

5. LAS FOTOS DE LA ABUELA

A. Elsa está mirando unas fotos con su abuela, que tiene 101 años. ¿A qué conversación corresponde cada foto?

A 3
- Mira esta foto en la playa.
○ ¿La playa?
- Sí, en mis tiempos la playa era muy diferente. Cuando íbamos, nos cambiábamos de ropa en casetas como esta y luego nos bañábamos. No tomábamos nunca el sol. Estar morena no estaba de moda.
○ ¿Y esto son los bañadores? Eran enormes, ¿no?
- Sí, y siempre tenían dos piezas: camisa y pantalón.

B 1
- Mira, este es un amigo de tu abuelo.
○ ¡Qué gracioso!
- Sí, se llamaba Juan y era el mejor amigo de tu abuelo.
○ ¡Qué elegante!, ¿no?
- Es que antes no nos hacíamos tantas fotos como ahora. Y el día que íbamos al fotógrafo nos poníamos la mejor ropa.

C 2
- Y este es tu padre.
○ ¡Qué guapo! ¿Cuántos años tenía aquí?
- Dos. Era un niño muy guapo, sí. Y muy bueno.

B. En los diálogos, algunos verbos están en un nuevo tiempo del pasado: el Pretérito Imperfecto. Subráyalos. ¿Para qué crees que se usa este tiempo? Márcalo.

☑ Para describir circunstancias o cosas habituales en el pasado.

☐ Para hablar de hechos que solo ocurrieron una vez.

6. YA NO TOMO CAFÉ

A. Piensa en cosas que hacías antes y que ya no haces (hábitos o características que han cambiado) y escríbelo.

Antes *tocaba el piano*…… Ahora **ya no** *toco el piano*

B. Piensa en cosas que hacías antes y que todavía haces (hábitos o características que no han cambiado) y escríbelo.

Antes … *vivía en escocia* …**y todavía** *vivo en escocia*

PRETÉRITO IMPERFECTO

Entre otros usos, el Pretérito Imperfecto sirve para describir los hábitos, las costumbres y las circunstancias de un momento pasado. El Pretérito Imperfecto es el equivalente del Presente (habitual) pero referido al pasado.

VERBOS REGULARES

	-AR estar	-ER tener	-IR vivir
(yo)	estaba	tenía	vivía
(tú)	estabas	tenías	vivías
(él/ella/usted)	estaba	tenía	vivía
(nosotros/as)	estábamos	teníamos	vivíamos
(vosotros/as)	estabais	teníais	vivíais
(ellos/ellas/ustedes)	estaban	tenían	vivían

VERBOS IRREGULARES

	ser	ir	ver
(yo)	era	iba	veía
(tú)	eras	ibas	veías
(él/ella/usted)	era	iba	veía
(nosotros/as)	éramos	íbamos	veíamos
(vosotros/as)	erais	ibais	veíais
(ellos/ellas/ustedes)	eran	iban	veían

- Cuando **éramos** niños, **vivíamos** en un piso del centro. **Era** un piso muy grande, cerca de la catedral.

MARCADORES TEMPORALES PARA EL PASADO

de niño/a
de joven
a los 15 **años**
cuando tenía 33 años

- ¿Cómo eras **de niño**?
- o Era un niño muy normal, creo.

Para referirnos a una época de la que ya hemos hablado anteriormente, usamos las siguientes expresiones.

en esa/aquella época
en aquellos tiempos
entonces

- Yo, de niño, leía mucho. Como **en aquella época** no teníamos televisión en casa...

MARCADORES TEMPORALES PARA EL PRESENTE

hoy en día
en estos momentos
actualmente
ahora

- Antes la gente no viajaba mucho porque era caro; **hoy en día** viajar en avión es mucho más barato.

ARGUMENTAR Y DEBATIR

Presentar una opinión
- **Yo creo/pienso que**…

Dar un ejemplo
- **Por ejemplo**…

Dar un elemento nuevo para reforzar una opinión
- **Además**, en aquella época…

Aceptar una opinión
- o **Estoy de acuerdo.**
- o **(Sí), es cierto/verdad.**
- o **(Sí), claro/evidentemente.**

Rechazar una opinión
- o **(Bueno), yo no estoy de acuerdo (con eso).**
- o **Yo creo que no.**

Mostrar acuerdo parcial y matizar
- o **Bueno, sí, pero**…
- o **Eso depende.**
- o **Ya, pero**…

YA NO/TODAVÍA + PRESENTE

Usamos **ya no** para expresar la interrupción de una acción o de un estado.

- **Ya no** vivo en Madrid.
  (= Antes vivía en Madrid y ahora **ya no**.)

Usamos **todavía** para expresar la continuidad de una acción o de un estado.

- **Todavía** vivo en Madrid.
  (= Antes vivía en Madrid y sigo viviendo allí.)

7. CUANDO TENÍA 10 AÑOS

A. ¿Cómo eras a los 10 años? Piensa en qué aspectos eras diferente respecto a ahora y escribe un pequeño texto contando las cosas más interesantes.

- Qué cosas te gustaban y cuáles no
- Cómo eras físicamente
- Qué cosas hacías
- Tus amigos
- …

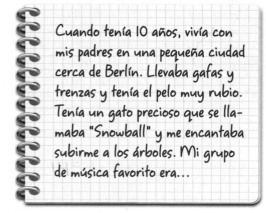

> Cuando tenía 10 años, vivía con mis padres en una pequeña ciudad cerca de Berlín. Llevaba gafas y trenzas y tenía el pelo muy rubio. Tenía un gato precioso que se llamaba "Snowball" y me encantaba subirme a los árboles. Mi grupo de música favorito era…

B. El profesor va a recoger los textos y los va a repartir entre todos. ¿Sabes de quién es el papel que te ha tocado?

8. ¿ESTÁS DE ACUERDO?

CD 42 **A.** Vais a oír una serie de afirmaciones sobre diferentes temas. Toma notas.

1	Aprender español es bastante fácil
2	Las mujeres conducen más mejor que los hombres
3	El cine americano es mejor que europeo
4	La comida española es muy buena
5	El fútbol es un deporte muy aburrido

B. Ahora, en parejas, decid si estáis de acuerdo con las afirmaciones anteriores o si tenéis alguna cosa que decir al respecto. ¿Estáis los dos de acuerdo en muchas cosas?

9. GRANDES INVENTOS

A. Algunos inventos y descubrimientos han sido muy importantes para la vida y el bienestar de la gente. En parejas, pensad cuál creéis que ha sido el más importante y por qué. Antes de ese invento, ¿qué cosas eran imposibles o muy diferentes? Coméntalo con un compañero.

La invención del **teléfono**

El descubrimiento del **fuego**

La invención de la **máquina** de **vapor**

La aparición de **Internet**

El descubrimiento de la **penicilina**

La invención del **avión**

La invención de la **rueda**

El descubrimiento de la **electricidad**

La invención de la **imprenta**

La invención de la **televisión**

Otros: ....

> (No) había…
> La gente (no) podía…
> La gente (no) tenía que…
> (No) se podía…

B. Ahora, comentadlo con los demás compañeros.

- A nosotros nos parece muy importante la invención del avión. En primer lugar, porque, antes de los aviones, la gente viajaba mucho menos que ahora y los viajes eran mucho más lentos. Por ejemplo, los viajes en barco de Europa a América duraban semanas y eran muy duros. Además…

10. GRANADA EN EL SIGLO XV

En esta imagen de Granada de mediados del siglo XV hay siete elementos que no corresponden a esa época. ¿Cuáles? Coméntalo con tus compañeros.

• En aquella época la gente no llevaba...

11. VIAJE AL PASADO

A. En grupos de tres, elegid una de estas cuatro épocas de la historia u otra que os parezca interesante. Pensad por qué os gustaría viajar a esa época y preparad vuestros argumentos. Podéis tener en cuenta estos temas.

La salud: las enfermedades, la esperanza de vida...

La ecología: el respeto a la naturaleza, la calidad de los alimentos, las amenazas al medio ambiente...

La convivencia: la vida familiar, el contacto con los amigos, los vecinos...

El entretenimiento y la comunicación: la música, la radio, la televisión, los libros...

La tecnología: los medios de transporte, los electrodomésticos...

La política: la democracia, la justicia, la igualdad de oportunidades...

B. Ahora, cada grupo presenta sus conclusiones. Podéis grabarlo para evaluar vuestra producción oral. Los demás toman notas para debatir después. Al final, entre todos, debéis decidir cuál es la más interesante de todas las épocas.

• A nosotros nos gustaría viajar a los años 20 en París. En aquellos años, en París vivían muchos artistas como Picasso...

Grecia, s.V a. C.

Oeste americano, finales del siglo XIX

París, años 20

Ibiza (España), años 70

VIAJAR

12. HISTORIA DE ESPAÑA

Aquí tienes ocho viñetas que muestran algunas cosas que pasaban en España en varios momentos de la historia. ¿Y hoy en día? ¿Qué puedes decir de la España actual? Escribe el texto del último cuadro.

1

Para los hombres de la antigüedad, Hispania era el fin del mundo; creían que más allá de la Península no había nada.

2

Hacia el siglo VI a. C., vivían en la península varios pueblos. Los íberos estaban sobre todo en el este; los celtas, en diversos puntos de la península; y había colonias fenicias, como Gadir (Cádiz), y griegas, como Emporio (Ampurias).

3

En el siglo I d. C., Hispania era parte del Imperio Romano y en las ciudades la gente hablaba latín. Emerita Augusta (Mérida), Hispalis (Sevilla) y Tarraco (Tarragona) eran ciudades importantes y los productos de Hispania (trigo, vino y aceite de oliva) se exportaban a todo el Imperio.

4

Hacia el siglo X, los musulmanes ocupaban la mayor parte de la península. La agricultura estaba muy desarrollada y Al-Andalus era la región más avanzada y poderosa de Europa.

5

A finales del siglo XV, ya no quedaban reinos musulmanes en la península. Reinaban los Reyes Católicos: Isabel de Castilla y Fernando de Aragón.

6

Alrededor del siglo XVI, gran parte de América, las Islas Filipinas, los Países Bajos y otras regiones de Europa formaban parte del Imperio Español.

7

A finales del siglo XIX, España estaba en plena decadencia y solo mantenía las últimas colonias: Cuba, Filipinas y Puerto Rico.

8

Durante la dictadura de Franco (1939-1975), en España no había libertad de expresión, prensa, reunión, etc., y miles de españoles vivían en el exilio.

LA ESPAÑA ACTUAL

10

MOMENTOS
ESPECIALES

En esta unidad vamos a
**contar anécdotas personales
reales o inventadas**

Para ello vamos a aprender:

> *a relatar en pasado*
> *a secuenciar acciones*
> *el contraste entre el Pretérito Indefinido
y el Pretérito Imperfecto*
> *las formas del pasado de **estar** + Gerundio*
> *algunos marcadores temporales*

1. UN DÍA EN LA HISTORIA

CD 43-45 **A.** Vas a oír a tres personas que nos cuentan un momento de la historia que recuerdan con mucha intensidad. ¿De qué día habla cada una? Márcalo.

(handwritten notes on images)

23rd feb 1981

GOLPE DE ESTADO EN ESPAÑA

RAUL (QUILMES)

2003 — 1983 - 30 de Octubre - 2003

10th Dec 1983

RA

FIN DE LA DICTADURA MILITAR EN ARGENTINA

Aug 1944

LIBERACIÓN DE PARÍS

B. Ahora, vuelve a escuchar los tres testimonios y completa el cuadro.

	¿Con quién estaba?	¿Dónde estaba?	¿Qué estaba haciendo?	¿Qué pasó?
1	Cliente	Oficina	Negociar un presupuesto (budget)	Empleado "dar la noticia"
2	Padres y dos hermanos	Mexico	Estaban escuchando la radio	Padre llorando con emoción. Madre abrió un botella de vino
3	compañeros de colegio y la gente	En la plaza de Mayo Buenos Aires		Esperaba nuevo presidencia

C. ¿Y tú? ¿Recuerdas algún momento muy especial? Explícaselo a tus compañeros.

• Yo recuerdo el día que nació mi hermano pequeño. Yo estaba jugando con mi otro hermano en mi casa y...

2. UN REBELDE CON CAUSA

CD 43-45 **A.** Reinaldo Arenas es un conocido escritor cubano. En este fragmento de su libro *Antes que anochezca* cuenta un episodio clave de su vida. ¿En qué momento de la historia de Cuba crees que ocurrieron los hechos que se relatan en el texto?

Aquel año la vida en Holguín se fue haciendo cada vez más insoportable; casi sin comida, sin electricidad; si antes vivir allí era aburrido, ahora sencillamente era imposible. Yo, desde hacía algún tiempo, tenía deseos de irme de la casa, alzarme, unirme a los rebeldes; tenía catorce años y no tenía otra solución. Tenía que alzarme; tal vez podía hasta irme con Carlos, participar juntos en alguna batalla y perder la vida o ganarla; pero hacer algo. Le hice la proposición del alzamiento a Carlos y me dijo que sí. (...)

Yo me levanté de madrugada, fui para la casa de Carlos y llamé varias veces frente a la ventana de su cuarto, pero Carlos no respondió; evidentemente, no quería responder. Pero como yo ya estaba decidido a dejarlo todo, eché a caminar rumbo a Velasco; me pasé un día caminando hasta que llegué al pueblo. Pensé que allí me iba a encontrar con muchos rebeldes que me iban a aceptar con júbilo, pero en Velasco no había rebeldes, ni tampoco soldados batistianos; había un pueblo que se moría de hambre, compuesto en su mayoría por mujeres. Yo solo tenía cuarenta y siete centavos. Compré unos panqués de la región, me senté en un banco y me los comí. Estuve horas sentado en aquel banco; no tenía deseos de regresar a Holguín ni fuerzas para hacer la misma jornada caminando.

Al oscurecer, un hombre que hacía rato me observaba se me acercó y me preguntó si yo venía a alzarme. Yo le dije que sí y él me dijo llamarse Cuco Sánchez; tendría unos cuarenta años. Todos sus hermanos -siete- estaban alzados. (...) Me llevó a su casa; su esposa era una mujer desolada, tal vez porque solo tenía un plato de frijoles que ofrecerme...

Hitos de la historia de Cuba

1492	Cristóbal Colón descubre la isla de Cuba.
1560	La isla se convierte en un punto comercial estratégico.
1850	Se producen enfrentamientos entre el ejército español y los independentistas cubanos.
1895	Empieza la guerra entre España y Cuba.
1898	Estados Unidos entra en la guerra.
1899	Estados Unidos asume el gobierno de Cuba durante cuatro años.
1940	Nueva Constitución.
1952	Fulgencio Batista da un golpe de Estado.
1956	Un grupo de jóvenes liderados por Fidel Castro se interna en la Sierra Maestra y forma el núcleo del ejército rebelde.
1959	Tras derrotar a las fuerzas de Batista, el ejército rebelde entra en La Habana.
1962	J. F. Kennedy ordena el bloqueo a Cuba.
1980	El gobierno cubano autoriza la emigración hacia Estados Unidos.
1991	La URSS pone fin a su alianza política, militar y económica con Cuba.

B. Estas frases resumen el texto de Reinaldo Arenas. Ordénalas cronológicamente.

☐ Al final del día, un hombre se le acercó y lo invitó a su casa.

☐ Propuso a un amigo dejar el pueblo.

☐ La vida en Holguín era terrible y Reinaldo decidió unirse a los revolucionarios.

☐ En Velasco no había revolucionarios, pero Reinaldo no quería volver a Holguín.

☐ Una noche fue a buscar a su amigo, pero este no le abrió la puerta y Reinaldo se fue solo a Velasco.

3. ¿CUÁNTO VALE UN PUEBLO?

A. Lee este artículo aparecido en la prensa. ¿Qué crees que quiere hacer Ibrahim Madani con el pueblo? Coméntalo con tu compañero.

El hijo de un jeque árabe compra un pueblo del Pirineo

El pasado miércoles, Ibrahim Madani, hijo mayor de un importante jeque árabe adquirió por 3,6 millones de euros todas las casas y tierras de Botera, un pueblo de montaña abandonado cercano a una conocida estación de esquí. El nuevo propietario visitó por primera vez la localidad en 1997 y volvió en diversas ocasiones antes de realizar definitivamente la compra.

"Cuando estuve aquí en 1997", dijo ayer Madani por teléfono a un periodista de este diario, "me enamoré del paisaje y de la arquitectura. Luego volví muchas otras veces a España y visité otros pueblos, pero no encontré ninguno tan adecuado para mi proyecto."

Este no es un caso único. El año pasado, dos grupos inversores extranjeros adquirieron pueblos abandonados en diferentes lugares del Pirineo español.

• Yo creo que Ibrahim Madani quiere...

B. En el texto aparecen algunas formas del Pretérito Indefinido, tanto regulares como irregulares. Encuéntralas y colócalas en el lugar adecuado. Después, completa los cuadros con las formas que faltan.

	visitar	volver	adquirir
(yo)	visité	volví	adquirí
(tú)	visitaste	volviste	adquiriste
(él/ella/usted)	visitó	volvió	adquirió
(nosotros/as)	visitamos	volvimos	adquirimos
(vosotros/as)	visitasteis	volvisteis	adquiristeis
(ellos/ellas/ustedes)	visitaron	volvieron	adquirieron

	estar	decir	enamorarse
(yo)	estuve	dije	me enamoré
(tú)	estuviste	dijiste	te enamoraste
(él/ella/usted)	estuvo	dijo	se enamoró
(nosotros/as)	estuvimos	dijimos	nos enamoramos
(vosotros/as)	estuvisteis	dijisteis	os enamorasteis
(ellos/ellas/ustedes)	estuvieron	dijeron	se enamoraron

4. MISTERIO EN EL PARQUE

A. En esta conversación, Omar cuenta una extraña experiencia que vivió recientemente. ¿Cuál crees que es la explicación de lo que pasó? Coméntalo con tu compañero.

• ¿Sabes qué? El otro día vi a Marcos en el parque.
• ¿Marcos? ¡Qué dices! Si está en Argentina.
• Ya lo sé. Pero lo vi.
• ¿Ah sí? ¿Dónde?
• Pues mira, como hacía muy buen tiempo, decidí ir a dar una vuelta en bici. Salí de casa y fui por el paseo hasta el parque. No había casi nadie y se estaba muy bien. acercarse Entonces vi a una persona detrás de un árbol. Me acerqué un poco más y lo vi: llevaba una camisa verde a cuadros y tenía un libro en la mano. Era Marcos, sin duda. Cuando me vio empezó a correr, entró en un lugar donde había muchos arbustos y desapareció. Fui detrás de él, pero cuando llegué ya no había nadie. Bueno sí, había una pareja de enamorados, pero él ya no estaba.
• O sea, que no era él.
• No sé. Yo creo que sí. Pero lo más fuerte es que ese mismo día Marcos me llamó. Supuestamente desde Argentina.
• ¡Venga, hombre!

• Yo creo que todo fue un sueño.

B. En el texto aparecen dos tiempos del pasado: el **Pretérito Indefinido** y el **Pretérito Imperfecto**. Márcalos de manera diferente.

C. Fíjate en estas frases. ¿Con cuál de los dos tiempos presentamos la información como un hecho que hace avanzar la acción? ¿Con cuál narramos las circunstancias, lo que rodea la acción?

descripción = imperfecto   acciones = indefinido

... **hacía** muy buen tiempo, **decidí** ir a dar una vuelta...
... no **había** casi nadie y **se estaba** muy bien. Entonces **vi** a una persona...
... lo **vi**: **llevaba** una camisa verde a cuadros...
... **entró** en un lugar donde **había** muchos arbustos...

5. ESTABA LLOVIENDO Y...

Lee estas frases. ¿Por qué crees que usamos el Imperfecto en las de arriba y el Indefinido en las de abajo?

Estaba lloviendo y no salí de casa.
Estaba estudiando piano cuando llegaron sus padres.
Estábamos bailando y, de repente, llamaron a la puerta.
Estaba tomando el sol en la playa y se durmió.

Estuvo lloviendo de 12 a 7h de la tarde.
Estuvo estudiando piano cinco años, pero luego lo dejó.
Estuvimos bailando toda la noche hasta que llamó la vecina.
Estuvo cuatro horas seguidas **tomando** el sol y se quemó.

PRETÉRITO INDEFINIDO

VERBOS REGULARES

	compr**ar**	perd**er**	viv**ir**
(yo)	compr**é**	perd**í**	viv**í**
(tú)	compr**aste**	perd**iste**	viv**iste**
(él/ella/usted)	compr**ó**	perd**ió**	viv**ió**
(nosotros/as)	compr**amos**	perd**imos**	viv**imos**
(vosotros/as)	compr**asteis**	perd**isteis**	viv**isteis**
(ellos/ellas/ustedes)	compr**aron**	perd**ieron**	viv**ieron**

Recuerda que los verbos de la segunda y de la tercera conjugación tienen las mismas terminaciones.

VERBOS IRREGULARES

Los verbos de la tercera conjugación (**-ir**) que tienen cambios vocálicos en Presente presentan también un cambio vocálico en Indefinido; en este caso, en la tercera persona del singular y en la tercera del plural.

	ped**ir**	sent**ir**	dorm**ir**
(yo)	ped**í**	sent**í**	dorm**í**
(tú)	ped**iste**	sent**iste**	dorm**iste**
(él/ella/usted)	p**i**d**ió**	s**i**nt**ió**	d**u**rm**ió**
(nosotros/as)	ped**imos**	sent**imos**	dorm**imos**
(vosotros/as)	ped**isteis**	sent**isteis**	dorm**isteis**
(ellos/ellas/ustedes)	p**i**d**ieron**	s**i**nt**ieron**	d**u**rm**ieron**

El verbo **estar** también es irregular. Muchos verbos, después de la raíz irregular, tienen las mismas terminaciones que **estar**.

	estar		
(yo)	estuv**e**	saber	→ sup-
(tú)	estuv**iste**	tener	→ tuv-
(él/ella/usted)	estuv**o**	querer	→ quis-
(nosotros/as)	estuv**imos**	poner	→ pus-
(vosotros/as)	estuv**isteis**	venir	→ vin-
(ellos/ellas/ustedes)	estuv**ieron**	poder	→ pud-
		hacer	→ hic-/z
		haber	→ hub-

! En la primera y en la tercera personas del singular de estos verbos, la sílaba tónica no está en la terminación (como en los regulares), sino en la raíz.

En el Indefinido, los verbos **ser** e **ir** tienen la misma forma.

	ser/ir
(yo)	**fui**
(tú)	**fuiste**
(él/ella/usted)	**fue**
(nosotros/as)	**fuimos**
(vosotros/as)	**fuisteis**
(ellos/ellas/ustedes)	**fueron**

PRETÉRITO INDEFINIDO/IMPERFECTO

Cuando hablamos de acontecimientos que ocurrieron en el pasado, podemos usar los dos tiempos. Con el Indefinido[1] presentamos la información como un acontecimiento que hace avanzar la historia. Con el Imperfecto[2] describimos; la historia se detiene y "miramos" lo que pasa alrededor de los acontecimientos.

- **Visitó**[1] Madrid por primera vez en 1988. **Era**[2] verano y **hacía**[2] mucho calor.
- **Aprendí**[1] a cocinar en casa. Mi madre **era**[2] una cocinera excelente.

ESTAR + GERUNDIO

Usamos **estar** en Pretérito Perfecto, Indefinido o Imperfecto + Gerundio para presentar las acciones en su desarrollo.

PRETÉRITO PERFECTO

- Esta mañana **he estado hablando** con Paco.
- Estos días **he estado pensando** en Marta.
- Carlos **ha estado** dos meses **ensayando** una canción.

PRETÉRITO INDEFINIDO

- Ayer **estuve hablando** con Paco.
- El martes **estuve** todo el día **pensando** en Marta.
- Carlos **estuvo** dos meses **ensayando** una canción.

PRETÉRITO IMPERFECTO

- Esta mañana **estaba hablando** con Paco y, de repente, me ha dado un beso.
- Cuando Marta me llamó, **estaba pensando** en ella.
- Cuando llegué había mucho ruido porque Carlos **estaba ensayando** una canción.

! Si queremos expresar la ausencia total de una acción durante un periodo de tiempo, podemos usar **estar sin** + Infinitivo.

- *He estado todo el fin de semana sin salir de casa.*

MARCADORES TEMPORALES PARA RELATAR

Una vez / Un día / El otro día
(Y) entonces / (Y) en ese momento
Luego / Después / Más tarde
De repente

- *El otro día* me pasó una cosa increíble. Llegué a casa, abrí la puerta *y, entonces,* oí un ruido raro. *Luego,* cuando estaba en la cocina, oí otro ruido y, *de repente,* llamaron a la puerta…

6. LEYENDAS URBANAS

A. Todos conocemos historias increíbles o extrañas, leyendas urbanas. Aquí tienes dos bastante curiosas. ¿Crees que son verdad? Coméntalo con tu compañero.

A En un pueblo de mi provincia se declaró el pasado verano un gran incendio forestal. Para luchar contra el fuego se movilizaron todos los medios de emergencia **3**: más de cien voluntarios, cuarenta bomberos profesionales, cinco helicópteros y un hidroavión. Tardaron cuatro días en controlar el incendio y dos más en apagarlo. Después, un equipo de técnicos fue al lugar para evaluar los daños. Hasta aquí todo normal. Pero la sorpresa llegó cuando los técnicos encontraron en medio del bosque el cadáver de un submarinista. **7**. La única explicación que se les ocurrió fue que el hidroavión, al acudir al mar a llenar sus depósitos de agua, absorbió a un hombre **6**. El caso nunca llegó a aclararse completamente.

4. Cuando el hombre llegó a unos 3 kilómetros del pueblo, se encontró con un control de la policía y lo hicieron parar. **8** en ese momento se produjo un accidente a unos 300 metros de aquel lugar y los guardias fueron hacia allí. Aprovechando el momento, el conductor huyó, llegó a su casa, y metió el coche en el garaje. Unas dos horas después, **1**, la policía se presentó en su casa. El conductor negó los hechos. "He estado toda la noche durmiendo en casa", les dijo. Pero los guardias le preguntaron por su coche. "¿Dónde guarda su coche, señor Martínez?". Los llevó hasta el garaje y cuando lo abrieron, apareció dentro el coche patrulla: **2**. Parece que cuando huyó, **5** confundió el coche de la policía con su propio coche.

B

B. En estos dos relatos se narran los hechos pero faltan descripciones e informaciones sobre las circunstancias. ¿Podéis colocarlas en el lugar adecuado?

1 ... cuando el conductor estaba durmiendo

2 ... todavía tenía las luces encendidas

3 ... que estaban disponibles

4 ... una vez cerca de mi pueblo un hombre iba en coche hacia su casa. Estaba algo bebido y conducía muy rápido

5 ... estaba tan nervioso que

6 ... que estaba practicando pesca submarina

7 ... nadie podía creer lo que estaba viendo, ya que la playa más cercana está a más de 200 kilómetros

8 ... los policías le estaban pidiendo la documentación y

C. ¿Conocéis otras historias curiosas?

7. ¡QUÉ CORTE!

A. En esta página web, adolescentes españoles cuentan experiencias incómodas o embarazosas. Carolina nos cuenta una.

Atrás Adelante Detener Actualizar Página principal Autorrelleno Imprimir Correo

Dirección: @ www.quecorte.es

Página inicial de actualidad @ Apple @ iTools @ Soporte de Apple @ Apple Store @ Pr

Favoritos Historial Buscar Álbum Marcador de páginas

Vestido apretado

Hace dos semanas me pasó una cosa terrible en la boda de una prima. Yo llevaba un vestido muy muy apretado. Casi no podía respirar, pero eso no me importaba porque estaba con Daniel, el chico más guapo del instituto (que da la casualidad que es amigo del novio). Llegó la hora de comer y, como tenía mucha hambre, comí muchísimo y, claro, luego no podía ni moverme. Fue horrible porque Daniel quería bailar y yo parecía una momia. Para colmo, después se me rompió la cremallera del vestido. ¡Un horror! Y lo peor es que Daniel se pasó todo el tiempo sentado a mi lado, aburrido y con cara de pocos amigos. Por supuesto, después de eso nunca más me llamó.

Carolina A
16 años

B. Vas a escuchar a varias personas que empiezan a contar una anécdota. ¿Cómo crees que acaban?
CD 46-48

C. Ahora, escucha y comprueba.
CD 49-51

8. TITULARES DE PERIÓDICO

En parejas, tenéis que tirar dos veces un dado o elegir dos números del 1 al 6. Cada número es una parte del titular de una noticia. Luego, tenéis que escribirla.

1. *Detienen por robo en una joyería a*
2. *Pagan 1000 euros por cenar con*
3. *Llega a la base espacial*
4. *Vuelve a las pantallas*
5. *Cae al río Ebro*
6. *Un perro muerde a*

1. *un agricultor que duerme la siesta*
2. *el presidente del Gobierno español*
3. *Batman*
4. *la princesa Tania de Fastundia*
5. *un joven dentro de su coche*
6. *el primer astronauta español*

10

9. EL MISTERIO DE SARA P.

A. Hace unos días, Sara P. fue a pasar un fin de semana en la casa de campo de sus padres. Escucha la audición y toma notas de lo que pasó.

CD 52

B. Ahora, en parejas, vais a escribir lo que ocurrió aquel día. Pero ojo: en el relato tenéis que usar al menos 10 de estas palabras. Si lo necesitáis, podéis volver a escuchar la audición.

PORTFOLIO

casa coche correr luz

bosque cerillas copa ojos verdes vela

cocina escalera gato piano ruido

plato puerta romper

10. MOMENTOS

A. Piensa si has vivido momentos como los siguientes. Elige uno e intenta recordar las circunstancias y qué pasó. También puedes inventarte una historia.

¿Dónde estabas? ¿Con quién? ¿Cuándo fue?
¿Qué estabas haciendo? ¿Qué tiempo hacía?

Un momento en el que te emocionaste mucho

Un momento en el que pasaste mucho miedo

Un momento en el que te reíste mucho

Un momento en el que te quedaste sin palabras

Un momento en el que pasaste mucha vergüenza

B. Ahora, explícaselo a tus compañeros. ¿Quién tiene la anécdota más interesante o más impactante? Podéis grabar vuestras intervenciones para evaluar vuestra producción oral.

PORTFOLIO

• Yo una vez pasé mucho miedo en un tren.
○ ¿Cuándo?
• Pues hace unos seis años. Yo estaba de viaje por...

11. DEPORTISTAS DE ÉLITE

A. Aquí tienes un artículo sobre el deporte español. ¿Conoces a los deportistas de los que se habla? ¿Sabes algo sobre ellos? Coméntalo con tus compañeros.

A finales de los años 80 y a principios de los 90 del siglo pasado surgió en España una nueva generación de deportistas que consiguieron éxitos nunca vistos hasta entonces en el deporte español. Tenistas como Arancha Sánchez, ciclistas como Miguel Indurain, motoristas como Álex Crivillé, pilotos de rally como Carlos Sainz, o golfistas como José María Olazábal entraron en la élite deportiva mundial.

Pero el cambio más grande y significativo llegó en los primeros años de este siglo, en los que varios jóvenes deportistas lograron llegar a lo más alto a una edad muy temprana: los tenistas Juan Carlos Ferrero y Rafa Nadal, el futbolista Raúl González, el piloto de Fórmula 1 Fernando Alonso, el jugador de baloncesto Pau Gasol, la ciclista Joane Somarriba, el golfista Sergio García o el piloto de motos Dani Pedrosa llegaron a la cima de sus respectivas disciplinas, la mayoría incluso antes de cumplir los 20 años.

una generación prodigiosa

Los sociólogos y psicólogos deportivos tienen varias explicaciones para este hecho. Una de ellas es que desde la llegada de la democracia a España, los ayuntamientos crearon nuevas y modernas instalaciones deportivas. Otra explicación es que el nivel de entrenadores, técnicos y personal médico mejoró de manera muy notable a partir de los años 80. Pero existe una tercera e importante razón: la integración masiva de las mujeres al mundo del deporte, lo que multiplicó el número de personas que practicaban un deporte.

Gracias a estos cambios, se empezaron a conocer y a practicar deportes como el golf, el tenis o incluso la natación sincronizada, que hasta entonces eran minoritarios en España. De cualquier modo, el deporte rey, el que levanta más pasiones y mueve a millones de personas (y miles de millones de euros) es hoy, como hace 70 años, el fútbol.

B. Ahora, lee estas curiosidades sobre tres deportistas españoles. ¿Conoces datos como estos referidos a deportistas de tu país? Explícaselo a tus compañeros.

Fernando Alonso. Tenía dos años cuando condujo por primera vez un kart.

Rafa Nadal. Aunque su tío Miguel Ángel Nadal fue jugador del Fútbol Club Barcelona, Rafa es seguidor del Real Madrid.

Pau Gasol. Consiguió el galardón de "Rookie del año", premio que se otorga al mejor de los jugadores que debutan en la NBA, en la temporada 2001-2002.

11

BUSQUE Y COMPARE...

En esta unidad vamos a
**diseñar y a presentar
una campaña publicitaria**

Para ello vamos a aprender:

> a recomendar y a aconsejar
> a dar instrucciones
> a describir una escena en pasado y en presente
> la forma y algunos usos del Imperativo
> la colocación de los pronombres reflexivos y de OD/OI

Tienda de sombreros panamá (Ecuador)

1. LA PUBLICIDAD HOY

A. En una revista han publicado esta entrevista a un experto en publicidad. Léela y anota en tu cuaderno, en dos columnas, las afirmaciones con las que estás de acuerdo y aquellas con las que no.

PUBLICISTA NATO CON MÁS DE 30 AÑOS DE EXPERIENCIA, CREADOR DE LA AGENCIA LINCEX, JOAQUÍN LINARES ACABA DE PUBLICAR EL LIBRO *HISTORIA DE LA PUBLICIDAD EN ESPAÑA*. EN ESTA ENTREVISTA NOS HABLA DE SU VISIÓN DEL TEMA.

Sr. Linares, ¿cómo es la publicidad hoy?

Actualmente, para el anunciante, la marca es un tema cada vez más importante. Pero, hoy en día, ya no sirve solo la presentación de la marca y del producto. Los consumidores quieren ver otros valores. Después del lujo, la ambición y la agresividad de las campañas de los 80 y 90, se ha iniciado una tendencia más ética y más respetuosa con el medio ambiente. Hoy en día vende lo que no contamina, lo que es solidario, lo políticamente correcto... En cuanto a los soportes, nos adaptamos a los tiempos y aprovechamos medios como Internet; aunque, por supuesto, se van a seguir haciendo campañas con anuncios en la televisión, en la radio y en vallas publicitarias.

"La publicidad tiene **más** futuro que **pasado**"

¿Tiene futuro la publicidad?

Claro que tiene futuro, más que pasado. La publicidad es una herramienta imprescindible, no solo para los empresarios que venden productos, sino también para las instituciones que necesitan comunicarse con el público. Cada vez más, los gobiernos, los partidos políticos y las ONG lanzan campañas para concienciar a la población y potenciar determinadas actitudes.

¿Cómo ve la publicidad del futuro?

En lo esencial no va a cambiar: la publicidad va a seguir teniendo como objetivo convencer a los consumidores, y los eslóganes van a seguir siendo cortos y efectivos. La finalidad de la publicidad es crear nuevas necesidades, concienciar al público de que existe un problema y proponer una solución. Esa es la idea básica.

¿La publicidad es arte?

El publicista combina el texto, las imágenes, la marca y el logotipo para impactar al observador. Y eso, para mí, hace de la publicidad un arte. Yo creo que en los museos algunos anuncios deberían estar colgados al lado de *La Gioconda* y de *Las Meninas*.

¿Qué tipo de campaña es más eficaz?

Las campañas de comparación quizá son las más clásicas: "use nuestro coche; contamina menos". Pero existen muchas otras, porque en publicidad es siempre importante sorprender al público. Hace unos años se pusieron de moda las campañas de misterio. Son campañas que sorprenden porque no sabes qué anuncian hasta pasados unos días o semanas del lanzamiento. Pero, sin duda, van a aparecer otras.

BOBBY
TU MEJOR AMIGO

www.bobby.com

La última colección de la marca de ropa juvenil Bobby es uno de los recientes trabajos de la agencia Lincex.

B. Vuelve a leer el texto y busca palabras o expresiones para cada una de estas categorías. ¿Sabes otras?

Soportes publicitarios	Elementos de un anuncio	Personas relacionadas con la publicidad
Internet	la marca	los consumidores

2. UN ANUNCIO

A. Este anuncio corresponde a una campaña de una empresa telefónica. ¿Qué ves? ¿Qué te sugiere? Completa la ficha.

¿Qué vemos?

1. Logotipo: UNET

2. Servicio que ofrece: interneb movil teleFono servicio

3. Eslogan: únete a la comunicacion contrata

4. Soporte:
- ☑ prensa escrita
- ☑ radio
- ☐ televisión
- ☐ interneb

5. ¿Cómo describe el producto?
- ☐ de manera objetiva
- ☑ muestra indirectamente sus ventajas
- ☐ lo compara con otros
- ☐ ....

6. ¿Cómo es el el texto?
- ☐ técnico
- ☑ humorístico
- ☐ poético
- ☐ ....

7. ¿Qué tipo de texto imita?
- ☐ un cuento
- ☐ una carta
- ☑ una conversación
- ☐ una postal

¿Qué nos sugiere?

1. ¿Te gusta? ¿Por qué? Es tipico de un conversacion de dos amantes jovenes.-que usan sus teleFono movil mucho por eso es corto,rapido y

2. ¿El eslogan es fácil de recordar? Si, porque es corto

3. ¿A qué tipo de público se dirige?
- ☐ hombres
- ☐ mujeres
- ☑ jóvenes
- ☐ niños
- ☐ ....

4. ¿A qué valores se asocia el producto?
- ☐ belleza
- ☑ éxito social
- ☑ amor y amistad
- ☐ libertad
- ☐ solidaridad
- ☐

→Venga cariño, un beso.
→ MUA MUA
→BUENO, VA, CUELGA.
→ No, cuelga tú.
→NO, PRIMERO TÚ.
→Bueno, YA CUELGO.
→UN ÚLTIMO BESO.
→ MUA
→VA, CUELGA.
→NO, TÚ.
→LOS DOS.
→Vale, los dos.
→PERO CUELGA, ¿EH?

ÚNETE A LA COMUNICACIÓN
Ahora con UNET **conseguirás tarifas más baratas incluso en llamadas de fijo a móvil (0,10 € minuto).**

fijo=Land Line

B. Traed a clase anuncios (a ser posible en español) y comentadlos en parejas. Elegid el que más os guste y, luego, explicad a los demás por qué os parece un buen anuncio.

3. ESLÓGANES

A. Aquí tienes algunos eslóganes publicitarios. ¿Qué crees que anuncia cada uno? No siempre hay una única respuesta.

1. **Rompa** con la monotonía, **vuele** con nosotros.
2. **No rompas** la tradición; en Navidad siempre lo mejor.
3. **Haz** números y **deja** el coche en casa.
4. **Sal** de la rutina, **ven** a Castilla y León.
5. **Pon** más sabor a tu vida.
6. **No deje** su ropa en otras manos.
7. **Pida** algo intenso: solo o con leche.
8. **No vivas** peligrosamente. **Vive**.
9. **Vive** una doble vida.
10. **Acuéstate** con "Doncotón".
11. **Piense** en el planeta.

a. Una región
b. Una campaña ecológica
c. Una marca de coches
d. Transportes públicos
e. Un detergente
f. Una marca de turrón
g. Un helado de dos sabores
h. Una marca de pijamas
i. Una compañía aérea
j. Una salsa de tomate
k. Una marca de café

(anotación manuscrita: Ti)

B. Fíjate en los verbos que están en negrita. Están en Imperativo. ¿Sabes cómo se forma este tiempo? Completa los cuadros.

IMPERATIVO AFIRMATIVO

	dejar	romper	vivir
(tú)	*deja*	rompe	*vive*
(usted)	deje	*rompa*	viva

IMPERATIVO NEGATIVO

	dejar	romper	vivir
(tú)	no dejes	*no* rompas	*no* vivas
(usted)	*no deje*	no rompa	no viva

C. Fíjate ahora en estos imperativos irregulares. ¿Son irregulares también en algún otro tiempo verbal?

O - UE	dormir	(tú)	duerme	no duermas
		(usted)	duerma	no duerma
E - IE	pensar	(tú)	piensa	no pienses
		(usted)	piense	no piense
E - I	pedir	(tú)	pide	no pidas
		(usted)	pida	no pida

D. Aquí tienes los imperativos negativos de **tú** y **usted** de algunos verbos. Busca en los eslóganes la forma afirmativa de **tú** y luego completa la columna afirmativa de **usted**.

IMPERATIVO NEGATIVO		IMPERATIVO AFIRMATIVO	
tú	usted	tú	usted
no hagas	no haga	*h*	
no salgas	no salga		
no pongas	no ponga		
no vengas	no venga		

4. RECICLA Y SÉ FELIZ

(anotación manuscrita: imperativo — to the / refers anuncio)

A. Este es un anuncio de "Reciclaje en acción". Léelo y responde a las preguntas.

NO TE DUERMAS, TE NECESITAMOS

¿Te has cansado de un mueble? No lo tires.

¿Medicamentos que no vas a utilizar? Guárdalos. Puedes enviarlos a hospitales que sí los necesitan.

¿Gafas que no usas? ¿No las quieres? ¿Por qué tirarlas? Envíalas a personas que las van a usar.

¿Tu ropa está pasada de moda? Regálala.

Con "Reciclaje en Acción" puedes enviar todas esas cosas a quien las necesita.

¡HAZTE SOCIO!

1. ¿Qué es "Reciclaje en acción"? *(anotación manuscrita: Es un projecto promotavar reciclismo)*
2. ¿A qué se dedica?
3. ¿Qué mensaje pretende transmitir? ¿Puedes resumirlo en una sola frase?

B. Vuelve a leer el anuncio. ¿Sabes a qué palabras del texto hacen referencia estos pronombres? Escríbelas.

(anotación manuscrita: pronombres)

- **Lo** = *un mueble*
- **La** = *la ropa*
- **Los** = *medicamentos*
- **Las** = *gafas*

(anotación manuscrita: = it in English)

C. ¿Puedes deducir cuándo ponemos los pronombres delante del verbo y cuándo después?

▪▪▪	Delante	Detrás
¿Con un Infinitivo?	✓	✓
¿Con un Imperativo afirmativo?		✓
¿Con un Imperativo negativo?	✓	✓
¿Con otros tiempos verbales?	✓	

D. Fíjate en este verbo. ¿Puedes escribir la forma de **usted** en Imperativo negativo?

	hacer**se** socio/a *— social activity*
(tú)	no te hagas
(usted)	*no se haga*

(anotación manuscrita: afirmativo = hazte)

IMPERATIVO

IMPERATIVO AFIRMATIVO

El Imperativo afirmativo en español tiene cuatro formas: **tú** y **vosotros/as**, **usted** y **ustedes**.

	pensar	comer	dormir
(tú)	piensa	come	duerme
(vosotros/as)	pensad	comed	dormid
(usted)	piense	coma	duerma
(ustedes)	piensen	coman	duerman

La forma para **tú** se obtiene eliminando la **-s** final de la forma correspondiente del Presente.

piensas ➡ **piensa**	comes ➡ **come**	vives ➡ **vive**

Algunos verbos irregulares no siguen esta regla.

poner ➡ **pon**	salir ➡ **sal**	venir ➡ **ven**	ser ➡ **sé**
hacer ➡ **haz**	tener ➡ **ten**	decir ➡ **di**	ir ➡ **ve**

La forma para **vosotros/as** se obtiene al sustituir la **-r** del Infinitivo por una **-d**.

hablar ➡ **hablad**	comer ➡ **comed**	vivir ➡ **vivid**

IMPERATIVO NEGATIVO

	pensar	comer	dormir
(tú)	no pienses	no comas	no duermas
(vosotros/as)	no penséis	no comáis	no durmáis
(usted)	no piense	no coma	no duerma
(ustedes)	no piensen	no coman	no duerman

Fíjate en que las formas para **usted** y **ustedes** son las mismas que las del Imperativo afirmativo.

Con los verbos acabados en **-ar**, se sustituye la **a** de la segunda y de la tercera personas del Presente de Indicativo por una **e** en todas las personas.

Presente	Imperativo
hablas ➡	**no hables**

Con los verbos acabados en **-er/-ir**, se sustituye la **e** de la segunda y de la tercera personas del Presente de Indicativo por una **a** en todas las personas.

Presente	Imperativo	Presente	Imperativo
comes ➡	**no comas**	vive ➡	**no viva**

Algunos verbos, sin embargo, no siguen esta norma.

ir ➡ **no vaya**	estar ➡ **no esté**	ser ➡ **no sea**

ALGUNOS USOS DEL IMPERATIVO — Imperativo has 2 uses

1. RECOMENDAR Y ACONSEJAR

- **No deje** este producto al alcance de los niños.
- **Lea** las instrucciones antes de poner el horno en marcha.
- **Haz** algo diferente este fin de semana.
- **Desconecta** un poco.

¿Qué hago?

No seas tonto y ve a hablar con ella.

2. DAR INSTRUCCIONES

- Primero, **llene** una taza de agua. Luego...
- **Lave** esta prenda a menos de 30°.

LA POSICIÓN DEL PRONOMBRE

Con verbos conjugados, los pronombres, tanto reflexivos como de OD y OI, se sitúan delante del verbo.

- Esta mañana no **me** he peinado.
- ¿Qué **le** has regalado a Luis?

El Imperativo es un caso especial: los pronombres van detrás con la forma afirmativa y delante con la negativa.

- Déja**me** el coche, por favor.
- Vale, pero no **me lo** pidas más esta semana.

En perífrasis y otras estructuras con Infinitivo y con Gerundio pueden ir detrás de estas. Dos opciones

- Para evitar el estrés, tienes que relajar**te** más.
- ¿El coche? Están arreglándo**lo**.

O delante del verbo conjugado.

- Para evitar el estrés, **te** tienes que relajar más.
- ¿El coche? **Lo** están arreglando.

En los verbos reflexivos desaparece la **d** final de la 2ª persona del plural: compra**d**os ➡ **compraos**

DESCRIBIR UNA ESCENA

Cuando describimos una escena o una secuencia que recordamos (de una película, de un anuncio...) podemos utilizar el Pretérito Imperfecto de Indicativo o el Presente.

EN PRETÉRITO IMPERFECTO — acción repitivo/descriptivo

- En el anuncio, una mujer **salía** de la ducha y **decía**...
- En la imagen **se veía** un perro que **estaba** solo y...

EN PRESENTE

- En el anuncio **se oye** una voz, pero no **se ve** a nadie.
- El mensaje **dice** algo contra las drogas.

5. INSTRUCCIONES

A. Aquí tienes unas instrucciones. ¿Dónde crees que podemos encontrarlas? Coméntalo con tu compañero.

1

1. Llene una taza de agua.
2. Póngala en el microon-das entre 2 y 3 minutos.
3. Eche el contenido del sobre.
4. Remuévalo y disfrute del momento.

2 *un cajero automático*

■ Introduzca su número secreto.

■ Seleccione una cantidad o escriba la que desea.

■ Recoja su tarjeta.

■ Si desea realizar otra operación, vuelva a la pantalla de inicio.

3

✴ No use lejía.

🪣 Lave esta prenda a menos de 30°.

▱ Seque la prenda extendida lejos de la luz del sol.

4

15020458412215 08
52856932587456 07

➡ Conserve el billete hasta el final del trayecto.

➡ Preséntelo a petición de cualquier empleado.

• Yo creo que estas instrucciones son de un...

B. En parejas, escribid ahora unas instrucciones. Vuestros compañeros tienen que adivinar de qué son.

6. ORDÉNALO, POR FAVOR

PORTFOLIO ★★★ Imagina que tu compañero de piso ha dejado el piso así. Como no es la primera vez, has decidido dejarle una nota para recordarle todo lo que tiene que hacer. Mira la lista de las cosas que tiene que hacer y, luego, escribe la nota.

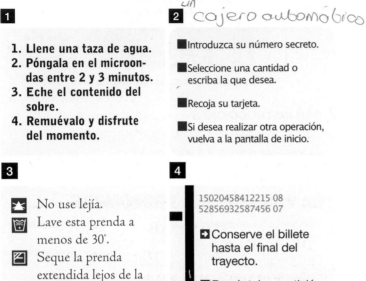

lavar los platos ✓
quitar la mesa ✓
pasar el aspirador ✓
hacer la compra ✓
colgar el teléfono
apagar el ordenador ✓
apagar las luces ✓
bajar la basura ✓
dar de comer al gato ✓
regar las plantas ✓
ordenar las revistas
arreglar la habitación
hacer la cama
...

des colgar
usarlo

7. ROBOTS MUY OBEDIENTES

A. Vamos a jugar a ser robots. Piensa en cosas que se pueden hacer en clase y escribe una "orden" en un papel en blanco. Ten en cuenta que un compañero la va a tener que representar con mímica después.

Coge el bolso de la persona que está a tu lado y ábrelo...

B. Ahora, vuestro profesor recogerá los papeles y los repartirá entre los compañeros. Cada uno tiene que ejecutar la instrucción del papel que le ha tocado y los demás compañeros tienen que adivinarla.

Los platos están sucios. Lávalos, por favor.

8. UNA PAUSA PARA LA PUBLICIDAD

A. Aquí tienes la transcripción incompleta de algunos anuncios de radio. ¿Qué crees que anuncia cada uno? Coméntalo con tu compañero. Luego, en parejas, pensad y escribid un final para cada anuncio.

1 *"Lo primero que notas es que los ojos se abren, la boca se abre y no puedes moverte. Intentas pensar en otra cosa, mirar hacia otro lado, pero no puedes. Quieres decir algo, pero no puedes."*

Compre el mejor juego de ordenador en el mundo

Watch

2 *"¿Cansado de los ruidos, del tráfico y de la contaminación? ¿Harto de la multitud y de las aglomeraciones? ¿Odia la falta de espacio? ¿Busca tranquilidad?"*

Desarollo nuevo - edificio Afuera de la ciudad

Por eso necisite unas villas en el campo de Andalucía

3 *"¿Vas a clase para principiantes porque allí eres el mejor? ¿Usas zapatos sin cordones para no tener que atártelos? ¿Prefieres tomar dos autobuses que andar 10 minutos?"*

Automovil coche automabics (Black)

y compre complete su vida (con) un 'Lazy Boy' (reclinable silla)

4 *"En Suiza a todo el mundo le gusta el chocolate y esquiar. ¿A qué esperas para descubrirlo?"*

una anuncio promotar - promotar Suiza - aumento turisimo en Suiza

Flights - venga Suiza para sus cheap vacaciones este año

B. Ahora, vais a escuchar la versión completa de estos anuncios. ¿Coinciden con los vuestros? CD 53-56

9. UNA CAMPAÑA

A. ¿Recuerdas alguna campaña publicitaria impactante o divertida? Coméntalo con tus compañeros.

• Yo recuerdo una campaña para evitar enfermedades de transmisión sexual que causó mucho impacto en España. En el anuncio de televisión se veía a un grupo de chicos y chicas en clase. El profesor entraba muy serio con un preservativo en la mano y preguntaba: "¿De quién es esto?". Al principio, nadie se levantaba, pero luego todos se iban levantando uno a uno. Al final, aparecía el eslogan: "póntelo, pónselo".

B. ¿Cómo es para ti la campaña publicitaria ideal? Piensa las características que ha de tener.

☐ Un buen eslogan ☑ Una música pegadiza
☐ Un texto impactante
☐ Una buena foto ☐ Una buena historia
☐ Un famoso asociado al producto
☑ Una buena descripción del producto
☐ Otros: ....

C. Vamos a ser publicistas. En parejas, decidid cuál de estos productos vais a anunciar. Pensad primero qué palabras o valores asociáis al producto y a qué público os queréis dirigir.

⇨ Un coche para jóvenes. Pequeño y barato.
⇨ Un perfume de mujer. Muy exclusivo.
⇨ Un perfume de hombres. Muy varonil.
⇨ Una línea de maquillaje masculino.
⇨ Unas pastillas para los gases intestinales.
⇨ Una revista del corazón. — eg Hello
⇨ Unas vitaminas.
⇨ Una escuela de español.
⇨ Una compañía aérea de vuelos económicos.
⇨ Un producto típico de algún país del mundo latino.
⇨ ...

• Para anunciar un coche para jóvenes, tenemos que usar palabras como "libertad", "económico"...

D. Ahora, vais a preparar la campaña (para prensa, radio y/o televisión). Tenéis que decidir los siguientes puntos y, finalmente, grabarlo, escenificarlo o diseñarlo.

★ Nombre del producto ★ Eslogan ★ Actores o actrices ★ Escenario ★ Personajes ★ Texto ★ Música

• Yo creo que podemos poner una foto de...

10. 100 AÑOS DE PUBLICIDAD

A. Aquí tienes una selección de anuncios españoles del siglo XX. Obsérvalos y relaciónalos con las siguientes categorías.

- **MENSAJES INSTITUCIONALES**
- **ALIMENTACIÓN**
- **LIMPIEZA**
- **BELLEZA**
- **ROPA DEPORTIVA**

1 · 1966

Rojo EMBRUJO
MYRURGIA
Los Matices que crean la Moda

Belleza

2 · 1980

¡Márcate un tango por la mañana

frega suelo
Spontex
...y no te canses más

Limpieza

3 · 200

CAMPEONATO DEL MUNDO DE ATLETISMO DE SEVILLA
CÓMO ENTRAR SIN PAGAR: SALTA 2 METROS DE ALTURA. O MÁS.

adidas

Ropa Deportiva

4 · 1960

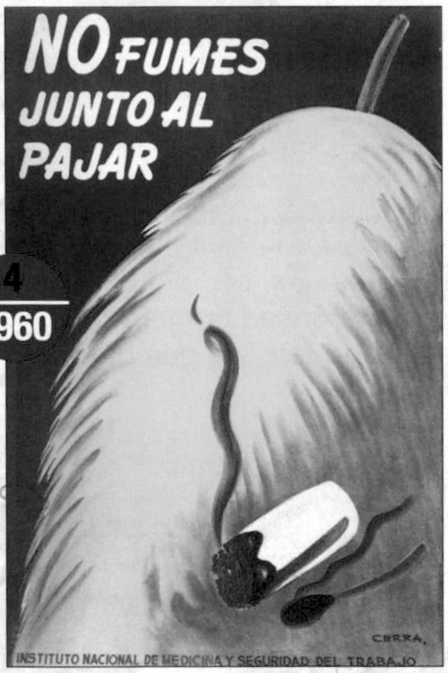

NO FUMES JUNTO AL PAJAR

INSTITUTO NACIONAL DE MEDICINA Y SEGURIDAD DEL TRABAJO

Mensaje Insti

5 · 1964

-todos a chocolatear la leche con Nesquik!

NESQUIK
el único que se disuelve al instante–incluso en leche fría!

Alimentación

6 · 1979

¡¡SUBETE POR LAS PAREDES!!

PAREDES

Ropa Deportiva

7 · 19

JUGO MAGGI
para mejorar sopas, caldos salsas, etc.

Marca de Fábrica
Cruz-Estrella

Alimentación

10 · 1953

¡Tome sin miedo, el sol!

ACEITE BRUNISO MILADY
ANTONIO PUIG Y Cía

Belleza

8 · 1970

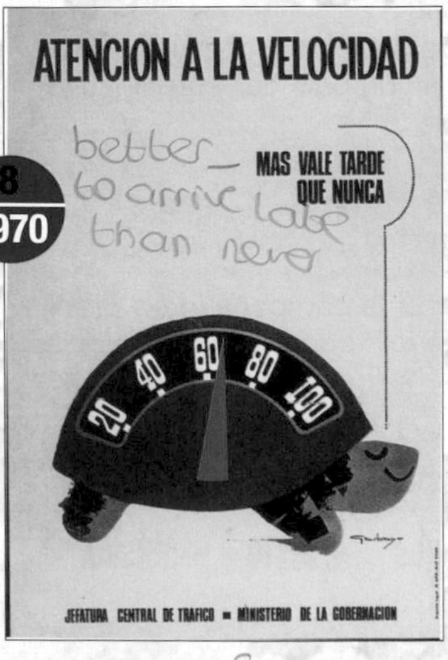

ATENCION A LA VELOCIDAD

better
arrive late
than never

MAS VALE TARDE QUE NUNCA

JEFATURA CENTRAL DE TRAFICO · MINISTERIO DE LA GOBERNACION

Mensajes institucionales

9 · 1920

¡Mamá! AQUÍ TIENES LEGIA CONEJO
LA MEJOR PARA LAVAR LA ROPA

Limpieza

B. ¿Cuál de los anuncios te gusta más? ¿Por qué? Coméntalo con tus compañeros.

- A mí me gusta el de Nesquik, sobre todo por el diseño, es muy típico de los años 60.

12 MAÑANA

En esta unidad vamos a
**imaginar cómo seremos
dentro de unos años**

Para ello vamos a aprender:

> a hablar de acciones y situaciones futuras
> a expresar condiciones: **si** + Presente, Futuro / **depende (de)** + sustantivo /
si + Presente de Indicativo > marcadores temporales de futuro
> recursos para formular hipótesis: **seguramente/probablemente/
posiblemente/seguro que/supongo que** + Futuro
> las formas y algunos usos del Futuro Imperfecto

1. UN FUTURO DIFÍCIL

A. ¿Cuáles crees que son los problemas más graves que tiene el mundo actualmente? Coméntalo con tus compañeros.

• Yo creo que uno de los problemas más graves es…

B. Ahora, lee el siguiente texto sobre uno de los principales problemas que amenazan a la humanidad e intenta resumirlo en un párrafo.

LA TIERRA EN PELIGRO

El peligro más grave que amenaza al mundo en el siglo XXI es la llamada "explosión demográfica". El constante aumento de la población mundial está poniendo en peligro la supervivencia de los que habitamos el planeta Tierra: hay demasiada gente para el espacio y los recursos disponibles.

Unos años atrás, la Tierra estaba poblada por 2500 millones de personas. Hoy somos más de 5500 millones. Irán, por ejemplo, tenía en 1950 casi 16 millones de habitantes; ahora los iranís son más de 80 millones y dentro de 50 años serán casi 300 millones. En la India viven actualmente unos 1000 millones de personas, pero en 2033 serán 1900 millones. En Latinoamérica viven 450 millones de personas; en 2020, si se cumplen las previsiones, serán aproximadamente 760 millones. ¿Y el resto del mundo? Un informe

reciente asegura que en 2050 la población mundial superará los 10 000 millones de habitantes.

Las preguntas son obvias: ¿resistirá la Tierra este ritmo de crecimiento? ¿Hasta cuándo durarán los recursos no renovables como el agua, el petróleo o el gas, que justamente están en las zonas de mayor explosión demográfica? ¿Podrán los gobiernos neutralizar los grandes desequilibrios que provoca este crecimiento? Lo que es seguro es que la explosión demográfica es en parte responsable de los mayores problemas del planeta: la miseria, el hambre, la contaminación, la deforestación, el recalentamiento de la atmósfera… Los gobernantes tienen la última palabra, pero tenemos que hacer algo, y pronto.

C. Vais a trabajar en grupos. ¿Cuál de estas soluciones os parece mejor? ¿Tenéis otras propuestas?

- Premiar a las familias con pocos hijos
- Dar más información sobre métodos anticonceptivos y distribuirlos gratuitamente
- No limitar la inmigración
- Prohibir tener más de un hijo
- Ayudar a los países pobres a desarrollarse económicamente

- OTRAS: ....

• Para nosotros, la mejor solución es…

12

2. EL AÑO PERSONAL

A. ¿Sabes qué es la Numerología? ¿Sabes en qué año personal estás viviendo? Lee el siguiente texto y descúbrelo.

LA NUMEROLOGÍA Y LOS AÑOS PERSONALES

La Numerología fue creada en la antigua Grecia por Pitágoras, filósofo y matemático que vivió aproximadamente entre 580 y 500 a. C. Pitágoras integró esta disciplina al conocimiento humano a través de tablas explicativas que pasaron de generación en generación hasta nuestros días.

Según la Numerología, toda persona vive ciclos distintos cada nueve años. Cada uno de esos años puede ser muy diferente en cuanto a riqueza interior, sentimientos, necesidades, objetivos...

Para determinar el número del año personal, se debe realizar una suma muy sencilla partiendo de la fecha de nacimiento y del año en que vivimos. Por ejemplo, si usted nació un 3 de diciembre, los números correspondientes son 3 y 12 (diciembre), que suman 15. A este número (15) le sumamos el año en el que estamos, pero reducido a una cifra. Por ejemplo: $2005 = 2 + 0 + 0 + 5 = 7$. Finalmente, del número resultante ($15 + 7 = 22$) sumamos las cifras que lo componen ($2 + 2 = 4$).

B. Ahora que ya sabes en qué año personal estás, lee las predicciones correspondientes. ¿Cómo va a ser? ¿Qué cosas harás? ¿Crees que es verdad? Coméntalo con tus compañeros.

AÑO PERSONAL UNO Generalmente, cuando estamos en un año personal uno, empezamos una etapa totalmente nueva en la vida. Cambiará su vida desde el punto de vista sentimental o comenzará un ciclo nuevo de libertad después de una separación. Probablemente cambiará de empleo, de residencia o de país.

AÑO PERSONAL DOS En este año las palabras clave son paciencia y cooperación. Tiene que ser tolerante y procurar entender más a los demás. Seguramente pasarán cosas importantes en el terreno del amor y de la amistad: nuevos amigos, nueva pareja. Asimismo, durante este año podrán romperse relaciones que hasta ahora eran estables.

AÑO PERSONAL TRES Durante este año tendrá que demostrar su capacidad creativa. Posiblemente pasará el año viajando, estudiando algo nuevo, creando... Tendrá muchas ganas de conocer cosas nuevas y de pasarlo bien. Además, tendrá éxito en el trabajo o en los estudios, pero para ello tendrá que arriesgar y ser innovador. Seguramente durante este año disfrutará de momentos muy felices.

AÑO PERSONAL CUATRO Este es un año de trabajo duro. Probablemente trabajará más de lo necesario y no logrará los resultados esperados, pero no se desespere. Tendrá poco tiempo para descansar, por lo que tendrá que cuidar su salud. Eso sí, es un buen año para hacer negocios: vender la casa, por ejemplo. Posiblemente sus parientes le pedirán ayuda y sus amigos, dinero. No confíe en la suerte sino en el trabajo y en la organización.

AÑO PERSONAL CINCO Este es un año básicamente de cambios. Seguramente cambiará de residencia, de pareja, de trabajo... Intente estar tranquilo y no tome decisiones precipitadas. No haga muchas cosas al mismo tiempo, porque durante este año habrá muchas oportunidades, pero tendrá que ir paso a paso.

AÑO PERSONAL SEIS Es el año de la responsabilidad. Tendrá obligaciones respecto a su familia, a su trabajo y a sus amistades. Este es un año altruista, de servicio a los demás. Muchas personas, en un año personal seis, comprarán una casa o la reformarán, tendrán una mascota nueva o plantarán árboles.

AÑO PERSONAL SIETE El año personal siete es el año del conocimiento y de la sabiduría. Muchas personas se encontrarán más solas que en otros años, con más tiempo para estudiar, reflexionar, tomar decisiones importantes en su vida. Si tiene hijos, probablemente este año se irán de su casa. Quizá cambiará de religión o comenzará cursos de yoga, de meditación o se interesará por la astrología o el tarot. También es un año para viajar. Si viaja, probablemente irá a lugares históricos y de interés cultural.

AÑO PERSONAL OCHO Seguramente tendrá dificultades económicas durante este año. Intente, por tanto, hacer planes muy concretos al comenzarlo. Posiblemente también tendrá algún problema de salud. Cuídese. Las preocupaciones por el dinero podrán afectar a las relaciones personales. Eso sí, si hace algo para ayudar a los demás y no solo pensando en su propio beneficio, se verá recompensado.

AÑO PERSONAL NUEVE Este año terminará todo lo que quería hacer y probablemente no empezará nada nuevo. Es un año para tomar conciencia de los propios aciertos y errores, para recuperar la salud y para prepararse para el próximo ciclo. Es, en definitiva, un año de puntos finales.

• Según el texto, este año cambiaré de casa y es verdad, voy a cambiar de casa dentro de un mes. También dice que no tengo que tomar decisiones precipitadas...

3. EL FUTURO

A. Completa el cuadro. Ten en cuenta que, en Futuro, todas las conjugaciones tienen las mismas terminaciones.

	llegar	aprender	pedir
(yo)	llegar**é**	....	....
(tú)	....	aprender**ás**	....
(él/ella/usted)	llegar**á**	....	....
(nosotros/as)	....	aprender**emos**	....
(vosotros/as)	llegar**éis**	....	....
(ellos/ellas/ustedes)	....	aprender**án**	....

B. Relaciona cada frase con su réplica.

1. Si me voy a vivir a París, ¿**vendrás** a verme?
2. El lunes es la mudanza, ¿**podréis** ayudarnos?
3. Supongo que mañana me **dirán** la nota del último examen de la carrera.
4. ¿Dónde **pondrán** la nueva guardería del barrio?
5. ¿Quién mató a Laura Palmer?

a. Creo que **habrá** una reunión de vecinos para decidirlo.
b. Eso nunca lo **sabremos**.
c. Vale, pero **tendremos** que pedirle la furgoneta a Blas...
d. Y si apruebas, ¿que **harás**?
e. Si me prometes que **querrás** acompañarme a todos los museos...

1. e... ✓   2. c ✓   3. d ✓   4. a ✓   5. b ✓

C. En parejas, intentad conjugar los verbos anteriores.

- Decir: diré, dirás, dirá...
- Diremos, diréis, dirán.

4. ANA Y LUPE

A. Ana es una persona muy optimista, en cambio Lupe es muy pesimista. ¿Quién crees que ha dicho estas frases?

	Ana	Lupe
Si compro lotería, seguro que no me tocará.		
Si me toca la lotería, dejaré de trabajar.		
Si voy a la fiesta, me aburriré.		
Si voy a la fiesta, me lo pasaré muy bien.		
Si vamos en coche, podremos ver el paisaje.		
Si vamos en coche, llegaremos muy cansados.		
Si vamos a Rusia, podremos visitar Moscú.		
Si vamos a Rusia, pasaremos mucho frío.		

B. Ahora, continúa estas frases.

1. Si ...., habrá paz en el mundo.
2. Si en el futuro la gente tiene menos hijos, ...
3. Si ...., habrá menos paro.
4. Si todos empezamos a gastar menos energía, ...

C. Para expresar una condición sobre el futuro, podemos usar esta estructura. Completa los espacios con los nombres de los tiempos verbales.

Si + ..., ...

D. Fíjate ahora en esta otra forma de expresar condición y completa los espacios con otros finales posibles.

- ¿Iréis de vacaciones a Japón?
- No sé. **Depende del** dinero / **de**

- ¿Iréis a la playa el domingo?
- **Depende de si** hace sol / **de si**

5. SEGURAMENTE

A. ¿Qué tienen en común todas estas frases? Coméntalo con tu compañero.

1. **Seguramente** iremos a Ibiza de vacaciones.
2. Este fin de semana **creo que** nos quedaremos en casa.
3. **Probablemente** hoy terminaré a las ocho.
4. **Estoy seguro de que** al final nos casaremos.
5. Este año **posiblemente** iré a Italia.
6. **Seguro que** algún día terminaré la carrera.
7. **Supongo que** mañana iremos al Museo del Prado.

🔊 CD 57 **B.** Ahora, vas a escuchar una serie de preguntas. Intenta responderlas. Puedes utilizar estas estructuras.

(Sí,) seguro.
(Sí,) seguramente (sí).
(Sí,) supongo que sí.
(Sí,) creo que sí.

No lo sé, depende de + sustantivo
depende de si + Presente de Indicativo

(No,) seguro que no.
(No,) seguramente (no).
(No,) supongo que no.
(No,) creo que no.

FUTURO IMPERFECTO

El Futuro Imperfecto se forma añadiendo las siguientes terminaciones al Infinitivo.

VERBOS REGULARES

	hablar
(yo)	hablar**é**
(tú)	hablar**ás**
(él/ella/usted)	hablar**á**
(nosotros/as)	hablar**emos**
(vosotros/as)	hablar**éis**
(ellos/ellas/ustedes)	hablar**án**

VERBOS IRREGULARES

tener	→ **tendr-**	venir	→ **vendr-**	-é
salir	→ **saldr-**	hacer	→ **har-**	-ás
haber	→ **habr-**	decir	→ **dir-**	-á
poner	→ **pondr-**	querer	→ **querr-**	+ -emos
poder	→ **podr-**	saber	→ **sabr-**	-éis
				-án

Usamos el Futuro Imperfecto cuando queremos hacer predicciones sobre el futuro.

- *Mañana **subirán** las temperaturas.*

También podemos referirnos al futuro usando el Presente de Indicativo. Esto lo hacemos cuando presentamos el resultado de una decisión firme.

- *No te preocupes. Mañana se lo **digo**.*

También podemos referirnos al futuro mediante la construcción **ir a** + Infinitivo, normalmente para hablar de decisiones, de planes o de acciones futuras muy vinculadas con el momento en el que hablamos.

- *¿Qué **vais a hacer** este fin de semana?*
- *Seguramente **vamos a ir** a la playa.*

MARCADORES TEMPORALES PARA HABLAR DEL FUTURO

mañana
pasado mañana
el sábado
este jueves/año/mes/siglo/...
esta mañana/tarde/noche/semana/...
dentro de dos años/unos años/...
el lunes/mes/año/... **que viene**
el lunes/mes/año/... **próximo**

- *He tenido mucho trabajo esta semana y estoy cansadísima. Creo que **el sábado** no saldré.*

RECURSOS PARA FORMULAR HIPÓTESIS SOBRE EL FUTURO

Seguramente	
Probablemente	
Posiblemente	+ Futuro Imperfecto
Seguro que	
Supongo que	

- ***Seguramente** llegarán sobre las diez de la noche.*
- ***Probablemente** volverán muy cansados después de la excursión.*
- *Nuestro partido **posiblemente** ganará las elecciones.*
- ***Seguro que** nos veremos pronto.*
- ***Supongo que** iremos de vacaciones a Egipto.*

EXPRESAR UNA CONDICIÓN

SI + PRESENTE, FUTURO

- **Si estudias** todos los días, **aprobarás** el examen.

DEPENDE DE + SUSTANTIVO

- ¿Vendrás a Ibiza?
- No sé... **Depende de** mi trabajo.

DEPENDE DE SI + PRESENTE DE INDICATIVO

- ¿Saldrás del trabajo a las seis?
- **Depende de si** termino el informe.

¿Qué harás este fin de semana, Patricia?

Depende. Si hay nieve, iremos a esquiar, pero si no, nos quedaremos en casa.

6. LA GALLETA DE LA SUERTE

A. Según la tradición china, las galletas de la suerte esconden en su interior predicciones sobre el futuro. Vamos a escribir ahora predicciones para nuestros compañeros. Escribe en un trozo de papel un mensaje para un compañero y dáselo a tu profesor.

B. Ahora, tu profesor va a repartir los papeles. Abre tu papel y lee el mensaje. ¿Qué te depara el destino? ¿Crees que te pasará?

● Mi mensaje dice : "Esta semana conocerás a la persona de tu vida". Sinceramente, creo que no es verdad.

7. ¿QUÉ CREES QUE HARÁ?

Francisco está de vacaciones en su casa de Mallorca. ¿Qué crees que hará en cada una de estas situaciones? Coméntalo con tu compañero.

1. Si mañana hace mal tiempo...
2. Si llegan sus padres por sorpresa a pasar un par de días...
3. Si conoce a una chica interesante...
4. Si toma demasiado el sol y se quema...
5. Si esta noche va al casino y gana 100 000 euros...
6. Si le llama su jefe y le dice que tiene que volver a trabajar...

● Si mañana hace mal tiempo, supongo que se quedará en casa leyendo o viendo la tele.

8. LOS EXPERTOS OPINAN

A. Varios expertos se han reunido para hablar sobre el futuro del mundo (año 2050). Estas son algunas de las cosas que han dicho. ¿Con cuáles de estas afirmaciones estás más de acuerdo? Coméntalo con tu compañero.

Las lenguas minoritarias desaparecerán.
Habrá muchos más atentados terroristas.
Solo habrá libros electrónicos.
Se producirán grandes catástrofes naturales.
Habrá transporte aéreo individual.
Los niños no irán al colegio.
Será normal vivir 100 años.

EL Quijote

● Yo también pienso que las lenguas minoritarias desaparecerán porque...
○ Hombre, eso depende de los gobiernos. Si...

B. ¿Qué otras cosas crees que sucederán?

● Yo creo que el agua será tan cara como el petróleo...

9. EL FUTURO DE EVA

A. Eva ha ido a ver a una adivina para saber cómo será su futuro. Escucha la conversación. ¿Cuáles de las siguientes cosas predice la adivina? Márcalo.

CD 58

☐ Vivirá en un **país** extranjero

☐ Será muy **rica**

☐ Será **famosa**

☐ Volverá a la **universidad** dentro de unos años

☐ Tendrá dos **hijos**

☐ Será **feliz** en su vejez

☐ Conocerá a una **persona** que la querrá mucho

☐ Vivirá en el **campo**

B. Ahora, vamos a imaginar cómo seremos dentro de 25 años. En parejas, vais a escribir cómo será la vida de dos compañeros de la clase. Tened en cuenta los siguientes aspectos:

Familia
Trabajo
Aspecto físico
Situación económica
Lugar de residencia
...

C. Leed vuestras predicciones a toda la clase. ¿Están de acuerdo vuestros compañeros?

- Nosotros creemos que dentro de 25 años Roberta será muy rica porque será la directora de una empresa multinacional. Vivirá en un apartamento precioso en Manhattan con su marido y...

10. UNA CANCIÓN DE DESAMOR

A. Lee la letra de esta canción. ¿Quiénes son los protagonistas? ¿Qué les pasa? ¿Quién crees que canta: el hombre o la mujer?

A

Lo nuestro se acabó
y te arrepentirás
de haberle puesto fin
a un año de amor.
Si ahora tú te vas,
pronto descubrirás
que los días son eternos
y vacíos sin mí.

B

Y de noche, y de noche,
por no sentirte solo
recordarás nuestros días felices,
recordarás el sabor de mis besos,
y entenderás en un solo momento
qué significa un año de amor.

C

¿Te has parado a pensar
lo que sucederá,
todo lo que perdemos
y lo que sufrirás?
Si ahora tú te vas,
no recuperarás
los momentos felices
que te hice vivir.

CD 59 **B.** ¿Cuál de las tres estrofas crees que es el estribillo? Después escucha y compruébalo.

C. ¿Cuál crees que es el título de la canción?

D. ¿Cómo crees que continúa la historia?

Esta versión en español de la canción italiana "Un anno d'amore", que popularizó la cantante Mina, fue la contribución de la intérprete Luz Casal a la banda sonora de la película **Tacones lejanos**, de Pedro Almodóvar, y tuvo un enorme éxito en España durante los años noventa.

MÁS EJERCICIOS

• Este es tu "cuaderno de ejercicios". En él encontrarás actividades diseñadas para fijar y entender mejor cuestiones gramaticales y léxicas. Estos ejercicios se pueden realizar individualmente, pero también los puede usar el profesor en clase cuando considere oportuno reforzar un determinado aspecto.

• También puede resultar interesante hacer estas actividades con un compañero de clase. Piensa que no solo aprendemos cosas con el profesor; en muchas ocasiones, reflexionar con un compañero sobre cuestiones gramaticales te puede ayudar mucho.

1. EL ESPAÑOL Y TÚ

1. Completa el texto conjugando en Presente los infinitivos del recuadro.

vivir   levantarse

desayunar   tener

querer   trabajar (2)   ver

leer   hablar

estudiar

Jutta Schneider ....*tiene*.... 38 años y hace cuatro años que ....*vive*.... en Oviedo. Es profesora de alemán y ....*trabaja*.... en una escuela de idiomas. Tiene las mañanas libres y por eso ....*levanta*.... un poco tarde y ....*desayuna*.... en un bar. ....*Trabaja*.... toda la tarde hasta las ocho y por las noches ....*estudia*.... un poco de español, ...*ve*.... la tele y ....*lee*...., especialmente novelas de ciencia ficción. ....*Habla*.... muy bien español y le gusta mucho España. Todavía no ....*quiere*.... volver a Alemania.

2. ¿A qué hora haces normalmente estas cosas?

1. levantarse: Me levanto a las...

2. desayunar: ....

3. salir de casa: ....

4. llegar al trabajo / a la escuela: ....

....

5. comer: ....

6. salir del trabajo / de la escuela: ....

....

7. cenar: ....

8. acostarse: ....

3. Unos estudiantes nos han explicado los motivos por los que estudian español. Completa las frases con **porque** o **para**.

Yo estudio español...

1. .... tengo amigos en España.
2. .... conseguir un trabajo mejor en mi país.
3. .... tengo un examen en la universidad.
4. .... pienso viajar por toda América.
5. .... entender las películas de habla española.
6. .... quiero pasar un tiempo en Argentina.
7. .... quiero trabajar en una empresa española.
8. .... mi novio es venezolano.

4. ¿Qué recomiendas para solucionar estos problemas con el español?

tienes que
lo mejor es
va muy bien

1. Para aprender vocabulario
2. Para entender a la gente
3. Para hablar con fluidez
4. Para practicar los verbos
5. Para no tener problemas con el orden de las palabras
6. Para pronunciar mejor
7. Para escribir correctamente

buscar palabras en el diccionario.

traducir.

leer mucho.

repetir muchas veces la misma frase.

escuchar canciones y ver la tele.

hablar con españoles.

hacer muchos ejercicios.

perder el miedo y hablar mucho.

Para aprender vocabulario va muy bien leer mucho y buscar palabras en el diccionario.

....

....

....

....

....

....

....

5. Subraya la opción correcta en cada una de las siguientes frases.

1. Me **cuesta/cuestan** aprender los verbos en español.
2. Para aprender vocabulario **va/van** muy bien leer.
3. Me **cuesta/cuestan** algunos sonidos del español como la "jota" y la "erre".
4. A Peer y a mí nos **cuesta/cuestan** mucho entender a la gente.
5. Nosotros creemos que para recordar una palabra **va/van** bien escribirla.
6. A casi todos nos **cuesta/cuestan** hablar rápido.
7. Para estudiar **va/van** muy bien tener una gramática.
8. A Eva también le **cuesta/cuestan** las palabras muy largas.

6. Completa estas frases según tus propias experiencias.

1. Me siento ridículo/a cuando ....

....

2. Me siento muy bien cuando ....

....

3. Me siento seguro/a cuando ....

....

4. Me siento fatal cuando ....

....

5. Me siento inseguro/a cuando..

....

7. Conjuga los verbos de este texto en primera persona del Presente de Indicativo y escribe debajo cuál es la profesión de María.

 (levantarse) .... a las 8.30h, (ducharse) ...., (vestirse) .... y sobre las 9h (salir) .... de casa. (tener) .... la clínica muy cerca de mi casa, así que (poder) .... desayunar tranquilamente en un bar antes de abrir. (empezar) .... a trabajar a las 9.30h y a mediodía (cerrar) .... de 14 a 16.30h. Por la tarde (trabajar) .... hasta las 20h. La verdad es que el día pasa bastante rápido porque me encanta mi trabajo. Desde pequeña (sentir) .... un cariño especial por los animales y poder ayudarlos es muy gratificante.

María es ....

8. Escribe cada uno de los siguientes problemas en la conversación correspondiente.

> ayer fue el cumpleaños de mi novio y no me acordé
>
> me cuesta mucho concentrarme en clase
>
> tengo un dolor de espalda horrible
>
> me han cobrado 50 euros de más en la factura de teléfono
>
> mis alumnos siempre llegan tarde a clase
>
> tengo problemas de insomnio
>
> tengo que encontrar un trabajo urgentemente

1.
- Últimamente ....
○ Para eso va muy bien tomarse una tila antes de acostarse.

2.
- ¡Ya estoy harto! ....
  No sé que hacer.
○ Hombre, yo creo que tienes que hablar con los de la compañía seriamente.

3.
- Desde hace unos días ....
  No sé, duermo igual que siempre, pero me encuentro muy cansado.
○ ¿Ah, sí? Un amigo mío toma unas pastillas que le recetó el médico para eso y le van muy bien.

4.
- Soy un desastre. ....
○ ¿En serio? ¿Y por qué no te compras una agenda?

5.
- ....
  o no sé cómo voy a pagar el alquiler.
○ Pues tienes que empezar a buscar, ¿no?

6.
- ¡Es increíble! ....
  ¡Y esta es la tercera vez!
○ Hombre, pues tienes que cambiarte de compañía.

7.
- Hace unos días que ....
○ Para eso lo mejor es nadar un poco todos los días.

2. HOGAR, DULCE HOGAR

1. a. En español hay muchos verbos irregulares con cambio de vocales e-ie. ¿Sabes a qué Infinitivo corresponde cada una de las siguientes formas del Presente?

prefieres ……………..   cierran ……………......

perdemos ……………   entiendo ……………....

sientes ……....………   pensáis ……………...

quieren …....…………   riego ………….......……..

niegan ……....………

b. Ahora, escribe todas las formas del Presente de un verbo de cada conjugación.

	-ar	-er	-ir
(yo)	…………….	…………….	…………….
(tú)	…………….	…………….	…………….
(él/ella/usted)	…………….	…………….	…………….
(nosotros/nosotras)	…………….	…………….	…………….
(vosotros/vosotras)	…………….	…………….	…………….
(ellos/ellas/ustedes)	…………….	…………….	…………….

2. Piensa en una persona que conoces bien: alguien de tu familia, un amigo o un compañero. Escribe su nombre en los cuadros grises y completa las frases comparándote con esa persona.

1. [   ] es ……………. alto/a ……………. yo.

2. [   ] estudia/trabaja ……………. horas al día ……………. yo.

3. Yo salgo de noche ……………. ……………. [   ].

4. Yo tengo ……………. hermanos ……………. [   ].

5. Mi ropa es ……………. moderna ……………. la de [   ].

6. Yo viajo ……………. ……………. [   ].

7. Yo tengo ……………. amigos ……………. [   ].

8. Yo soy más ……………. que [   ].

9. Yo soy menos ……………. que [   ].

10. Yo no tengo tantos ……………. como [   ].

11. Yo tengo más ……………. que [   ].

3. ¿En qué parte de la casa están normalmente estas cosas? Escríbelo. ¿Puedes añadir más cosas?

plantas

mesillas de noche

cafetera

cortinas

sillón

lavadora

lámpara

armario

mesa

cuadros

frigorífico

espejo

estantería

horno

bañera

televisión

equipo de música

recibidor   **baño**   **dormitorio**   **terraza**

frigorífico

cocina   **salón**

4. Clasifica las palabras anteriores en femeninas o masculinas. Añade el artículo indeterminado.

masculino	femenino
un sofá	una lámpara

5. Estas son las casas de Pepe y Julio. Escribe al menos cinco frases comparándolas.

PEPE
piso de 90 m²
300 euros al mes
3 habitaciones
terraza de 25 m²
2 balcones
1 baño
a 10 minutos del centro

JULIO
ático de 100 m²
500 euros al mes
4 habitaciones
terraza de 20 m²
2 balcones
2 baños
a 30 minutos del centro

La casa de Pepe tiene menos habitaciones que la de Julio.

....

....

....

....

....

....

....

6. a. Completa las dos columnas. Puede haber más de una opción en algunos casos.

sustantivos	adjetivos
a) ruido	a) ruidoso/a
b)	b) tranquilo/a
c) salud	c) ....
d)	d) divertido/a
e) cultura	e) ....
f)	f) natural
g) estrés	g) ....

b. ¿Dónde prefieres vivir? ¿En un piso en el centro de la ciudad o en una casa en las afueras? Escribe al menos cinco razones. Las palabras del apartado **a** pueden serte útiles.

Prefiero vivir en .... porque ....

....

....

....

....

....

....

....

7. Imagina que quieres compartir tu piso. Tienes que describirlo para colgar un anuncio en el tablón de la escuela.

¡Comparto piso!

8. Lee las siguientes frases y reacciona de acuerdo con tu realidad.

1. En mi barrio hay pocos parques.

   (Pues) en el mío no hay ninguno…

2. Mi casa tiene 8 habitaciones.

   ....

3. En mi ciudad hay muchos cines y teatros.

   ....

4. En mi ciudad hay mucha contaminación.

   ....

5. En mi clase de español hay mucha gente guapa.

   ....

6. Mi profesor de español es muy bueno.

   ....

7. En mi país hay varias ciudades de más de un millón de habitantes.

   ....

8. Mi libro de español es muy divertido.

   ....

9. a. Lee la siguiente lista: son aspectos que se suelen considerar a la hora de elegir una vivienda. ¿Puedes añadir tres cosas más a la lista?

Factores para elegir una vivienda
Tipo de edificio
Decoración
Número de habitaciones
Tamaño del salón
Tamaño del baño
Tamaño de la cocina
Luz
Localización
....
....
....

b. ¿Qué factores son más importantes para ti? Compara la importancia de los aspectos anteriores y escríbelo.

Para mí, el tamaño del baño es más importante que el tamaño de la cocina porque vivo solo y no cocino mucho…

10. Observa estas dos fotografías y describe los muebles y los objetos que aparecen numerados.

11. a. Lee el siguiente texto sobre el Feng Shui y fíjate en las palabras subrayadas. ¿Las conoces todas? Seguro que, si no las conoces, el contexto puede ayudarte a entenderlas. ¿Se te ocurre algún sinónimo para cada una de ellas?

FENG SHUI

Es esencial estar en <u>armonía</u> con nuestro espacio para alcanzar el <u>bienestar</u> dentro de nuestros <u>hogares</u> y lugares de trabajo. Con las teorías y técnicas del Feng Shui, podemos organizar nuestro <u>entorno</u>, crear un <u>ambiente</u> equilibrado e influir positivamente en todos los aspectos de nuestra vida. Por ello, a la hora de decorar las habitaciones, es importante tener en cuenta la orientación, las fuentes de energía y la <u>ubicación</u> de los muebles.

b. Te proponemos estos sinónimos. ¿A cuál de las palabras anteriores corresponde cada uno? ¿Has pensado los mismos?

casa	espacio	comodidad	atmósfera	equilibrio	localización

c. Antes de leer el siguiente texto con más información sobre el Feng Shui, marca si crees que estas cuatro afirmaciones son verdaderas o falsas según las teorías del Feng Shui.

	V	F
- Es bueno tener muchas plantas en el dormitorio.		
- Es aconsejable poner velas encima de la mesa del comedor.		
- Los espejos en las paredes son fuentes de energía negativa		
- Es bueno poner la cama debajo de una ventana.		

CONSEJOS PRÁCTICOS DE FENG SHUI

1 En el salón, la puerta y la ventana deben estar en paredes perpendiculares. Así, la energía que entra por la puerta puede circular por toda la habitación y salir por la ventana. Los sillones y los sofás deben estar al lado de una pared y lejos de las puertas y ventanas.

2 El comedor no debe estar cerca de una corriente de energía; esto es malo para la digestión. Es bueno poner sobre la mesa flores y velas porque atraen energía positiva.

3 La cocina no debe estar cerca de un baño. No es conveniente guardar los artículos de limpieza en la cocina ya que pueden afectar la energía de los alimentos. Los tonos amarillos pálidos van muy bien en la cocina porque dan una sensación de limpieza.

4 El baño no debe estar enfrente de la puerta principal para evitar el choque de energía. Si el baño tiene ventana, esta no debe estar sobre el lavabo.

5 En los dormitorios siempre debe reinar la tranquilidad. La cama debe estar orientada hacia el norte y no debe estar debajo de una ventana porque la corriente puede afectar al cuerpo. No es bueno tener plantas ni flores en la habitación. Tampoco aparatos eléctricos que pueden afectar el sueño. Los espejos deben estar dentro de los armarios porque el reflejo que proyectan puede crear energía negativa.

6 Los pasillos deben estar despejados, sin muebles, ya que estos bloquean el paso de la energía.

d. ¿Crees que tu casa cumple las indicaciones del Feng Shui? Escribe los aspectos en los que sigue la teoría y aquellos en los que no.

Sigue algunas/casi todas las normas del Feng Shui porque...   No sigue ninguna norma/algunas normas del Feng Shui porque...

3. ESTA SOY YO

1. Subraya las irregularidades de estos verbos. Luego, conjuga los verbos **conocer** y **vestirse**.

	parecerse	medir – to measure (height)
(yo)	me parezco	mido
(tú)	te pareces	mides
(él/ella/usted)	se parece	mide
(nosotros/nosotras)	nos parecemos	medimos
(vosotros/vosotras)	os parecéis	medís
(ellos/ellas/ustedes)	se parecen	miden

	conocer	vestirse
(yo)	....	....
(tú)	....	....
(él/ella/usted)	....	....
(nosotros/nosotras)	....	....
(vosotros/vosotras)	....	....
(ellos/ellas/ustedes)	....	....

2. Completa las frases con estas palabras.

abuelos ✓   tío ✓

nieces → sobrinas   cuñada – sister-in-law ✓

primo ✓   hermano ✓

in-laws suegros   tía ✓

1. El hijo de mi tío es mi ...primo...

2. La hermana de mi mujer es mi ...cuñada...

3. El hijo de tus padres es tu ...hermano...

4. Los padres de nuestra madre son nuestros ...abuelos...

5. El marido de su tía es su ...tío...

6. Las hijas de mi hermano son mis ...sobrinas... ✓

7. Los padres de tu marido son tus ...suegros... ✓

8. La hermana de mi madre es mi ...tía...

3. Relaciona cada pregunta con su respuesta.

1. ¿Quién es Juan?   D
2. ¿Cómo es tu prima?   G
3. ¿Quiénes son aquellos de azul?   A
4. ¿Qué lleva Penelope?   E
5. Aquella de negro, ¿quién es?   F J
6. ¿Son los que están en la puerta?   C
7. ¿Quiénes son esas?   H
8. ¿Cómo es tu novio?   B
9. ¿Quién es tu madre?   J F
10. ¿Y tú? ¿A quién te pareces?   I

a. Mis hermanos.
b. Alto, delgado, tiene los ojos verdes...
c. Sí, son ellos.
d. El de la chaqueta marrón.
e. Un vestido de piel marrón y unos zapatos de tacón.   heels
f. Una compañera de la facultad.
g. Muy simpática.
h. ¿Las morenas? Mis hermanas.
i. A mi padre. Tenemos los mismos ojos.
j. Esa que está en la puerta.

4. Describe físicamente a estas personas. Escribe una frase para cada una.

Federica   Lola   Diego   Regina

Sara   Pol   Roberto   Alicia

1. Federica *tiene el pelo castaño...*

2. Lola tiene los ojos marrones

3. Diego lleva gafas

4. Regina tiene el pelo moreno y liso

5. Sara tiene el pelo pelirrojo y rizado

6. Pol es joven y lleva gafas

7. Roberto tiene los ojos marrones

8. Alicia tiene pelo corto y rizado

5. Fíjate en Manuel, Toni, Alicia y Reme. ¿Qué ropa lleva cada uno? Márcalo en el cuadro.

	Manuel	Toni	Alicia	Reme
una gorra (cap)		✓		
una chaqueta	✓			✓
unos pantalones	✓	✓		
una camiseta		✓		
una blusa				✓
unos zapatos	✓	✓		
unas sandalias			✓	
unas botas				✓
unas zapatillas de deporte		✓		
un sombrero	✓			✓
un reloj		✓	✓	
un jersey	✓			
unas gafas de sol		✓		
un vestido			✓	
una falda				✓
unos pendientes			✓	
un bolso (bag)			✓	
unas medias (tights)				✓

6. Nuria, una chica de Barcelona, se ha ido a estudiar a Madrid. Lee el e-mail que le escribe a un amigo y escribe el nombre de cada uno de los personajes en su lugar correspondiente.

Hola Carlos:

¿Qué tal todo por ahí? Espero que bien. Yo estoy genial. Hace solo dos semanas que llegué y ya conozco a mucha gente, la mayoría compañeros de la facultad. Hace unos días hicimos una fiesta en la casa de Rosa, una compañera de clase, y la verdad es que me lo pasé genial. En la foto que te envío puedes ver a mis mejores amigos de aquí. Rosa es la de las gafas, la morena de camisa blanca. Es muy simpática. La que está a su lado es Ana, es la primera persona a la que conocí en la facultad. El del jersey rojo se llama Mario y es de Granada. El otro chico, el de la guitarra, es Alberto y la rubia que está a su lado es su novia, Carla. La verdad es que son todos estupendos. A ver si un día vienes de visita y los conoces en persona, ¿vale?

Bueno, me voy a estudiar un rato.

Besos,

Nuria

7. Escribe dos textos breves, como los de la página 32, describiendo el modelo de familia que imaginas que pueden tener las personas de estas fotografías.

4. ¿CÓMO VA TODO?

1. ¿A qué infinitivos corresponden estos gerundios irregulares?

GERUNDIO		INFINITIVO
oyendo	→	oir
cayendo	→	caer
leyendo	→	leer
construyendo	→	construir
durmiendo	→	dormir
diciendo	→	decir
✳ vistiéndose	→	v
sintiendo	→	sentir
yendo	→	ir
viniendo	→	venir

2. Escribe las formas de los verbos que faltan.

	(tú)	(vosotros)	(usted)	(ustedes)
saber	sabes	....	....	....
tener	....	tenéis	....	....
comprar	....	....	compra	....
vivir	vives	....	....	....
estar	....	....	....	están
ir	....	vais	....	....
ser	....	....	es	....
hacer	haces	....	....	....
querer	....	....	....	quieren
comprender	....	comprendéis	....	....

3. ¿Tú o usted?

	tú	usted
1. Deja, deja, ya pago yo.	☐	☑
2. ¿Me pones un café con leche, por favor?	☑	☐
3. Recuerdos a su familia.	☐	☑
4. Mira, te presento a Ana.	☑	☐
5. ¿Ocho euros? Tenga.	☐	☑
6. Buenos días. ¿Qué desea?	☐	☑

4. Lee este texto sobre las diferencias culturales relacionadas con la cortesía. Luego, marca si en tu cultura se hacen normalmente las cosas que aparecen en la lista de abajo. Puedes comentar cada uno de los puntos en tu cuaderno.

La cortesía

Aunque la cortesía es un elemento presente en todas las culturas del mundo, cuando salimos de nuestro país nos damos cuenta de las diferencias que existen en este aspecto. Vamos a ver algunos ejemplos.

En España se da menos las gracias que en Estados Unidos. En un bar, por ejemplo, un español no suele dar las gracias al camarero cuando este le sirve una consumición. En Estados Unidos, en cambio, es normal acabar una conversación telefónica diciendo "Gracias por llamar".

Otro ejemplo: el revisor de los ferrocarriles en Holanda intercambia cada día miles de "gracias" con los viajeros al recibir y entregar los billetes. En España, en cambio, los revisores suelen ahorrárselo por completo.

Y algo muy curioso: algunas lenguas, como el botswana (lengua indígena del Sur de África), no tienen fórmulas lingüísticas para agradecer. Lo hacen mediante gestos.

Este tipo de diferencias puede dar lugar a malentendidos de tipo cultural. El comportamiento de los españoles, por ejemplo, puede parecer descortés a holandeses o a americanos, mientras que los españoles pueden pensar que los holandeses y los americanos son, en algunos casos, exageradamente corteses.

	Sí	No
1. Cuando un camarero nos sirve una bebida, damos las gracias.	☑	☐
2. Cuando alguien nos llama por teléfono, le damos las gracias al acabar la conversación.	☐	☑
3. Los revisores de tren piden los billetes por favor y dan las gracias cuando los devuelven.	☐	☑
4. Cuando una madre le sirve la comida a su hijo, este le da las gracias.	☑	☐
5. Cuando alguien viene a trabajar a nuestra casa (un canguro, alguien viene a limpiar, etc.) le damos las gracias cuando se va.	☑	☐

5. Esta es una clase un poco especial. ¿Qué está haciendo cada persona? Escríbelo.

1. Vanesa se está pintando las uñas.

2. Mateo se está relajando

3. Sam se está jugando con el futbol

4. Julia se está comiendo un bocadillo

5. Susan se está hablando por el teléfono/teléfono móvil

6. Hans se está realizando voltereta

7. John se está escuchando de musica

8. Cristina se está escribiendo una carta

9. Yuri se está leyendo el periodico

10. La profesora se está dumiendo en la silla

6. Escríbele una postal a un amigo que no ves desde hace algunas semanas y cuéntale qué estás haciendo estos días.

Querido/a .... :

7. Lee estas frases y marca, en cada caso, en qué situación o con qué intención se dirían.

1. ● **¿Me das** una hoja de papel?
   ☐ a. Pensamos devolverla.
   ☑ b. No pensamos devolverla.

2. ● **¿Me pasas** el aceite?
   ☑ a. Estás comiendo con unos amigos.
   ☐ b. Quieres comprar aceite en una tienda.

3. ● **¿Me prestas** el diccionario?
   ☑ a. El diccionario es de la otra persona.
   ☐ b. El diccionario está cerca de la otra persona.

4. ● **¿Me pone** un café, por favor?
   ☑ a. Pides un café en un bar.
   ☑ b. Pides un café en casa de los padres de tu amigo/a.

5. ● **¿Me dejas** la chaqueta de piel?
   ☑ a. La chaqueta es de la otra persona.
   ☑ b. La chaqueta es tuya. ✗

6. ● **¿Me traes** un poco de agua, por favor?
   ☑ a. La persona se tiene que desplazar.
   ☐ b. La persona no se tiene que desplazar.

7. ● Buenos días. **¿Me da** una barra de pan y dos bollos?
   ☑ a. Estás comprando en una tienda.
   ☐ b. Estás pidiendo esas cosas gratis.

8. ¿Cómo le pedirías estas cosas a un compañero de clase? Clasifícalas en la columna correspondiente.

un poco de agua   ✓ tu chaqueta
la goma de borrar   fuego
un caramelo   un bolígrafo
tu diccionario   cinco euros

¿Me dejas...?	¿Me das...?
tu diccionario	un poco de agua
tu chaqueta	la goma de borrar
un bolígrafo	un caramelo
cinco euros	fuego

9. a. Completa estas frases.

dejarme   te importa si   me pone
puedo   me dejas   tienes

1. ● ¡Disculpe! ¿ Me pone un cortado, por favor?
2. ● ¿ Te importa si pongo algo de música?
3. ● Perdona, ¿puedes dejarme los apuntes de ayer?
4. ● Oye, ¿ Me dejas un momento tu moto? Es que...
5. ● ¿ tienes fuego?
6. ● ¿ Puedo usar este ordenador?

b. ¿Dónde crees que están las personas que dicen las frases anteriores?

1. En una bar/cafe
2. otra persona/familia
3. colegio o universidad
4. hablando con su compañe
5. en un bar/calle
6. en la librería/biblioteca

10. Responde a estas peticiones de un amigo. Piensa una respuesta afirmativa y otra negativa con una excusa para cada una de ellas.

1. ● ¿Te importa si abro la ventana? ¡Hace un calor!
   + De acuerdo abre la ventana
   - No es posible la ventana es atascado o antrancado

2. ● ¿Puedo usar tu teléfono un momento? Es solo una llamada local.
   + Por favor usas el teléfono
   - Lo siento el teléfono está fuera de servicio

3. ● ¿Me dejas tu diccionario?
   + Claro no estoy usando el diccion
   - Estoy usando mi diccionario hace/completar mis deberes

4. ● ¿Tienes un euro?
   + Si tengo un euro Si, toma
   - Desafortunadamente no tengo dinero o cambio

5. ● ¿Puedo ponerme tu chaqueta? Tengo un frío...
   + Tomas mi chaqueta, tengo una rebeca
   - Olvidé mi chaqueta en mi piso esta mañana

6. ● ¡Hola! Soy Carlos. Me abres y subo, ¿vale?
   + De acuerdo sube
   - No es que tengo ocupado No conozco a ningún Carlos/yo bajo

7. ● ¡Me encantan estos caramelos! ¿Me das uno?
   + Si tengo otro paquete
   - Es que es mi último caramelo

8. ● ¿Te importa si me como el último chicle? Luego compro más, ¿vale?
   + Si pero compraras más esta tar
   - Es necesito tengo el último chicle porque comé ajo en mi aceite para ensalada

5. GUÍA DEL OCIO "What's On"

1. Mira los anuncios de la *Guía del Ocio* de la página 42. Busca al menos un lugar... _place_

1. que está abierto los lunes a las 22h: Berlin Cabaret

2. que tiene precios especiales para estudiantes: ....
   Monasterio de la Encarna

3. que los sábados abre a partir de las 21h: *Pequeño cine Estudio 'Loque el viento se llevo'* Casa Patas

4. que tiene horario especial los sábados (abierto hasta más tarde que los otros días): Berlin Cabaret, Casa Patas La Negra Tomasa

5. donde hay música en directo: La Negra Tomasa

6. donde la entrada es siempre gratuita: Centro Cultural La Negra Tomasa de la Villa x

7. donde poder ver una película en sesión matinal: Warner Principe Pio y Ideal Yelmo cineplex

8. donde no se puede pagar con tarjeta: Reina por un Casa Patas dia

9. que ofrece dos exposiciones diferentes: Museo Municipal de Arte contemporáneo porque hay exposiciones permanente y temporal

2. Te ha tocado un viaje de 15 días en una paradisíaca isla caribeña. ¿Qué cosas vas a hacer allí? Escríbelo.

Voy a tomar el sol todos los días.

Mañana, voy a alquilar una bicicleta
En dos días vamos pasear en barco a otro isla
cada día voy a beber un cóctel
Esta tarde voy a comer en una restaurante situado de la playa
Mañana por la noche voy a bailar en un club
Voy a nadar en el mar todos los dias
Voy a mandar por correo tarjetas postales el fin de el viaje

3. Aquí tienes una serie de objetos. Imagina qué ha hecho con ellos hoy Pedro y escribe dos frases para cada uno.

1. Ha tomado un refresco.
   Ha bebido una coca cola
2. Ha telefoneado sus amigos
   Ha hablado con su novia
3. Ha escrito una carta
   Ha recibido una invitación por una fiesta
4. Ha sacado una foto de el castillo
   Ha fijado su camera porque fue no funcción
5. Ha leido un libro
   Ha terminado su libro
6. Ha viajado en metro
   Ha vuelto su casa en metro
7. Ha ido al cine
   Ha visto una pelicula de horror
8. Ha tomado un cafe solo
   Ha pedido un cafe solo
9. Ha cocinado una comida romantica por su novia
   Ha comido con su novia
10. Ha comprado un regalo por su hermana
    Ha abierto muchos regalos por su cumpleaño.

4. ¿Qué dirías en cada una de estas situaciones?

1. A las dos un amigo te ha dicho: "Voy a comer". Ahora son las tres menos cuarto de la tarde. Tu amigo ha vuelto. ¿Qué le preguntas?

   ☐ a. ¿Ya has comido?
   ☑ b. ¿Has comido?

2. Tú y un amigo estáis viviendo en Londres. Tú sabes que no le gusta mucho la pintura. ¿Qué le preguntas?

   ☑ a. ¿Ya has visto la National Gallery?
   ☐ b. ¿Has visto la National Gallery?

3. No te gustan las películas de Almodóvar. Te preguntan: "¿Ya has visto la última película de Almodóvar?" Si tú no piensas ir, ¿qué respondes?

   ☑ a. No, no la he visto.
   ☐ b. No, todavía no la he visto.

4. Esta noche tienes una cena en tu casa. Un amigo se ofrece para ayudarte con las compras pero tú no necesitas ayuda. ¿Qué le dices?

   ☑ a. No, gracias. Ya lo he comprado todo.
   ☐ b. No, gracias. Lo he comprado todo.

5. Te encanta la pintura. En Madrid te preguntan: "¿Ya has visitado el Museo del Prado?" Si piensas ir, ¿qué respondes?

   ☐ a. No, no lo he visitado.
   ☑ b. No, todavía no.

5. Aquí tienes el diario de viaje de Carmen en Argentina. Subraya las experiencias (lo que ha hecho) y los planes (lo que va a hacer). Después, escríbelo en los cuadros.

Jueves 14 de mayo. Buenos Aires

Hace una semana que estamos en Argentina y me siento como en casa. No solo por el idioma, claro. La gente es muy agradable. Esta semana he comido más carne que en toda mi vida y hoy he probado la cerveza argentina Quilmes; no está mal. Ya hemos visto lo que debe ver un turista aquí: la plaza de Mayo, la Casa Rosada, el barrio de San Telmo y el Caminito, en el barrio de La Boca. Esta mañana he ido al cementerio de La Chacarita y he visitado la tumba de Carlos Gardel. Esta noche vamos a ver un espectáculo de tango en una tanguería de San Telmo. Dentro de un par de días nos vamos a ir a Ushuaia. ¡Por fin voy a ver el fin del mundo!

Sábado 16 de mayo. Ushuaia

¡Ya estamos aquí! La naturaleza es fascinante. Tan verde, tan pura... Hemos hecho una excursión en barco y he visto montones de focas (¡¡en vivo y en directo!!). Como es verano, no hay pingüinos todavía. Esto es tan bonito que vamos a quedarnos un par de días más aquí y después vamos a ir en avión a Río Gallegos para ver el Perito Moreno. De allí vamos a hacer una excursión a Península Valdés para ver las ballenas. He recibido un correo electrónico de Cecilia, que está también por aquí de vacaciones. Mañana nos vamos a ver y nos va a presentar a su novio argentino.

Experiencias	Planes
Ha comido mucha carne.	Va a ver un espectáculo de tango.
- He probado la cerveza	Nos vamos a ir a Ushu...
- Ya Hemos visto lo que debe ver un turista aquí.	? voy a ver el fin del mun...
- Ha ido al cementerio de La Chacarita	- vamos a quedarnos un par de días mas aquí
- He visitado la tumba de Carlos Gardel	- vamos a ir en avión a Río Gallegos.
- Hemos hecho una excursión en barco	- vamos a hacer una excursión a Península Valdés
- He visto montones de focas	- Mañana nos vamos a ver y nos va a presentar a su novio argentino.
- He recibido un correo electrónico de Cecilia	

6. Imagina que hace un mes una pitonisa pronosticó estos sucesos en tu vida profesional y personal. ¿Se han cumplido?

5 Te espera un mes muy activo y muy especial.

Te veo con un micrófono en la mano... No se ve bien qué haces... Hay público... ¿Es una conferencia?¿O estás cantando?

Te veo... hay preocupación en tu mirada; son problemas de trabajo...

6 Veo que aparece una persona nueva en tu vida.

Veo aviones, maleta, hoteles... Veo una playa...

7 Veo una consulta de un médico. No sé de qué se trata, pero se ve que no es grave...

Ahora veo mucho humo... algo se quema... cerca de tu casa.

1. La pitonisa (no) ha acertado porque...
   este semana he pronunciado una conferencia

2. La pitonisa no ha acertado porque he recibido una promoción

3. La pitonisa ha acertado porque hoy he comprado peras visitar mi amigo en Canada

4. La pitonisa no ha acertado porque hemos tenido una barbacoa hoy

5. La pitonisa no ha acertado porque este mes he tenido no dinero

6. La pitonisa ha acertado porque he tenido dos citas con un hombre

7. La pitonisa no ha acertado porque este mes no he visto un médico

---

7. Aquí tienes una serie de titulares de periódico. ¿Puedes escribir qué ha pasado en cada caso?

1

NUEVA SUBIDA DEL PRECIO DEL PETRÓLEO

El precio del petróleo ha subido otra vez.

2

García Márquez vuelve a sorprendernos: su última novela ya es un éxito

3

TEMPORAL EN EL NORTE: DOS DESAPARECIDOS Y GRAVES DAÑOS MATERIALES

5

Barcelona 0 - Real Madrid 3

4

Dimisión inesperada del Ministro del Interior

6

Las promesas del Gobierno a los sindicatos no contentan a la mayoría de los trabajadores

6. NO COMO CARNE

1. Relaciona. En algunos casos existen varias opciones.

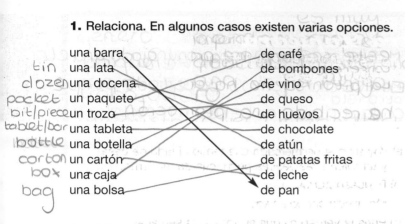

tin
dozen
packet
bit/piece
tablet/bar
bottle
carton
box
bag

una barra
una lata
una docena
un paquete
un trozo
una tableta
una botella
un cartón
una caja
una bolsa

de café
de bombones
de vino
de queso
de huevos
de chocolate
de atún
de patatas fritas
de leche
de pan

2. ¿Sabes la receta de un plato fácil de preparar? Puede ser uno típico de tu país.

Ingredientes:

Modo de preparación:

3. Relaciona las preguntas con las respuestas.

1. ¿Dónde están las naranjas?
2. ¿Cómo prefieres las fresas?
3. ¿Cómo haces la carne?
4. ¿Dónde compras el pollo?
5. ¿Cómo prefieres el salmón?
6. ¿Dónde está el jamón?
7. ¿Dónde compras los huevos?
8. ¿Cómo tomas el café?
9. ¡Qué galletas tan ricas!
10. No encuentro la sal.

a. Normalmente, a la plancha.
b. Siempre las como con nata. *cream*
c. Sin azúcar ni leche.
d. Los compro en el súper.
e. Lo compro en el súper.
f. Casi siempre lo como al vapor.
g. Las he puesto en la nevera.
h. Las he hecho yo.
i. La he dejado en el salón.
j. Lo he metido en el frigorífico.

1g.	2b	3a	4e	5f	6i	7d	8c	9h	10i.

4. a. Intenta averiguar a qué alimento se refieren estas descripciones.

1. Es una fruta amarilla, no se come sola. Se usa en bebidas (por ejemplo, en el té). Se usa también para condimentar ensaladas y para cocinar.

Limón

2. Es una cosa blanca que se pone en casi todas las comidas para darles más sabor. Casi siempre está en la mesa junto a la pimienta, el aceite y el vinagre.

Sal

3. Es una bebida alcohólica, amarilla, que se toma fría y que tiene espuma. Se hace con cereales.

Cerveza

4. Es una fruta roja y pequeña. A veces se come con nata. También se usa para hacer mermelada, pasteles y helados.

Fresas

b. Ahora, describe estos cuatro alimentos.

naranja —es una fruita naranja, es posible hacer zumo con estos. También es usa para hacer mermelada.

mayonesa es una cosa blanca y hizo con huevos. Es un tipo de condimentos en la mesa junto la salsa ketchup

champán —es una bebida alcohólica. Beberías en ocasiones especial o festivales

chocolate

5. a. Aquí tienes una entrevista publicada en una revista de cocina. ¿Puedes relacionar cada pregunta con su respuesta?

 **La compra de...** *Alejandra Lapiedra*

Nacida en Bilbao en 1976, esta licenciada en ingeniería triunfa en la pequeña pantalla y está a punto de dar el salto al cine. A Alejandra Lapiedra le gusta saborear cada momento de su vida.

1. ¿Qué plato te apetece siempre? j

2. Con la vida que llevas, ¿haces la compra? d

3. ¿Dónde haces la compra? A
trolley

4. ¿Qué suele haber en tu carro de la compra? g

5. ¿Qué ingrediente nunca falta en tu cocina? i

6. A media tarde, ¿pastel de nata o bocadillo de jamón? c

7. Tu alimento secreto en el frigorífico es... b

8. ¿"Pecas" a menudo, gastronómicamente hablando? f

9. ¿Cómo se relaja Alejandra Lapiedra? e

10. Madre, esposa y profesional. ¿Cómo lo llevas? h

a) Voy a un supermercado que tengo al lado de casa y también a las tiendas pequeñas de mi barrio.

b) El queso parmesano.

c) Me quedo con lo salado.

d) Pues la verdad es que sí. Todas las semanas.

e) Viendo la tele en el sofá de mi casa.

f) Constantemente, todos los días, soy débil... *weak*

g) Absolutamente de todo. Muchas veces no puedo resistirme y compro cosas que luego no como.

h) Superbien. Superestresada.

i) No puedo estar sin aceite de oliva y ajo.

j) Arroz a la cubana.

b. ¿Cómo contestarías tú las mismas preguntas?

1. ....

2. ....

3. ....

4. ....

5. ....

6. ....

7. ....

8. ....

9. ....

10. ....

6. Tienes que hacer la compra para comer todo un día y vas al supermercado de la página 50, pero solo tienes 9 euros. ¿Qué vas a comer? Escribe el menú. ¿Qué vas a comprar? Escribe la lista de la compra.

MI MENÚ DE HOY	MI LISTA DE LA COMPRA

7. Las celebraciones son diferentes en cada país: bodas, cumpleaños, despedidas de soltero/a... ¿Qué tipo de celebración te gusta más? ¿Cómo se celebra en tu país?

En mi país...

8. Completa estas frases de una forma lógica.

1. Mauro es muy simpático, y además *es muy generoso*

2. Mauro no es muy simpático, pero *es muy trabajador*

3. La sopa no está buena, y además *es soso (bland) no tiene gusto / aromatizante*

4. Esta sopa está buena, pero *no hay pan con la sopa*

5. Vivo en un sitio muy bonito, y además *hay muchas atracciones y actividades*

6. Vivo en un sitio muy bonito, pero *es bastante ruidoso*

7. Hace un trabajo muy interesante, pero *sus horas tienen muy largo*

8. Hace un trabajo muy interesante, y además *mi su oficina es solo diez minutos de su casa*

9. Hace mucho deporte, y además *es muy importante ejercer (por su salud estar sano*

10. Hace mucho deporte, pero *los precios de los socios son caro*

---

9. a. ¿Quieres conocer a un cocinero muy famoso de la televisión? Lee este pequeño texto.

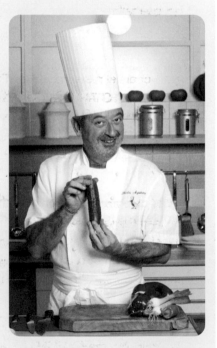

Karlos Arguiñano es un cocinero muy conocido en España y en Argentina gracias a sus programas de televisión. El cocinero vasco, que tiene su restaurante en Zarautz (Guipúzcoa), lleva en el mundo de la cocina desde los 17 años, pero su enorme éxito televisivo le ha dado la oportunidad de dedicarse a otras actividades, como escribir libros, abrir su propia escuela de cocina o incluso participar como actor en alguna que otra película.

Con una manera de comunicarse inconfundible, Arguiñano ha conquistado tanto a amas como a "amos" de casa y ha creado un nuevo estilo en la manera de hacer programas de cocina. Su fórmula consiste en explicar paso a paso platos sencillos con muchísima simpatía y naturalidad: cuenta chistes, anécdotas, canta... Igual que cualquiera que se encuentra en su casa cocinando tranquilamente.

b. Aquí tienes algunos trucos culinarios del famoso cocinero vasco. Complétalos con los pronombres de Objeto Directo (**lo**, **la**, **los**, **las**) que faltan en los espacios en blanco.

1. La sopa ...*la*... prepara con caldo de pollo.

2. La lechuga ...*la*... limpia bien y ...*la*... mantiene sin aliñar hasta el momento de servirla.

3. Los champiñones ...*los*... prepara con cebolla, ajo y vino tinto.

4. El atún ...*lo*... acompaña con mayonesa, cebolla picada y tomate.

5. Las patatas ...*las*... lava muy bien, ...*las*... envuelve en papel de aluminio y ...*las*... deja en el horno 30 minutos.

6. Los plátanos ...*los*... utiliza para preparar macedonias, batidos e incluso licores.

7. La paella ...*la*... cocina con marisco y pollo, y con un caldo muy concentrado.

8. Las fresas ...*las*... guarda en la nevera. Así duran de 5 a 6 días.

9. El café ...*lo*... guarda en un recipiente de cristal o de porcelana y ...*lo*... protege de la luz.

10. Las botellas de vino tinto ...*las*... destapa media hora antes de su consumo para ventilarlas un poco.

7. ME GUSTÓ MUCHO

1. Este es el diario de Ricardo. Léelo y completa las frases usando **parecer, gustar, encantar…**

Martes, 6 de marzo

Facultad: clase de Historia con Miralles, el profesor nuevo, muy interesante.

He intentado leer un artículo sobre la Bolsa, ¡qué cosa tan aburrida!

Exposición en el Centro de Arte Moderno, fotografías abstractas, un horror.

Al cine con Alberto: "El cielo gira". Buenísima, la mejor película que he visto este año.

Cena en un restaurante nuevo del centro, el Bogavante azul. El local es muy bonito y la comida no está mal, pero nada especial. Hemos ido Alberto, su novia Azucena y una amiga suya, Margarita… guapa, inteligente, simpática.

MARTES 6 DE MARZO:

Fue a clase de Historia. Le pareció…

Intentó leer un artículo de economía. ....

Fue a una exposición de fotografía. ....

Fue al cine a ver *El cielo gira*. ....

Fue a un restaurante nuevo. ....

Conoció a la amiga de Azucena. ....

2. Relaciona estas frases con su continuación lógica.

1. Ana y Andrés me cayeron muy bien,
2. Los cuadros de la exposición no me gustaron mucho,
3. El restaurante me encantó,
4. La hermana de Calixto me cayó muy bien,
5. El museo no me gustó mucho,
6. No me gustó cómo habló Matilde,

---

a. no son especialmente buenos.
b. son muy simpáticos.
c. es una maleducada.
d. es muy divertida.
e. no es muy interesante.
f. la comida es buena y el ambiente, muy agradable.

| 1 b | 2 a | 3 f | 4 d | 5 e | 6 c |

3. Completa las frases conjugando los verbos en Pretérito Perfecto o Pretérito Indefinido.

1.
- Ayer Edith y yo (IR) _fuimos_ al teatro.
- ¿Qué (VER) _has visto_? ✗ vistas / habéis
- Una obra muy divertida de Lope de Vega. Nos (ENCANTAR) _encantamos_ ✗ _encantó_

2.
- Andrés, ¿(ESTAR) _has estado_ alguna vez en Granada?
- No, nunca. (ESTAR) _He estado_ muchas veces en Andalucía, pero nunca en Granada.

3.
- ¿Qué tal ayer? ¿Qué os (PARECER) _parecieron_ ✗ _pareció_ la exposición? ¿Os (GUSTAR) _gustaron_? ✗ _gustó_
- A mí no me (GUSTAR) _gustó_ demasiado.
- A mí tampoco me (PARECER) _pareció_ muy buena, la verdad.

4.
- El mes pasado mi marido y yo (IR) _hemos_ ✗ _fuimos / ido_ de vacaciones a Argentina.
- ¿Y qué tal?
- Fantástico. (PASARLO) _parecieron_ ✗ _lo pasamos_ muy bien.

5.
- ¿Conocéis el restaurante Las Tinajas?
- Yo no, no (ESTAR) _he estado_ nunca.
- Yo sí, (IR) _he ido_ / _fui_ hace dos semanas y no me (GUSTAR) _gustó_ nada. Además, me (PARECER) _pareció_ carísimo.

6.
- ¿Y tú, Marcos, (ESTAR) _has estado_ alguna vez en el museo Guggenheim?
- Sí, sí que (ESTAR) _he estado_. (ESTAR) _Estuve_ por primera vez cuando lo inauguraron y luego (VOLVER) ✗ _he vuelto_ / _volví_ hace dos años.

7.
- ¿Qué te (PARECER) _pareció_ el concierto de ayer?
- Un rollo. No me (GUSTAR) _gustó_ nada. \ boring

8.
- ¿Qué tal el viernes? ¿Adónde (IR) _has ido_ ✗ _fuiste_?
- (IR) _fui_ a un bar del centro, El Paquito.
- Lo conozco, me encanta. ¿Qué te (PARECER) _pareció_?
- Me (ENCANTAR) _encanté_ Es genial. \ inspired/ brilliant/ genial

123

4. ¿Qué te gustaría hacer...

1. ... hoy?

   Me gustaría... hacer las maletas
   por mis vacaciones este
   fin de semana. Voy a Mejico

2. ... la próxima semana?

   Me gustaría ver Chitzen Itza
   cuando estoy visitando Mexico

3. ... después de este curso de español?

   Me gustaría hacer empleo
   voluntario en Peru

4. ... el año que viene?

   Me gustaría completar mis
   examenes en equitacion

5. ... dentro de diez años?

   Me gustaría comprar una casa en
   el campo y tener un caballo

   —retire

6. ... después de jubilarte?

   Me gustaría viajar a los partes
   del mundo que no ha visto

5. Elige el pronombre correcto en cada caso.

1. • Ayer vimos *Mar adentro*. A mí me encantó,
   pero a Alfredo **la** / **le** / **se** pareció un rollo.

2. • El sábado fuimos al Parque de atracciones y los
   niños **le** / **se** / **les** lo pasaron fenomenal.
   ○ Pues a mis hijos no **les** / **los** / **le** gustó nada,
   no sé por qué.

   verbo pasárselo bien/mal

3. • ¿Qué te parece la novia de Oscar?
   ○ Bien, **le** / **la** / **los** he visto solo una vez, pero
   te / **me** / **se** pareció muy maja. —nice/smart

4. • ¿Qué **te** / **le** / **les** ha parecido el vestido a tu madre?
   ○ **La** / **lo** / **le** ha gustado pero dice que es demasiado
   serio, así que creo que **lo** / **la** / **los** voy a devolver.

5. • ¿Qué tal la cena del sábado?
   pasárselo
   ○ Pues no me **lo** / **le** / **se** pasé muy bien, la verdad.
   Es que vino también Alicia y ya sabes que
   la / **le** / **me** cae fatal.

6. Tristán, el protagonista de la actividad 8 de la página 63, tiene un hermano gemelo, Feliciano, que es alegre, optimista y siempre está de buen humor. En parejas, imaginad cómo sería un correo suyo contando lo que hizo el sábado pasado.

Fuente ▼ Tamaño ▼ N K S T

7. a. Fíjate en las expresiones en negrita de estas frases. ¿Qué tipo de información dan? Márcalo en el cuadro.

El nuevo libro de Vargas Llosa (1) **cuenta la historia de** un hombre que...

La última entrega de *La guerra de las galaxias* se ha convertido en (2) **la más taquillera** de la saga.

El conocido escritor afirma que le gusta escribir (3) **novela**, pero se considera un apasionado del (4) **relato breve**.

Este apasionante libro (5) **narra las aventuras de** tres caballeros en la Francia medieval.

El cortometraje (6) **ganador del** primer premio en el Festival de Cine de Málaga (7) **habla de** los problemas de dos jóvenes que...

La última comedia del director mexicano Armando del Pozo ha sido (8) **galardonada con** el premio especial del jurado en el festival de cine de San Sebastián.

a. reconocimiento público	La más taquillera ganador del, galordonada con
b. personaje y argumento central	cuenta la historia de, narra las aventuras de, habla
c. estilos y géneros	novela, relato breve

b. Ahora, haz una breve descripción de tu libro y de tu película favoritos.

LIBRO	**PELÍCULA**
Título: Escritor/a: Descripción:	Título: Director/a: Descripción:

c. Vuelve a los textos de la página 64 y observa cómo se describe un disco. Luego, describe tus dos discos favoritos.

DISCO	**DISCO**
Título: Autor/a: Descripción:	Título: Autor/a: Descripción:

8. ESTAMOS MUY BIEN

1. Lee esta carta dirigida al consultorio de la revista *Salud* y escribe una respuesta. ¿Qué le recomiendas al chico que la ha escrito?

¡Hola!

advice ←

→ *to ask for*

Soy un chico de 27 años y les escribo para pedirles consejo. El año pasado tuve un accidente de coche y estuve más de dos meses en el hospital. Luego pasé cuatro meses más en casa, sin ir al trabajo, sin salir mucho y... ¡¡¡engordé 20 kilos!!! Ahora estoy bastante recuperado del accidente (solo tengo algunos dolores de espalda), pero 20 kilos de más son muchos kilos. He intentado adelgazar de todas las maneras posibles: he comprado ese aparato que anuncian en la televisión para hacer gimnasia en casa, he tomado unas infusiones adelgazantes a base de hierbas naturales y todos los días, antes del bocadillo de las 11h y antes de la merienda, tomo uno de esos batidos de fresa que dicen que adelgazan... Pero nada. ¿Qué puedo hacer?

En primero lugar, es importante ganar un balance entre comida y ejercicio. No hay una solucíon rapida, sin embargo es esencial adelgazar lentemente. Por ejemplo debes tomar alimentos con mucha fibra (fruta, verduras, cereales integrales). Juntar una grupa dieta por soporte o pedir consejos a dietista.

En segundo lugar es esencial tomar trienta minubos de ejercicio cada día. Buscas para un deportivo que te gustas un otro opcíon es juntar un club o clases, por eso es más probable que se atene al régimen.

2. Elige la forma adecuada en cada caso.

1. No se encuentra bien, ...*le duele*... la cabeza. ✓

a. tiene dolor de	b. le duelen	c. le duele

2. Mónica no se encuentra bien, ha venido en barco de Mallorca y está muy ...*mareada*... ✓

a. mareado	b. mareada	c. mareo

3. Ha caminado cinco horas con unos zapatos nuevos y, claro, ahora ...*le duelen*... los pies. ✓

a. tiene dolor de	b. le duelen	c. le duele

4. ¿Tienes una aspirina? ¡Cómo ...*me duelen*... las piernas! ✓

a. tengo dolor de	b. me duelen	c. me duele

5. Han comido mucho y ahora ...*les duele*... el estómago. ✓

a. tiene dolor de	b. les duele	c. le duelen

6. Mario tiene que ir al médico, está muy ...*estresado*... ✓

a. estresante	b. estresado	c. estrés

3. Completa las frases con el Presente de **ser** o **estar**.

1. Alicia ...*es*... una mujer extraordinaria.

2. No quiero salir. ...*estoy*... cansado.

3. ¡La ventana ...*esta*... abierta! ¿Quién la ha dejado así?

4. ¿Dónde ...*esta*... el jersey amarillo? ...*es*... el que más me gusta y no lo encuentro.

5. ¿Quién ...*es*... esa chica que ...*esta*... sentada ahí?

6. La casa ...*están*... muy desordenada, mis hijos ...*son*... un desastre.

7. Mi jefa ...*es*... una mujer muy dinámica pero trabaja demasiado y ...*esta*... siempre agotada. *exhausted*

8. ...*es*... un pueblo muy bonito pero ...*esta*... muy lejos de la ciudad.

4. Aquí tienes un artículo sobre un deporte tradicional vasco. Léelo y relaciona cada una de las cuatro fases con la ilustración correspondiente.

Levantamiento de piedra

El levantamiento de piedra es uno de los deportes tradicionales vascos más espectaculares. Consiste en levantar piedras de diferentes formas y tamaños y colocárselas sobre los hombros. El actual récord del mundo está en 327 kg. Pero no es solo una prueba de fuerza, sino también de agilidad, de flexibilidad y de velocidad.

El levantamiento se puede dividir en cuatro fases:

1. El levantador agarra la piedra y empieza a levantarla.

2. Seguidamente, coloca la piedra sobre sus piernas tocando su estómago. Para mantener el equilibrio, durante estas dos primeras fases, el levantador no está totalmente de pie.

3. En la tercera fase, el levantador agarra la piedra por debajo. El peso de esta pasa de sus piernas a sus brazos.

4. En la última fase el deportista sube la piedra hasta el hombro. Primero, la apoya en su pecho y luego la empuja hacia el hombro en movimientos cortos.

5. Intenta adivinar de qué deporte se habla en cada descripción. Puede haber más de una respuesta posible. A continuación, crea tú cuatro descripciones sobre otros deportes.

1. Normalmente se practica sentado: ....

2. Se juega en equipo. Para tocar el balón se pueden usar las manos y los pies: ....

3. Se juega individualmente o por parejas. Para lanzar la pelota se usa una cosa de madera o de fibra y son necesarias varias paredes: ....

4. Se juega al aire libre, en grandes extensiones. Para lanzar la pelota se usa un palo y se repite la misma operación en 18 lugares diferentes: ....

5. Se juega en equipo. Se puede jugar en pista cubierta o en la playa. El balón solo se puede tocar con las manos: ....

Deporte:
Descripción

Deporte:
Descripción

Deporte:
Descripción

Deporte:
Descripción

6. a. Ordena los fragmentos del siguiente texto.

LO QUE MÁS ESTRESA: LOS PROBLEMAS EN EL TRABAJO

4 Para combatirlo, un 1% de los afectados recurre a los medicamentos. Aunque generalmente no lo consideran una medida muy satisfactoria ni eficaz, resulta más cómodo que los otros remedios.

2 Las personas que nunca han sufrido estrés son una especie en extinción. La mayoría de la población asegura que lo padece o que lo ha padecido en algún momento de su vida.

3 Pero no son las únicas. Vivir un acontecimiento per~~event~~sonal importante, los problemas financieros, el rendimiento escolar o el tráfico son también circunstancias que normalmente generan estrés.

→destacar=to make stand out

5 Entre ellos, destacan hacer deporte, cambiar el estilo de vida y la terapia de un especialista.

1 Problemas laborales, familiares y de salud son las tres causas principales de este trastorno, según un estudio reciente de la Organización de Consumidores y Usuarios. ↘upset

b. Ahora, encuentra en el texto las causas y las soluciones de este problema.

Causas	Soluciones
- problemas laborales familiares y de salud	- hacer deporte
- problemas financieros	- cambiar el estilo de vida
- el rendimiento escolar	- la terapia de un especialista
- tráfico	- medicamentos

- acontecimiento personal importante

7. Coloca en este dibujo los nombres de las partes del cuerpo señaladas. Puedes utilizar el diccionario.

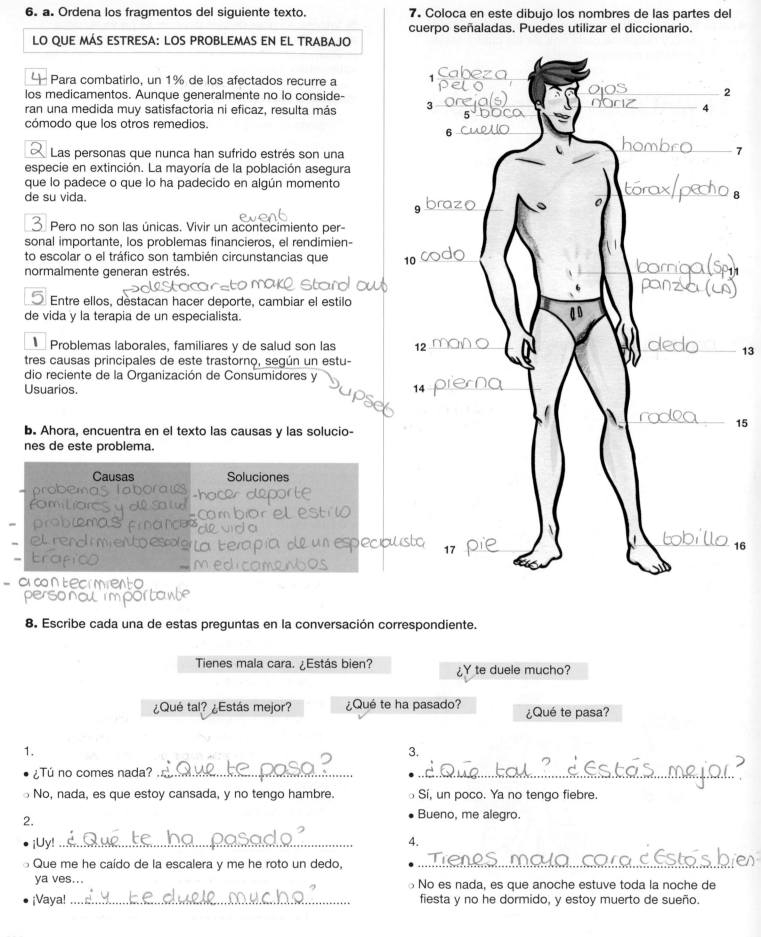

1 Cabeza / Pelo
2 ojos
3 oreja(s)
4 nariz
5 boca
6 cuello
7 hombro
8 tórax/pecho
9 brazo
10 codo
11 barriga (Sp) / panza (LA)
12 mano
13 dedo
14 pierna
15 rodea
16 tobillo
17 pie

8. Escribe cada una de estas preguntas en la conversación correspondiente.

Tienes mala cara. ¿Estás bien?

¿Y te duele mucho?

¿Qué tal? ¿Estás mejor?

¿Qué te ha pasado?

¿Qué te pasa?

1.
● ¿Tú no comes nada? ¿Qué te pasa?
○ No, nada, es que estoy cansada, y no tengo hambre.

2.
● ¡Uy! ¿Qué te ha pasado?
○ Que me he caído de la escalera y me he roto un dedo, ya ves…
● ¡Vaya! ¿Y te duele mucho?

3.
● ¿Qué tal? ¿Estás mejor?
○ Sí, un poco. Ya no tengo fiebre.
● Bueno, me alegro.

4.
● Tienes mala cara ¿Estás bien?
○ No es nada, es que anoche estuve toda la noche de fiesta y no he dormido, y estoy muerto de sueño.

9. ANTES Y AHORA

1. Completa el cuadro con las formas del Pretérito Imperfecto.

	trabajar	hacer	salir
(yo)	trabajaba	....	....
(tú)	....	....	....
(él/ella/usted)	....	hacía	....
(nosotros/as)	....	....	....
(vosotros/as)	....	....	....
(ellos/ellas/ustedes)	....	....	salían

2. Observa estas dos imágenes de Fernando y descríbelas. ¿En qué cosas crees que ha cambiado?

antes — ahora

....
....
....
....
....
....
....
....
....
....
....
....
....
....
....

3. Piensa en alguien de tu familia: tu padre, tu abuela... Piensa dónde vivía cuando era joven, cómo era su casa, qué cosas hacía para pasarlo bien, cómo era la vida en aquella época... Luego, escribe un texto comparando vuestras vidas y explicando qué cosas te parecen mejores o peores.

4. Aquí tienes un fragmento de la biografía de un personaje muy conocido. ¿Quién es: Pablo Picasso, Antoni Gaudí o Gabriel García Márquez? Escríbelo debajo.

Nació el 25 de octubre de 1881 en Málaga. Su familia vivía modestamente y su padre era profesor de dibujo.

No le gustaba la escuela: *"Solo me interesaba cómo el profesor dibujaba los números en la pizarra. Yo únicamente copiaba las formas, el problema matemático no me importaba."*

Era tan mal estudiante que lo castigaban a menudo: lo metían en "el calabozo", un cuarto vacío en el que solo había un banco. *"Me gustaba ir allí porque llevaba mi cuaderno de dibujo y dibujaba. Allí estaba solo, nadie me molestaba y yo podía dibujar y dibujar y dibujar."*

Se trata de ....

5. ¿Quién es tu personaje famoso favorito? ¿Sabes muchas cosas sobre su vida? Escribe un pequeño texto sobre cómo era su vida antes de ser famoso. Si no dispones de la información necesaria, seguro que en Internet puedes averiguar muchas cosas.

6. Completa estas frases.

1. Los antiguos egipcios .... una escritura llamada "jeroglífica".

2. Los romanos .... latín.

3. Antes del descubrimiento de América, en Europa no .... patatas.

4. Los incas .... en grandes ciudades.

5. A principios del siglo XIX el Imperio Turco .... enorme.

6. A principios del siglo XX las mujeres no .... votar en casi ningún país del mundo.

7. Durante el franquismo los partidos políticos .... prohibidos.

8. Antes, la gente .... más hijos que ahora.

9. En los años 50 la mayoría de españoles no .... coche.

10. En los años 70 Ibiza .... una isla tranquila.

11. Antes los viajes entre Europa y América .... semanas.

12. Antes de la aparición de Internet la gente .... más cartas que ahora.

7. ¿**Ya no** o **todavía**? Elige una de las dos formas y completa las frases según tu opinión.

1. Antes viajar en avión era muy caro. En la actualidad
....

2. A finales del siglo XX China era el país más poblado del mundo. Hoy en día ....
....

3. A finales del siglo XX había muchas guerras en diferentes partes del mundo. Actualmente ....
....

4. Antes las mujeres estaban discriminadas en muchos países. En la actualidad ....
....

5. Antes en mi país se podía fumar en todos los sitios. Ahora ....
....

6. Antes en España el deporte más popular era el fútbol. Ahora ....
....

8. Completa las frases con información sobre ti.

1. Antes ....
....

2. Ahora ....
....

3. A los seis años ....
....

4. De niño ....
....

5. Cuando tenía 12 años ....
....

6. Cuando tenía 15 años ....
....

9. a. ¿A qué situación de su pasado se refieren estas personas? Completa con una información posible.

1. Cuando ....,
por una parte estaba mejor porque no tenía que cocinar, ni hacía la compra, ni me preocupaba por las facturas, y además tenía la compañía de mi familia; pero, por otra parte, no tenía tanta libertad, debía seguir unas normas...

2. Cuando ....,
me podía hacer un montón de peinados diferentes pero era muy pesado tener que lavarlo tan a menudo; por eso me lo he cortado. Me da un poco de pena, pero estoy mucho más cómoda.

3. Cuando ....,
la gente era más puntual porque no podía avisar dos minutos antes de la cita de que iba a llegar tarde... En cambio, ahora, con una llamada para decir que hay un atasco o cualquier otra excusa, basta... ¡¡Pero la otra persona espera igual!!

4. Cuando ....,
tenía muchos problemas para practicar algunos deportes, me gastaba mucho dinero porque se me rompían muchas veces, ahora con las lentillas soy una persona nueva y, además, me gusta mucho más mi imagen.

5. Antes, cuando ....,
tenía que usar siempre el transporte público y luego caminar un buen rato para llegar al trabajo. ¡Tardaba casi una hora y media en llegar! Ahora, desde que me compré el 4x4, llego en veinte minutos.

b. Ahora, escribe sobre tu propia experiencia.

Antes, cuando no sabía nada de español, ...
....
....
....
....
....
....
....

10. Lee las siguientes opiniones. ¿Estás de acuerdo? Escribe tu opinión.

> Sí, es cierto...
> Bueno, eso depende de...
> Bueno, sí, pero...
> No estoy de acuerdo. Para mí...
> No sé, creo que...
> Estoy de acuerdo....

1. Leer novelas es una experiencia única. La gente que lee novelas es más interesante.

Bueno, ese depende de el tipo de las novelas y el contento ~continedo

2. No puedes ser un verdadero amante de la música si no te gusta la música clásica.

No sé, creo que música es personal y es posible ser un verdadero amante de la música de diferente tipos, jazz, blues, folk Música es único

3. Antes la gente tenía más hijos. Hoy en día, en cambio, formar una familia no es tan importante... Pero sin hijos la vida no tiene tanto sentido.

feeling/meaning
eso much

Desde de punto de vista hoy en dia hay más opciones tener una carrera, sobre todo para las mujeres. Sin embargo tener hijos es personal, y para no estoy de acuerdo que sin hijos la vida no tiene tanto sentido

~familia amigos animales carrera son otros factores que dan vida y sentido la vida

11. ¿A qué invento o descubrimiento se refiere cada texto? Escríbelo.

Antes de su invención, necesitábamos ayuda para hacer muchas cosas que hoy hacemos solos: teníamos que pedir ayuda a otra persona para afeitarnos o para maquillarnos, necesitábamos la opinión de otro para saber si un traje nos quedaba bien o para saber si estábamos guapos.

1. ....

Antes de su invención, era mucho más incómodo, por ejemplo, calentar un poco de leche: se tardaba más y se ensuciaba un cazo. Ahora, en un minuto ya está lista en la misma taza en la que te la tomas.

2. ....

10. MOMENTOS ESPECIALES

1. ¿Cómo eran estas personas o cosas?

Mi primer/a maestro/a.

Mi primera maestra se llamaba Anne, era muy simpática y nos contaba cuentos...

Un juguete que tenía de pequeño/a.

....

....

Un/a amigo/a de la infancia.

....

....

Una prenda de vestir que me gustaba mucho de pequeño.

....

....

2. Elige la mejor opción.

1. La última vez que vi a Carla **tenía/tuvo** muy buen aspecto.

2. Cuando conocí a Paca, **llevaba/llevó** el pelo teñido. —dyed

3. **Pasaba/Pasé** dos años en Londres; fueron los años más felices de mi vida.

4. El otro día vino Lara a casa; quería tomar café pero no **teníamos/tuvimos**.

5. Compré un vino muy caro, lo guardé en el armario y el día de mi cumpleaños lo **abría/abrí** para tomarlo con mis amigos.

6. Ana tenía una casa preciosa en el centro, pero **era/fue** muy vieja y no tenía calefacción. Al final se mudó.

7. Antes **venía/vine** mucho a este bar, pero luego me fui a vivir a otro barrio y dejé de venir.

8. Llegué tarde al aeropuerto porque **perdía/perdí** el tren de las 16.00h.

9. Ramón jugaba al fútbol en un equipo profesional, pero un día **tenía/tuvo** un accidente, se rompió una pierna y tuvo que dejar el fútbol.

10. Miguel nunca salía de casa pero en enero del año pasado **conocía/conoció** a una chica por Internet y su vida cambió totalmente.

11. Lupe no sabía nada del trabajo de Pepe. Por eso, cuando aquel día lo **veía/vio** con el uniforme de bombero, se sorprendió mucho.

12. A los 12 años descubrieron que Marquitos **era/fue** miope y le pusieron gafas, claro.

3. El siguiente texto es el principio de un relato de misterio. Tenemos los hechos (por eso todos los verbos están en Pretérito Indefinido), pero ahora tienes que pensar frases en Imperfecto para describir las circunstancias que se indican. Luego, escribe el texto completo y continúa la historia.

> *Aquel día Arturo salió de casa a las 6.00h de la mañana. Pasó al lado del kiosko de prensa y fue a la estación de tren. Compró un billete, se sentó en un banco y esperó la llegada del tren. A las 6.14h llegó el tren, subió, pero no se pudo sentar. Bajó en la estación Plaza Central. A la salida se encontró con una mujer alta que le dio un paquete. De allí, Arturo se dirigió hacia una parada de taxis. Llegó un taxi a las 7.30h y lo tomó...*

Describe:
1. el tiempo que hacía aquel día a las 6.00;
2. el kiosko (estaba abierto, cerrado...);
3. el ambiente de la estación de tren en ese momento;
4. por qué Arturo no se pudo sentar en el tren;
5. el aspecto y el contenido del paquete.

4. Completa estos cuadros con las formas del Pretérito Indefinido.

REGULARES

	pensar	sentarse	correr	compartir
(yo)	pensé	me senté	corrí	compartí
(tú)	pensaste	sentaste	corriste	compartiste
(él/ella/usted)	pensó	sentó	corrió	compartió
(nosotros/as)	pensamos	sentamos	corrimos	compartimos
(vosotros/as)	pensasteis	sentasteis	corristeis	compartisteis
(ellos/ellas/ustedes)	pensaron	sentaron	corrieron	compartieron

(anotación arriba: me / se / nos / os)

	llegar	levantarse	comer	vivir
(yo)	llegué	lavé	comí	viví
(tú)	llegaste	lavaste	comiste	viviste
(él/ella/usted)	llegó	lavó	comió	vivió
(nosotros/as)	llegamos	lavamos	comimos	vivimos
(vosotros/as)	llegasteis	lavasteis	comisteis	vivisteis
(ellos/ellas/ustedes)	llegaron	lavaron	comieron	vivieron

IRREGULARES

	conducir	ir	producir
(yo)	conduje	fui	produji
(tú)	condujiste	fuiste	produjiste
(él/ella/usted)	condujo	fue	produjo
(nosotros/as)	condujimos	fuimos	produjimos
(vosotros/as)	condujisteis	fuisteis	produjisteis
(ellos/ellas/ustedes)	condujeron	fueron	produjeron

5. Continúa estas frases.

1. El otro día estaba en mi casa y, de repente, hubo un apagón

2. El sábado por la noche quería ir a bailar, pero al final no tuve dinero

3. Le compré un regalo a Enrique porque era su cumpleaños, pero no le gusta el regalo

4. Estaba escuchando música en casa y, de pronto, empezé bailar a mi canción favorito

5. Mientras mis amigos estaban en clase, yo llegué muy tarde porque perdí el autobús

6. Iba en el autobús a la escuela y, de repente, lo tuvo un pinchazo

7. Era de noche y no había nadie en la calle. Un coche se paró a mi lado y entonces empezó sonar la bocina

8. Cuando vivía allí no tenía muchos amigos porque en aquella época no hablé mucho, estaba muy tímido

9. Estaba sentado en un banco de la plaza. No había nadie, pero entonces un hombre corrió debrás después su pero

10. Al principio, las clases de cocina no me gustaban nada, pero luego charlé con otras chicas en la clase y estaban muy amable

6. Imagina que te ha pasado algo sorprendente. Escribe una carta explicándolo. Aquí tienes una serie de elementos que te pueden ayudar, pero, si lo necesitas, puedes modificarlos, usar otros o cambiar las personas. Utiliza también los marcadores temporales necesarios.

CIRCUNSTANCIAS
Llovía/Hacía sol
No tenía dinero
Era muy guapo/a, feo/a, raro/a...
Tenía mucha hambre
Yo estaba enamorado/a de ...
Nadie de mi familia lo sabía
Estaba enfermo
Me sentía mal
Tenía mucho sueño
Quería ir a / volver a /...

ACONTECIMIENTOS
Llegué tarde a...
El teléfono sonó
Alguien llamó a la puerta
No me desperté
Apareció un...
Tuve que...
Me encontré una cartera/un perro...
Me dormí en el bus/tren/metro...
Me caí en...
Alguien me...

7. Elige la forma adecuada en estas frases.

1. Fui a visitar a Patricia al hospital, pero no pude verla, porque en ese momento **estaba/estuvo** descansando.

2. En los Alpes **estuvimos/estábamos** tres días sin salir de casa por el mal tiempo.

3. **Estuvo/estaba** viviendo unos meses en Alemania, pero no aprendió ni una palabra de alemán.

4. Llegué muy tarde al restaurante y mis amigos ya **estuvieron/estaban** tomando el café.

5. Me llamó por teléfono, pero no lo oí porque **estuve/estaba** escuchando música en mi cuarto.

6. Me lo pasé genial en la fiesta; **estuve/estaba** bailando todo el tiempo.

8. Elige uno de los siguientes titulares y escribe la noticia correspondiente.

> México se proclama campeón del mundo de fútbol

> Familia de gorilas se escapa del zoo municipal

> El príncipe heredero de Fastundia se casa con Margarita de Flambes

> Dimite el Presidente del Gobierno por las acusaciones de corrupción

9. Aquí tienes los principales acontecimientos de la historia de Cuba. Conjuga los verbos en Pretérito Indefinido.

En 1492, Cristóbal Colón (descubrir) descubrió la isla de Cuba.

En 1560, la isla (convertirse) se convirtió en un punto comercial estratégico.

En 1850, (producirse) se produjeron enfrentamientos entre el ejército español y los independentistas cubanos.

En 1895, (empezar) empezó la guerra entre España y Cuba.

En 1898, Estados Unidos (entrar) entró o entraron en la guerra.

En 1899, Estados Unidos (asumir) asumió el gobierno de Cuba durante cuatro años.

En 1940, (aprobarse) se aprobó / aprobaron una nueva Constitución.

En 1952, Fulgencio Batista (dar) dio un golpe de Estado.

En 1956, un grupo de jóvenes liderados por Fidel Castro (internarse) se internó formó en la Sierra Maestra y (formar) formaron el núcleo del ejército rebelde.

En 1959, tras derrotar a las fuerzas de Batista, el ejército rebelde (entrar) entró en La Habana.

En 1962, J. F. Kennedy (ordenar) ordenó el bloqueo a Cuba.

En 1980, el gobierno cubano (autorizar) autorizó la emigración hacia Estados Unidos.

En 1991, la URSS (poner) puso fin a su alianza política, militar y económica con Cuba.

10. Ordena los fragmentos de este texto.

A. A la salida del parque los detuvo la policía porque vio que iban en un coche en muy mal estado.

B. La señora se asustó mucho y decidió subir rápidamente la ventanilla del coche, pero al hacerlo pilló la trompa del elefante.

C. Uno de los policías fue a buscar uno de esos aparatos para hacer controles de alcoholemia.

D. El animal se la comió, pero quería más e introdujo la trompa en el interior del coche para servirse él mismo.

E. El hombre, que todavía estaba muy nervioso, se tomó dos copas de coñac para calmarse y, un rato después, decidieron volver a casa.

F. Una pareja fue a pasar la tarde a un Safari Park, un parque donde los animales están en libertad y los visitantes los ven desde sus vehículos.

G. El hombre sopló confiado pero, después de los coñacs, dio positivo.

H. Llegaron a la zona de los elefantes y pararon para observarlos de cerca. Uno de esos animales se acercó a ellos, y la mujer, en un acto de afecto e ignorando el enorme cartel que decía "prohibido dar de comer a los animales", le ofreció una manzana desde el coche.

I. Le pusieron una multa y le retiraron el carné de conducir.

J. Este, enfadado, empezó a dar golpes al coche, asustando a los ocupantes y dejando el vehículo bastante deteriorado.

K. Como compensación por el susto, decidió acompañarlos hasta el bar del parque y hablar con ellos tranquilamente.

L. En ese momento, apareció un guarda del parque en un jeep y consiguió calmar y rescatar a la pareja.

F											
1	2	3	4	5	6	7	8	9	10	11	12

11. BUSQUE Y COMPARE...

1. Todas estas palabras están relacionadas con la publicidad. Colócalas en el cuadro que les corresponde. Piensa si son masculinas o femeninas y añade el artículo correspondiente.

[handwritten annotation: Billboard]

el	la	la	las /
logotipo	feminidad	solidaridad	vallas publicitarias

[handwritten articles above:] la · el · el · la · la

radio	anunciante	folleto	imagen	libertad

[handwritten articles above:] el · el · la · la

eslogan	consumidor	modernidad	marca

[handwritten articles above:] el · la · el/la · la · la

cartel	seguridad	publicista	rebeldía	televisión

Elementos de un anuncio
El eslogan
el logotipo
la imagen
la marca

Personas
El consumidor
el anunciante
el/la publicista

Soportes
El cartel
las vallas publicitarias
la radio
el folleto

[handwritten:] La televisión

Connotaciones o valores
La libertad
la feminidad
la solidaridad
la modernidad

[handwritten right column:] La seguridad
La rebeldía

2. Relaciona las dos columnas. Puede haber más de una opción.

fregar	las papeleras
lavar	el aspirador
colgar	la ropa
dar de comer	los platos
quitar	el teléfono
regar	al perro
apagar	las luces
vaciar	las plantas
pasar	la mesa

3. Observa este anuncio y completa la ficha.

CUANDO TU VAS, YO VOLVO.
CAMIONES VOLVO
AUTO-SWEDEN S.A. Plaza del Profesor Tamarit Olmos,18 Tel. 369 2362

1. ¿Qué anuncia? ..... Camión .....

2. ¿A quién se dirige? .....

3. ¿Entiendes el eslogan? .....
.....
.....

4. ¿Te parece un buen anuncio? ¿Por qué?
.....
.....
.....
.....
.....

4. ¿Con qué productos asocias las palabras o expresiones del recuadro? Escríbelo. Puede haber más de una opción.

más económico/a	con menos aditivos
sin alcohol	elegantísimo/a
con más memoria	más seguro/a
más sencillo/a *[simple]*	tecnológicamente perfecto/a
más sabroso/a *[tasty]*	más rápido/a
más ecológico/a	más pequeño

Gasolina: más económica/a más ecológica/a

Un coche: más económica/a más ecológica/a

Una crema facial: sin alcohol

Un reloj: .....

Una loción para el pelo: .....

Un ordenador: .....

Un teléfono móvil: .....

Un televisor: .....

Una compañía aérea: más rápido/a

5. Completa con las formas del Imperativo afirmativo.

	ir	hacer	venir
(tú)	....	....	....
(vosotros/as)	....	....	....
(usted)	....	....	....
(ustedes)	....	....	....

6. Completa con las formas del Imperativo negativo.

		lavar	beber	consumir
(tú)	no	....	....	....
(vosotros/as)	no	....	....	....
(usted)	no	....	....	....
(ustedes)	no	....	....	....

		estar	entender	salir
(tú)	no	....	....	....
(vosotros/as)	no	....	....	....
(usted)	no	....	....	....
(ustedes)	no	....	....	....

7. Completa estos eslóganes con la forma adecuada del Imperativo de los verbos que aparecen entre paréntesis.

used commonly in Spain

1. "Este fin de semana ......_haz_...... (hacer-tú) historia."

2. "..._Busque_.. (buscar-usted), ..._compare_... (comparar-usted) y si encuentra algo mejor, ..._lo compre/_ _comprelo_ (comprarlo-usted)."   *compare*

3. "..._Descubra_.. (descubrir-usted) el equilibrio. Viña Albati; un vino para descubrir."

4. "..._se renove_. (renovarse-tú) con Telestar y _consegue_ (conseguir-tú) un móvil de última generación."   *× renovate*

5. "No ..._pierdas_... (perder-tú) esta oportunidad, ..._venga_... (venir-tú) a conocernos."   *venga*

6. "×..._se crealo_..(creérselo-tú), Londres desde 38€."   *creételo*

7. " No ✓_dudelo_ (dudarlo-usted), ..._vuelva ×_... (volar-usted) con Cheap-Air."   *vuele*   *-ve pro<= nombre antes*

8. "..._Desconecta_(desconectar-tú), _descubre_ (descubrir-tú), _desaubre_... (desahogarse-tú), _despreocupa_. (despreocuparse-tú). Hay otra forma de tomarse la vida. Con Raimaza descafeinado."   *desohogate*

reflexive – include te/se

8. Piensa dos recomendaciones que puedan servir de eslogan publicitario para estos productos o servicios.

Producto/servicio	Imperativo afirmativo	Imperativo negativo
Un gimnasio	Haz deporte, muévete.	No te quedes en casa.
Un refresco		No te bebas u
Una impresora		
Una bañera		
Un café		
Un curso de español	Atend	
Un disco	Bailete	
Un destino turístico		
Un microondas portátil		

9. La escuela donde estudias español va a lanzar una campaña de publicidad personalizada y planea enviar miles de cartas y correos electrónicos para promocionar el estudio del español. Escribe el texto que se utilizará para informar y animar a los posibles futuros estudiantes.

¿Quieres aprender español?

10. a. Lee este artículo sobre técnicas de mercado y decide en qué puntos del texto colocarías las siguientes frases.

1. Si se pretende dar una imagen popular, se colocan los productos en montones y desordenados.
2. Sin embargo, las que escogen una música tecno y estridente incitan a comprar deprisa.
3. Por su culpa, podemos bajar al supermercado a comprar leche y volver con dos bolsas llenas de otras cosas.
4. Otras tiendas han establecido un punto de entrada y otro de salida con un recorrido obligatorio por toda la tienda.

ESE CLIENTE, ¡QUE NO SE ESCAPE!

Nada es casualidad en una tienda: ni los colores, ni la música, ni la luz, ni el olor. Desde que entra en un establecimiento comercial, sobre todo en las grandes superficies, el cliente se convierte en víctima de la guerra de las marcas y puede salir de allí llevando algo que no estaba en sus planes o comprando algo en el último momento. Es lo que se llama "compra por impulso", un comportamiento provocado por el marketing y sus técnicas perfectamente medidas y estudiadas. En el argot profesional se denomina "publicidad en el punto de venta" e influye en casi el 30% de las ventas.

Todo empieza por los escaparates, diseñados cuidadosamente para influir en el cliente e incitarlo a comprar. Las tiendas caras, selectas y exclusivas optan por colocar un solo objeto en un entorno lujoso e iluminado por varios focos.

Dentro de la tienda, hay sitios donde se vende más, son las zonas "calientes", que suelen situarse en la entrada, en los extremos de los pasillos y al lado de la cola de la caja de salida. La altura a la que se colocan los productos también es importante. Se sabe que se vende más lo que queda a la altura de los ojos; un poco menos lo que está cerca de las manos y muy poco lo que tenemos a nuestros pies. Se supone que por tendencia natural miramos más a la derecha así que se colocan a ese lado los productos más nuevos o especiales. Un cambio de ubicación puede hacer subir las ventas de un producto en casi un 80%.

El recorrido del cliente también está estudiado. Es frecuente encontrar los productos básicos o de primera necesidad al fondo; así, hay que atravesar toda la tienda para llegar a ellos y resulta fácil caer en alguna tentación por el camino.

Las tiendas que apuestan por un hilo musical suave y relajante y con una decoración color pastel están invitando a permanecer allí durante un buen rato, a comprar tranquilamente. Una curiosidad; un experimento realizado en un hipermercado demostró que la música italiana elevaba las ventas de pasta.

b. Relaciona los elementos de los dos cuadros rojos y obtendrás cuatro consejos. Luego, escribe otros para no comprar de más.

		Tus consejos
No vayas de compras	con una lista	
Ve a la compra	con el estómago vacío	
No compres alimentos	si estás triste o enfadado	
Evita ir de compras	el día que cobres	

11. a. Una estudiante británica ha inventado un producto nuevo para niños. Lee la información y piensa un posible nombre comercial.

• Nombre del producto	....
• Problema que existe	Los niños de las sociedades industrializadas llevan cada vez una vida más sedentaria, juegan menos y hacen menos ejercicio. Su entretenimiento favorito es la televisión. El porcentaje de niños obesos es muy alto. Se estima que el 50% de los niños que son obesos a los seis años lo van a ser también de adultos.
• Descripción del producto	Unos zapatos con un dispositivo que registra la cantidad de ejercicio que realiza el niño a lo largo del día y lo transforma en tiempo de televisión al que tiene derecho.
• Funcionamiento	Los zapatos tienen un botón en la base que cuenta los pasos dados. Esta información es retransmitida mediante señales de radio a un aparato conectado al televisor. El dispositivo acumula un saldo de tiempo ganado y cuando este tiempo se acaba se apaga automáticamente la televisión. Por ejemplo, para ganar 15 minutos de tele es necesario caminar 1500 pasos.

b. Ahora, prepara los textos de dos anuncios de este producto, uno dirigido a los padres y otro dirigido a los niños.

12. MAÑANA

1. Conjuga los siguientes verbos en Futuro.

	mantener	deshacer	contradecir
(yo)	....	....	....
(tú)	....	....	....
(él/ella/usted)	....	....	....
(nosotros/as)	....	....	....
(vosotros/as)	....	....	....
(ellos/ellas/ustedes)	....	....	....

2. Completa las frases con la forma del Futuro del verbo correspondiente.

poder	haber	llegar	aprobar	terminar
subir	~~acostarse~~	poner	~~ir~~	hablar

1. Se calcula que en la India ...habrá.... unos 1600 millones de habitantes en el año 2075.

2. Estoy cansado de trabajar tantas horas. Mañana creo que ...hablaré... con el jefe.

3. Mira, Juan, solamente ...aprobarás... el examen si estudias.

4. ● ¿Todavía no han llegado?

   ○ No. Acaban de llamar. Estaban saliendo de la auto-pista, así que ...llegaremos... enseguida.

5. ● ¿Ya sabes qué vas a hacer estas vacaciones?

   ○ Pues seguramente ...iré... a Suiza, a ver a unos amigos.

6. Si compramos el piso este año, no ...podremos... ir de vacaciones.

7. Creo que Luis ...terminará... los estudios dentro de dos años.

8. Esta noche supongo que ...me acostaré... tempra-no. Estoy muerto.

9. El año que viene el ayuntamiento ...pondrá... en mar-cha un plan para solucionar los problemas de tráfico.

10. Muy probablemente, las temperaturas ...subirán... en toda la península en las próximas horas.

3. Responde a estas preguntas con una condición.

1.
● ¿Qué vas a hacer este verano?
○ Si ....,
....

2.
● ¿Qué vas a regalarle a tu mejor amigo por su cumplea-ños?
○ Si ....,
....

3.
● No estás muy contento con tu trabajo, ¿no?
○ No, no mucho. Creo que si ....,
....

4.
● ¿Qué harás si no encuentras trabajo?
○ Si ....,
....

5.
● ¿Qué vas a cenar esta noche?
○ Si ....,
....

6.
● ¿Vas a salir este fin de semana?
○ Depende. Si ....,
....

4. ¿Cómo crees que será tu vida dentro de dos años? Escribe, por lo menos, cinco frases.

1. ....
....

2. ....
....

3. ....
....

4. ....
....

5. ....
....

5. Escribe el verbo correspondiente a los siguientes sustantivos.

1. el aumento: *aumentar*

2. la predicción: ....

3. la amenaza: ....

4. la explosión: ....

5. el crecimiento: ....

6. la contaminación: ....

7. la reducción: ....

8. la venta: ....

9. la solución: ....

10. el descubrimiento: ....

11. la disminución: ....

12. la supresión: ....

13. la eliminación: ....

14. el cambio: ....

6. Imagina cómo será el mundo dentro de 50 años. Escribe frases relacionadas con los siguientes aspectos.

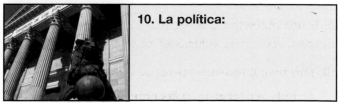

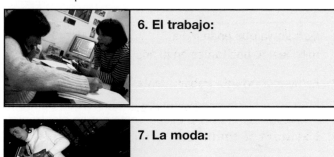

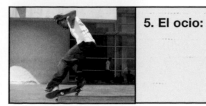
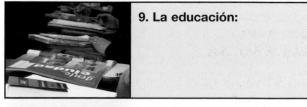

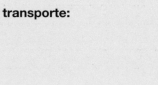

1. La familia:
El concepto de "pareja" será muy distinto. La sociedad aceptará otras opciones.

2. Los coches:

3. Las casas:

4. El transporte

5. El ocio:

6. El trabajo:

7. La moda:

8. La ecología:

9. La educación:

10. La política:

7. Escribe frases sobre tu futuro usando los siguientes elementos. Recuerda que puedes usar el Presente, **ir a** + Infinitivo y el Futuro.

1. Al terminar este ejercicio ....
....

2. Dentro de tres horas ....
....

3. Pasado mañana ....
....

4. El sábado por la noche ....
....

5. El domingo por la mañana ....
....

6. Al terminar el curso ....
....

7. Las próximas Navidades ....
....

8. Dentro de diez años ....
....

8. ¿A qué tipo de texto corresponde cada muestra?

1. No te preocupes, seguro que no tendrás ningún problema, ya verás. ¿Nos vemos después de la reunión?

2. El inglés Rooney no jugará la final.

3. La ceremonia inaugural tendrá lugar en el Centro Cultural y estará presidida por el rector de la Universidad.

4. Esta ciudad necesita un cambio, estamos cansados de palabras y de promesas vacías. Nosotros reduciremos los impuestos, haremos accesibles muchos más servicios, construiremos una ciudad moderna, una ciudad para el futuro.

☐ Mitin político   ☐ Mensaje de móvil

☐ Titular de prensa   ☐ Invitación a un evento

9. Mari Luz está nerviosa y preocupada porque dentro de una semana tiene que viajar a Nueva York para participar en un congreso. Imagina que te escribe este correo electrónico ¿Qué le dices para animarla y tranquilizarla? Escribe tu respuesta.

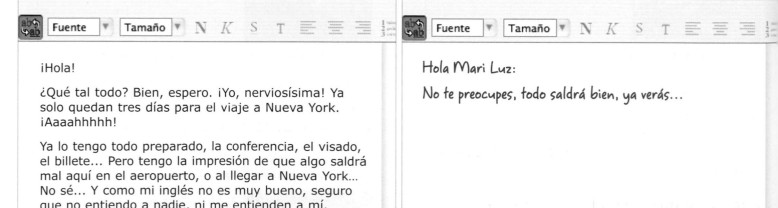

Fuente ▼	Tamaño ▼	N K S T ≡ ≡ ≡

¡Hola!

¿Qué tal todo? Bien, espero. ¡Yo, nerviosísima! Ya solo quedan tres días para el viaje a Nueva York. ¡Aaaahhhhh!

Ya lo tengo todo preparado, la conferencia, el visado, el billete... Pero tengo la impresión de que algo saldrá mal aquí en el aeropuerto, o al llegar a Nueva York... No sé... Y como mi inglés no es muy bueno, seguro que no entiendo a nadie, ni me entienden a mí. Además, nunca he estado en una ciudad tan grande y ¡nunca he participado en un congreso! Seguro que me pondré nerviosísima y que me equivocaré en algo, o que me faltará un papel o un dato o algo...

Bueno, lo único bueno que veo es que después de mi conferencia tengo dos días para disfrutar un poco, ver la ciudad y estar tranquila. Ya te contaré.

Besos,

Mari Luz

Fuente ▼	Tamaño ▼	N K S T ≡ ≡ ≡

Hola Mari Luz:

No te preocupes, todo saldrá bien, ya verás...

MÁS
CULTURA

• En esta sección encontrarás una pequeña antología de textos muy variados: artículos, reportajes, anuncios, correos electrónicos, fragmentos literarios (poesía y novela), biografías, etc. Con ellos podrás acercarte a la cultura hispana y, al mismo tiempo, aprender español.

• Si te apetece, puedes leerlos por tu cuenta. A veces, sin embargo, el profesor los utilizará en las clases como material complementario de una unidad.

• Como verás, estos textos abordan elementos culturales como los valores, las costumbres y las convenciones sociales de los hispanohablantes, sin olvidar manifestaciones culturales como la literatura, la música, el cine, etc. y sus protagonistas.

• Ten en cuenta estas recomendaciones:

- Hemos querido incluir temas interesantes y textos auténticos. Es normal, pues, que te resulten un poco más difíciles que los textos de la unidad.

- Antes de leer un texto, observa los aspectos gráficos y las imágenes: trata de prever de qué trata y qué tipo de texto es.

- No te preocupes si encuentras palabras que no conoces. Trata de deducir su significado por el contexto. ¡Haz hipótesis antes de decidirte a consultar el diccionario!

- No intentes entenderlo absolutamente todo. Busca las ideas principales o aquella información que necesitas para resolver la actividad que te proponemos.

1. AMÉRICA LATINA

A. ¿Crees que los países de América Latina comparten muchas cosas culturalmente hablando? ¿Cuáles?

B. Ahora, lee este poema para ver qué opina su autor.

AMÉRICA LATINA

Mi cuate, mi socio, mi hermano,
aparcero, camarada, compañero,
mi pata, m'hijito, paisano[1]...

He aquí mis vecinos,
he aquí mis hermanos.

Las mismas caras latinoamericanas
de cualquier punto de América Latina:
indoblanquinegros,
blanquinegrindios
y negrindoblancos...
Rubias bembonas[2],
indios barbudos
y negros lacios...

[...]

Alguien pregunta de dónde soy.
Yo le respondo lo siguiente:
nací cerca de Cuzco,
admiro a Puebla,
me inspira el ron de las Antillas,
canto con voz argentina,
creo en Santa Rosa de Lima
y en los orixás[3] de Bahía.

Yo no coloreé mi continente
ni pinté verde a Brasil,
amarillo a Perú,
roja a Bolivia.

Yo no tracé líneas territoriales
separando al hermano del hermano.

Poso la frente sobre el Río Bravo,
me afirmo pétreo sobre el Cabo de Hornos,
hundo mi brazo izquierdo en el Pacífico
y sumerjo mi diestra en el Atlántico.

Por las costas de Oriente y Occidente
doscientas millas entro a cada océano.

Sumerjo mano y mano
y así me aferro a nuestro continente
en un abrazo latinoamericano.

Nicomedes Santa Cruz

> **Estas palabras no existen en español...**
> **¿Qué crees que significan?**

[1] Todas estas palabras significan "amigo" en diferentes países de América Latina.
[2] con labios muy gruesos
[3] Fuerzas o energías de la naturaleza que actúan de intermediarios ante Dios en las religiones afrobrasileñas.

C. ¿Puedes marcar dónde aparecen las siguientes ideas en el poema?

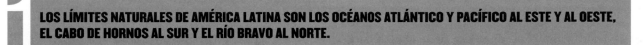

i LOS LÍMITES NATURALES DE AMÉRICA LATINA SON LOS OCÉANOS ATLÁNTICO Y PACÍFICO AL ESTE Y AL OESTE, EL CABO DE HORNOS AL SUR Y EL RÍO BRAVO AL NORTE.

2 LA POBLACIÓN DE AMÉRICA LATINA ES PRODUCTO DEL MESTIZAJE.

3 A PESAR DE LAS FRONTERAS ENTRE LOS PAÍSES, AMÉRICA LATINA PUEDE SER CONSIDERADA COMO UNA UNIDAD.

D. ¿Quieres saber más sobre el autor del poema? Lee esta pequeña biografía.

Nicomedes Santa Cruz Gamarra nació en Lima, Perú, en 1925, en el seno de una familia de artistas. Trabajó como herrero forjador hasta 1956. A partir de entonces, deja este oficio y se dedica a la poesía y a la investigación folklórica, que alterna con labores de periodista y promotor publicitario.

En 1958 comienza a escribir para los periódicos y sus décimas (poemas estructurados en estrofas de diez versos cada una) se hacen conocidas para el gran público. Ese mismo año funda el grupo *Cumanana*, dedicado a cultivar el arte negro en los géneros de la danza, el canto, el teatro, la música y la poesía.

La producción poética de Santa Cruz trata de las experiencias de los afroamericanos. Celebra la cultura negra y recuerda los tormentos de la esclavitud, al tiempo que discute la integración racial, los derechos humanos y los problemas sociales, políticos y económicos del Perú. Muchos de sus poemas han sido adaptados a canciones.

En 1980 visita Madrid, donde a partir de entonces fija su residencia. En la década de los 80, destaca sobre todo su labor como conferenciante en diferentes congresos y encuentros relacionados con la cultura negra. Muere en la capital española el 5 de febrero de 1992.

OBRA

LIBROS

Décimas, Cumanana, Canto a mi Perú, Décimas y poemas, Ritmos negros del Perú, Rimactampu: Rimas al Rímac y *La décima en el Perú.*

DISCOS

Gente Morena, Nicomedes Santa Cruz y su Conjunto Kumanana, Ingá, Décimas y Poemas, Cumanana, Octubre: Mes Morado, Canto Negro, Nicomedes Santa Cruz presenta: Los Reyes del Festejo, América Negra, Nicomedes en Argentina, Socabón, Ritmos Negros del Perú, Décimas y Poemas.

1. BUENOS AIRES

A. ¿Vives en una ciudad o cerca de alguna? ¿Cómo son las casas? ¿Son todas muy parecidas? ¿Se pueden diferenciar los distintos barrios por su arquitectura?

B. Lee este texto sobre la arquitectura de la ciudad de Buenos Aires, que también puede aplicarse a otras grandes ciudades de Argentina y a Montevideo. ¿Hay alguna cosa que te sorprenda? ¿Ha existido un proceso similar en tu ciudad o en alguna ciudad importante de tu país?

UNA CIUDAD EN CRECIMIENTO

LOS ORÍGENES: La "Gran aldea"

Durante todo el periodo colonial y gran parte del siglo XIX, las casas bonaerenses son de tipo romano, semejantes a las del sur de España. Son construcciones de una sola planta con una entrada y un patio central. En torno al patio, hay una galería y habitaciones que comunican entre sí y con el patio. A ambos lados de la entrada hay dos habitaciones que dan a la calle y que se usan como tienda o como bodega de artesano. La fachada es sencilla, sin adornos.

En esa misma época, las casas de las familias ricas tienen tres patios, con sus respectivas habitaciones. La parte delantera de la casa es la parte pública, a la que tienen acceso las visitas. En torno al segundo patio se desarrolla la vida privada de la familia y el tercer patio es la zona reservada a los esclavos, las cocinas y los retretes. En estas construcciones suele haber, además, un pequeño huerto. Este tipo de casa es un reflejo de la sociedad colonial, con sus clases sociales separadas y muy diferenciadas.

En 1870, la ciudad sufre una epidemia de fiebre amarilla: las familias ricas abandonan el casco antiguo y se instalan en la zona norte, donde construyen magníficas casas señoriales a imitación de las de París. Las casas del centro y del sur quedan vacías y allí se instalan los inmigrantes que huyen del hambre y de las guerras de Europa. Como no tienen suficiente dinero para alquilar las casas enteras, las familias de inmigrantes alquilan una habitación y, de esta forma, los patios se convierten en espacio de convivencia entre gentes de diferentes procedencias y lenguas. Este tipo de vivienda se conoce como "conventillo".

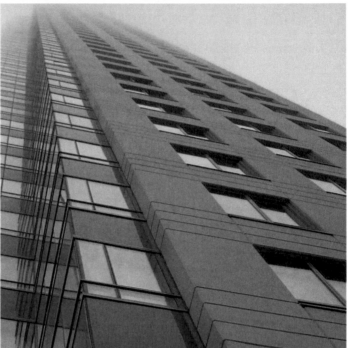

OLEADAS MIGRATORIAS: Nuevas soluciones

Algunos años después, los inmigrantes comienzan a construir sus propias casas en las afueras, donde los terrenos son más baratos. Así nacen los nuevos barrios del sur, norte y oeste. Sin embargo, los terrenos que adquieren los inmigrantes son demasiado pequeños (las parcelas de 10 metros de frente y unos 50 de fondo no son suficientes para construir la típica casa romana) por lo que se opta por edificar sobre dos terrenos para, luego, dividir la construcción a lo largo. Es lo que se llama "casa chorizo", el gran rasgo distintivo de la arquitectura popular local.

La casa chorizo tiene una entrada lateral que lleva al patio, el cual está conectado a habitaciones de gran altura (4,5m). Estas están dispuestas en fila y comunicadas entre sí mediante puertas interiores y por una galería externa. Un comedor cierra el primer patio y un pasillo comunica con el segundo, donde está la cocina. A veces, existe un tercer patio con una pequeña huerta. Como todas las casas son prácticamente iguales, cada familia decora a su manera la fachada, utilizando elementos arquitectónicos traídos de Francia o de Italia.

Una nueva variante que surge a mediados del siglo XX son los apartamentos horizontales, adaptados también a este tipo de terrenos pequeños. Se trata de un pasillo al aire libre, largo y estrecho, que lleva a cuatro casas. Cada una de ellas tiene un pequeño patio, una cocina, un retrete y una o dos habitaciones en la planta baja, y dos o tres dormitorios pequeños y una azotea en la primera. Con el desarrollo industrial y las migraciones internas, la imagen de la ciudad se transforma y en todos los barrios se construyen edificios de apartamentos: en los años 70 predominan los edificios de 10 o más pisos. Eso sí: siempre con amplios balcones o terrazas. En el centro comercial de la ciudad, cerca del río, comienzan a surgir rascacielos de vidrio y metal que alojan oficinas u hoteles. Aparecen también los primeros barrios residenciales, con enormes chalets rodeados de jardines, sobre todo en la zona norte.

Pero existe otra cara del fenómeno migratorio de la segunda mitad del siglo XX. Miles y miles de personas que llegan del interior del país en busca de una vida mejor fracasan en su intento y se instalan alrededor de la ciudad en enormes barrios de chabolas, sin servicios sanitarios ni comodidades. Estos nuevos barrios son llamados oficialmente "villas de emergencia", aunque el pueblo los rebautiza como "villas miseria".

Por otra parte, ante la crisis económica de los años 90, los nuevos sectores privilegiados de la sociedad se refugian en barrios cerrados con muros y guardias de seguridad y viven separados del resto de los habitantes. Mientras, la mayoría de los porteños sigue viviendo en las casas de siempre: casas chorizo, apartamentos horizontales y pisos modernos.

1. PICASSO Y SUS MUJERES

A. ¿Qué sabes de Pablo Picasso? ¿Conoces su obra? Lee este texto para descubrir algo más sobre el artista.

AMORES Y DESAMORES DE UN GENIO

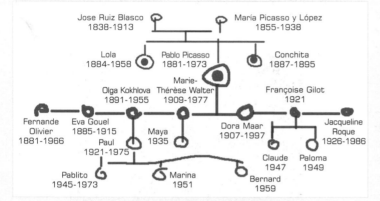

Jose Ruiz Blasco 1838-1913 — María Picasso y López 1855-1938
Lola 1884-1958 — Pablo Picasso 1881-1973 — Conchita 1887-1895
Olga Kokhlova 1891-1955 — Marie-Thérèse Walter 1909-1977 — Françoise Gilot 1921
Fernande Olivier 1881-1966 — Eva Gouel 1885-1915 — Maya 1935 — Dora Maar 1907-1997 — Jacqueline Roque 1926-1986
Paul 1921-1975 — Claude 1947 — Paloma 1949
Pablito 1945-1973 — Marina 1951 — Bernard 1959

Se han escrito páginas y páginas que analizan la obra y que comentan los detalles de la larga e intensa vida sentimental de Pablo Ruiz Picasso (1881-1973), el más famoso, versátil y prolífico artista del siglo XX y los biógrafos coinciden en señalar la estrecha relación entre su arte y sus mujeres. Paula Izquierdo, experta en la biografía amorosa de Picasso y autora de "Picasso y las mujeres", se atreve a ir más lejos: Picasso fue genial "pero también tirano, vividor, verdugo y víctima, amante infatigable de las mujeres, de la pintura y de la vida".

"Pinto igual que otros escriben su biografía. Los cuadros terminados son las páginas de mi diario". Picasso

Efectivamente, son muchas las mujeres que lo acompañaron a lo largo de su vida (e incontables sus amantes). La bella Fernande Olivier, la bailarina rusa Olga Kokhlova, M. Thérèse Walter, la fotógrafa Dora Maar, Francoise Gilot o la mujer que vivió con él hasta el final de sus días, Jacqueline Roque, fueron, entre otras, además de sus compañeras, sus modelos. Todas ellas le producen, en un primer momento, una gran pasión creativa, casi febril. Las pinta obsesivamente. "Hay algo de antropófago en los retratos que hace de forma casi compulsiva. Como si necesitara exorcizar sus sentimientos. Aprehender a la mujer amada a través de su pintura, poseerla hasta el agotamiento", explica Paula Izquierdo.

Cuando la relación se deteriora, la imagen pictórica de la amante se deforma, se refleja con dolor y hasta con horror. Cada retrato refleja los sentimientos que le inspira su modelo, en qué estado de ánimo se encuentra, si está feliz o si se siente desgraciado. Por ejemplo, los retratos que hace a Olga Kokhlova en 1917 no se parecen en nada a los que pinta cuando la relación está a punto de terminar. Lo mismo ocurre con la imagen de Françoise Gilot: al final de su vida en común, después de que ella lo ha abandonado, Picasso la retrata con la cara partida por la mitad.

Algunas de ellas

◆ PICASSO, UN NIÑO RODEADO DE MUJERES

Pablito crece rodeado de sus hermanas y de su madre, sin primos ni hermanos con los que jugar. Cuando su hermana Conchita enferma gravemente, Picasso jura que dejará de pintar si ella muere. Tras la muerte de la frágil niña, Pablo rompe su juramento.

◆ FERNANDE OLIVIER

En los ambientes bohemios de París, Picasso conoce a esta bella mujer de rostro ovalado y ojos verdes. Es su primer gran amor y la paleta del artista pasa de los tonos azules y verdes al rosa. Pero, con los años, Fernande, escritora aguda y mujer refinada, empieza a cansarse de los celos obsesivos del artista. Ya a finales de 1906, Picasso borra cualquier rastro de belleza de Fernande: la retrata como un personaje sin rastro de feminidad.

◆ EVA GOUEL

El genio se enamora perdidamente de esta delicada y menuda joven. Nada más separarse de su anterior esposa, Fernande, abandona el cubismo analítico y comienza la etapa del cubismo sintético, por lo que apenas hay retratos de Eva. Picasso y su nueva mujer se van a vivir al barrio de Montparnasse, y pasan temporadas en Céret, la meca del cubismo, y en Avignon. Pronto, sin embargo, Eva enferma y fallece.

◆OLGA KOKHLOVA

En 1917, durante un viaje a Italia, Picasso conoce a la bailarina rusa Olga Kokhlova, que abandona su compañía de danza para casarse con él. Olga significó un cambio radical en la vida de Picasso: se instalaron en la elegante calle parisina de la Boétie y comenzaron a llevar una vida burguesa y acomodada. En esta época, el artista se ha alejado ya del cubismo para emprender lo que los críticos denominan «el retorno al clasicismo».

◆MARIE THÉRÈSE WALTER

Es la mayor pasión sexual de la vida del artista. La conoce cuando ella tiene solo diecisiete años y, aunque Picasso la abandona por Dora Maar, es una de las pocas mujeres que mantiene contacto con él durante toda la vida. De hecho, se siguen viendo durante los treinta años que pasan desde la ruptura de la pareja hasta la muerte del genio, tras la cual Marie Thérèse cae en una terrible depresión. Una curiosidad: ella es la única persona a la que Picasso permite cortarle el pelo y las uñas.

◆DORA MAAR

Es una mujer inteligente y una brillante fotógrafa. A pesar de que ha quedado de ella la imagen de una mujer trastornada por el abandono de Picasso, debemos recordar a la Dora Maar revolucionaria, integrante del grupo Contre-Attaque, que acerca a Picasso al Partido Comunista y, también, la imagen elegante y misteriosa que de ella han dejado algunas fotografías realizadas por Man Ray, Lee Miller y Brassaï durante los años treinta y cuarenta. En su compañía, Picasso pinta el *Guernica* mientras Dora fotografía, una por una, las fases de creación del cuadro (en el que ella aparece como la mujer llorando que sujeta la lámpara).

◆FRANÇOISE GILOT

En mayo de 1943, Picasso conoce a la joven pintora Françoise Gilot, quien, a finales de año, comienza a aparecer en algunos retratos. Es 20 años más joven que Dora y 40 más joven que Picasso. Durante los años de convivencia (1943-1952) nacen dos hijos, Claude (1947) y Paloma (1949). Tampoco para Françoise, una mujer inteligente que quiere conservar su independencia, es fácil vivir con el genio, y se aleja de él en 1953. Picasso nunca aceptó este abandono.

◆JACQUELINE ROQUE

En 1953, Picasso conoce a Jacqueline. Él ha cumplido los 72 años y ella tiene solo 27. Jacqueline ofrece a Picasso lo que necesita: una joven musa (en 1967 la retrata 167 veces) que vive exclusivamente pendiente de él. Viven juntos durante 20 años, sin duda, gracias al carácter sumiso de Jacqueline. Para ella, Picasso lo es todo y la muerte del artista en 1973 es una tragedia de la que ya nunca se recupera. Trece años después de la muerte de Picasso, pone fin a su vida en su residencia de Mougins.

RETRATOS DE MARIE THÉRÈSE WALTER

C. El texto anterior está dedicado a un aspecto concreto de la vida y la obra de Picasso. ¿Por qué no buscas información y preparas un texto sobre otro aspecto de su vida o de su obra?

1. ¿QUÉ? ¿CÓMO? ¿CUÁNDO? ¿CON QUIÉN?

En tu idioma, ¿hablas a todo el mundo de la misma manera? Por ejemplo, ¿pides un favor del mismo modo a tu pareja, a tus amigos, a tu jefe o a un desconocido por la calle? Piensa otros casos. ¿Cómo son y a qué crees que se deben las diferencias? Lee el texto para encontrar algunas respuestas.

¿QUÉ ES SER CORTÉS?

Cada sociedad establece una serie de normas que regulan el comportamiento de sus miembros: normas sobre qué se puede y qué no se puede hacer en cada situación o sobre qué está bien visto y qué está mal visto. De la misma forma, las lenguas, como principal herramienta de relación social, también tienen sus normas: qué se puede decir y qué no se puede decir, qué hay que decir y cómo hay que decirlo, de qué manera hablamos a unas personas o a otras… Por tanto, comunicarse "correctamente" en una lengua es algo más que conocer el vocabulario y las reglas gramaticales. En el caso del español, hay que tener en cuenta, además, que son muchos los países donde se habla y que cada uno de ellos tiene costumbres propias, a veces bastante diferentes.

Observemos un ejemplo concreto: la diferencia entre *tú/vosotros* y *usted/ustedes* en España. Entre adultos jóvenes, incluso desconocidos, se usa *tú*… Pero también hay personas a las que vemos todos los días y que conocemos de toda la vida, con las que solemos hablar de "usted": el portero del edificio, el médico, la madre de un amigo… Cuando un adulto de mediana edad se dirige a otro por la calle para pedirle una información suele usar *usted* (*Perdone, ¿la calle Fuencarral?*) pero si, por ejemplo, lo insulta mientras conduce, seguramente va a usar *tú* (*¡Eh, tú! ¿No ves por dónde andas?*). El uso de una forma u otra entre compañeros de trabajo varía de una profesión a otra, y de una empresa a otra. Y muchos profesores universitarios se tutean con sus estudiantes. En cambio, con personal que ocupa un puesto "inferior" en la jerarquía laboral, es frecuente utilizar *usted*. Como

podemos ver, muchas veces el *usted* marca distancia entre las personas que hablan más que "respeto" o "cortesía". En cualquier caso, en cada situación de comunicación los hablantes eligen el tratamiento teniendo en cuenta muchos factores: la jerarquía, la edad, el sexo, el ambiente social, el estado de ánimo…

Estos son solo algunos ejemplos de las convenciones sociales que intervienen en la comunicación, pero la lista sería casi infinita: a quién llamamos *señor* y a quién nos dirigimos por su nombre de pila, cuándo damos las gracias y cuándo no; a quién, cuándo y cómo le podemos quitar el turno de palabra… Además, no hay que olvidar todos los aspectos no verbales (distancia, gestos, etc.) que están estrechamente relacionados con la comunicación lingüística. ¿Cómo enfrentarse, pues, cuando aprendemos una lengua, a este código complicado y de algún modo "secreto" que comparten los nativos?

En primer lugar, tenemos que ser conscientes de la importancia de este tipo de convenciones. Un "error" de cortesía, aunque tenga que ver con nuestros conocimientos limitados de la lengua o de la cultura, es siempre más grave que una falta de gramática (a nadie se le considera "mal educado" si usa *ser* en lugar de *estar*, por ejemplo). Los nativos, en cambio, pueden pensar que eres una persona rara o agresiva si dices *dame un vaso de agua*. En segundo lugar, debemos aceptar que solo una larga observación del modo en el que se comunican los nativos puede ayudarnos a desenvolvernos con éxito en la lengua que queremos aprender.

¿ME PUEDES TRAER UN VASO DE AGUA?

En todas las lenguas está muy codificado cómo pedir cosas y solemos encontrarnos con muchas formas de hacerlo. En español, por ejemplo, podemos pedir un simple vaso de agua de mil maneras:

- ¡UN VASO DE AGUA!
- TRÁEME UN VASO DE AGUA, ANDA.
- TRÁIGAME UN VASO DE AGUA, POR FAVOR.
- ¿ME PUEDES TRAER UN VASO DE AGUA?
- ¿TE IMPORTA TRAERME UN VASO DE AGUA?
- ¡QUE ME TRAIGAS UN VASO DE AGUA!

Incluso podemos pedirlo indirectamente:

BUFFF…TENGO UN POQUITO DE SED.

Si suponemos, además, que lo que pedimos representa una molestia para nuestro interlocutor, usamos formas como el condicional y justificamos, con mucho detalle, la petición, incluso cuando hay confianza. Si nuestro interlocutor está muy lejos de la cocina, podríamos decir:

¿ME PODRÍAS TRAER UN VASO DE AGUA? ES QUE HE VENIDO CAMINANDO Y TENGO UNA SED…

1. MAR O MONTAÑA

A. ¿Qué plan prefieres para unas vacaciones? ¿Ir a la costa o a la montaña? Aquí tienes información sobre seis espacios naturales en España. En grupos, decidid cuál os gustaría visitar y por qué.

Espacios naturales

España fue uno de los primeros países europeos que creó parques nacionales. En la actualidad la Red de Parques Nacionales está integrada por trece áreas de interés natural y cultural. Además, existen otros espacios protegidos (parques naturales, reservas naturales, etc.). En la actualidad hay algo más de 700 espacios gestionados por las diferentes comunidades autónomas.

PARQUE NACIONAL DE LOS PICOS DE EUROPA

Es el mayor Parque Nacional de Europa y abarca tres comunidades: Asturias, Cantabria y Castilla y León. Estos picos ofrecen la posibilidad de practicar alpinismo, senderismo, deportes de invierno, acuáticos... El turismo está bien organizado, con buenos accesos y con muchos hoteles y refugios. Una curiosidad: estas montañas son el hábitat natural del oso pardo.

PARQUE NATURAL DE LAS ISLAS CÍES

El archipiélago de las Cíes está situado en la entrada de la Ría de Vigo. Está formado por tres islas y por una serie de islotes menores. Es un importante refugio de aves marinas. Su vegetación y la variedad de sus paisajes hacen de estas islas uno de los enclaves naturales más importantes de Galicia. Las visitas están controladas y solo se admite una determinada cantidad de visitantes por día.

PARQUE NACIONAL DE SIERRA NEVADA

En la provincia de Granada se encuentra el macizo montañoso más alto de la península. Alberga una de las estaciones de esquí más importantes de Europa, en la que se pueden practicar todo tipo de deportes de invierno durante el otoño, el invierno y los primeros días de la primavera. No es difícil ver aves como buitres, águilas y halcones.

PARQUE NATURAL DE LA ALBUFERA DE VALENCIA

Es una de la zonas húmedas más importantes de la Península Ibérica. Está formada por una gran llanura rodeada de elevaciones y separada del mar por grandes líneas de dunas. Hay diversidad de ambientes en el parque: playa, lago, dunas, arrozales... Las mejores épocas para visitarlo son la primavera y el invierno. Es una reserva para aves migratorias y para muchas especies vegetales.

PARQUE NACIONAL DE GARAJONAY

Declarado Patrimonio Natural de la Humanidad por la UNESCO y situado en las cumbres más altas de la isla de La Gomera (Canarias), este espacio se encuentra gran parte del año cubierto por nieblas y nubes que proporcionan un ambiente húmedo y con temperaturas estables. En este espacio conviven especies de plantas protegidas y exclusivas del parque. Hay visitas y excursiones organizadas con guías profesionales.

PARQUE NATURAL DE CABO DE GATA-NÍJAR

La Sierra de Cabo de Gata constituye el macizo de origen volcánico más importante de la Península Ibérica. La costa se compone de impresionantes acantilados erosionados por el mar, extensas playas desiertas, pequeñas calas y dunas. Se puede visitar el parque a pie, en bicicleta o a caballo y practicar la vela y el windsurf. La época ideal para visitarlo son los meses de febrero y marzo, y de septiembre a noviembre.

B. ¿Existen parques similares en tu país? ¿Cuál es el más famoso? ¿Has ido a alguno?

1. LA CULTURA DEL MAÍZ

A. ¿Qué sabes sobre el maíz? ¿Se consume mucho en tu país? ¿De qué forma? ¿Está presente en tu dieta?

B. Lee el siguiente texto si quieres saber más sobre este cereal.

LOS HIJOS DEL MAÍZ

Cuando los españoles llegaron a América, se encontraron con una planta cultivada a lo largo de casi todo el continente: el maíz. Lo que seguramente nunca pensaron fue que el maíz sería para la humanidad la más importante de las riquezas que ofrecían los nuevos territorios.

Pero, además de su importancia en la alimentación mundial, el maíz tiene otra dimensión especial en el continente americano: es un vínculo entre los diferentes países y llega a ser considerado milagroso en algunos lugares, donde se utiliza en diversas celebraciones religiosas y en la medicina popular.

Este cereal forma parte de la mitología de los pueblos precolombinos. Según consta en el *Popol Vuh*, el libro sagrado de los mayas, los animales informaron a los dioses de la existencia de un lugar en el que había muchos alimentos: el maíz blanco y el amarillo, el cacao, la miel y muchos otros. Los dioses se reunieron para decidir cómo crear a los seres humanos y decidieron emplear para ello únicamente masa de maíz.

Leyendas aparte, hoy sabemos que el maíz, tal y como lo conocemos actualmente, no es una planta en su estado natural, sino que sino que se trata del resultado de los experimentos de pueblos centroamericanos, que alrededor del 7000 a. C. lograron la variedad actual (*Zea mays*).

El cultivo del maíz está extendido por todo el continente americano, pero es en Centroamérica donde su presencia en la vida de las personas se hace más evidente. El caso más llamativo es quizás el de Nicaragua, donde el maíz tiene incluso su propia deidad: Xilochem, la "diosa del maíz tierno".

Además de las tortillas y de las mazorcas asadas que se venden en la calle, en Nicaragua podemos encontrar infinidad de platos y dulces hechos a base de maíz: tamales, atol, pinol, perrerreque y muchos más. Con el maíz también se hacen bebidas, como la chicha, el pinolillo, la cususa y el pozol, entre otros. El 60% de la población del país consume a diario maíz en forma de tortillas.

MAÍZ A TODAS HORAS DEL DÍA

Hay más de 3500 usos diferentes para los productos obtenidos del maíz y cada día se descubren nuevas aplicaciones. La enorme presencia de esta planta y de sus derivados en nuestras vidas resulta sorprendente.

POR LA MAÑANA

El maíz nos acompaña desde que nos levantamos. Muchos jabones, geles, cosméticos y cremas de afeitar incluyen derivados del maíz en su composición. A la hora del desayuno, los famosos copos de maíz son los protagonistas en muchísimos hogares. Los que prefieren las clásicas tostadas con mantequilla y mermelada tampoco se libran: el pan de molde puede contener elementos extraídos del maíz y la margarina también puede estar hecha a partir de esta planta. Si la elección es un croissant, hay que saber que las levaduras que se utilizan en su elaboración provienen del maíz.

A TRABAJAR

Las personas que van a trabajar en coche o en autobús están rodeadas de maíz: la batería, las bujías, los neumáticos y muchos acabados sintéticos incluyen en su composición derivados químicos de este cereal. Ya en clase o en el trabajo, son muchos los materiales que seguramente han sido tratados con alguno de sus derivados: papel, cartón, madera, adhesivos, tinta, tejidos…

AL MEDIODÍA

Podemos encontrar maíz en el aceite, en las verduras en conserva, en la mostaza, en la mayonesa, en el ketchup, en los derivados lácteos, en los congelados... También, de manera indirecta, en la carne y en los huevos que consumimos, ya que estos proceden con frecuencia de ganado alimentado con compuestos que incluyen maíz en un elevado porcentaje. De los productos que podemos encontrar en una tienda de alimentación, al menos una cuarta parte lleva maíz en su composición.

A LA HORA DE LA MERIENDA

Casi todas las bebidas con gas utilizan edulcorantes obtenidos del maíz. Incluso en las cervezas sin alcohol se ha sustituido el almidón extraído de la cebada por el del maíz para conseguir fórmulas más ligeras. Las golosinas de los niños también llevan maíz: caramelos, chocolate, regaliz, chicles, patatas fritas…

POR LA NOCHE

Si hoy nos apetece pizza, no podemos olvidar el almidón de maíz en la salsa de tomate y la harina de maíz en la masa. Si en vez de eso preferimos la cocina mexicana, los tacos y las tortillas también estarán hechos con maíz. Y, de postre, una buena película acompañada de una ración gigante de palomitas.

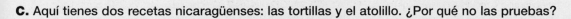

C. Aquí tienes dos recetas nicaragüenses: las tortillas y el atolillo. ¿Por qué no las pruebas?

TORTILLAS

Se mezcla la harina de maíz con agua hasta obtener una masa que no se pega en las manos. Se calienta el comal (disco de barro o de metal), se hace una bolita de masa y se aplasta con las manos hasta que queda redonda y plana. Se pone en el comal y se asa por los dos lados.

ATOLILLO

Se baten 200 gramos de maizena (fécula de maíz) con agua para obtener una crema espesa. Se mezcla con 4 litros de leche y se agrega canela en rama, clavo y uvas pasas. Se cuece todo a fuego lento hasta que se forma una crema. Se sirve en recipientes individuales, se espolvorea con canela y se deja enfriar.

1. ¡VAYA VIAJE!

A. Elsa y Carla están haciendo juntas un largo viaje por los países del Cono Sur, pero cada una lo está viviendo de manera muy diferente. Lee los mensajes que les han enviado a dos amigos (uno en la tercera semana de viaje y el otro en la séptima) y di si tus vacaciones ideales coinciden más con lo que le gusta a Elsa o más con lo que le gusta a Carla.

Para:	Beatriz Odriozola Fuentes
Asunto:	¡Buf!

Querida Bea:

¿Qué tal estáis? Yo aquí... deseando volver a casa. Hace tres semanas que estamos viajando por el Cono Sur y ya estoy un poco cansada. Empezamos por Tierra del Fuego, en Argentina, pero la verdad es que no me gustó nada... ¡qué lugar tan triste! Frío, gris... y solitario. Luego subimos a la provincia de Santa Cruz y fuimos a ver el glaciar **Perito Moreno**. ¡Es impresionante! ¿Sabes qué es un glaciar? Pues es un río congelado... todo hielo... enorme... Imagínate un bloque de hielo sin fin que avanza muuuuuy lentamente y que se rompe en grandes trozos cuando llega al lago. De ahí cogimos un avión a **Bariloche**, bastante más al norte, junto a los Andes. Me gustó mucho más, pero tampoco es nada del otro mundo. Se parece a los pueblecitos del Tirol... vamos, que de Sudamérica una espera otra cosa, ¿no? Eso sí: hacen unas mermeladas estupendas, y los ciervos son tan bonitos... Luego cruzamos a Chile. No comprendo a Carla: ¡le ha gustado la travesía de los Andes! Está loca, loca de atar. Yo todavía me mareo cuando recuerdo el camino... y el frío... brrrrrr... Recorrimos Chile hasta San Pedro de Atacama, en el norte del país. La verdad es que la capital, Santiago, no me impresionó, pero Valparaíso y Viña del Mar son increíbles. Quise quedarme unos días, pero Carla insistió en continuar el viaje... Parece que si no hay soledad, tierra y bichos no está contenta. Imagínate que toda esa prisa era ¡para ir a **Atacama**! ¡Un desiertooooooo! ¿Tú, en tu sano juicio, irías a un lugar que se llama "Valle de la Muerte"? Pues Carla sí, y tan contenta. Ahora te escribo desde La Paz, la capital de Bolivia. Al menos aquí hay algo de movimiento y he encontrado un cybercafé. Echo de menos Madrid, no sé por qué acepté acompañar a Carla en este viaje. Pero ya le he dado un ultimátum: o vamos a **Oruro** o vuelvo a Madrid en el primer avión. Pasado mañana comienza el carnaval y no pienso perdérmelo. Bueno, creo que ya me he desahogado un poco. Perdona mi mal humor, pero es que me muero de ganas de volver a casa. Por cierto, ¿qué tal tú? ¿Cómo te va en el nuevo trabajo? Ya me contarás, ¿vale?

Un besote. Elsa

Para:	Aitor Ibarra Arias
Asunto:	Noticias del sur

¿Qué tal, Aitor? ¿Cómo te va?

Supongo que ya has vuelto de las vacaciones, ¿verdad? A nosotros nos quedan tres días. Casi me alegro de que esto se acabe por fin. No lo soporto más. Elsa se ha pasado todo el viaje quejándose y me ha arruinado lo mejor. ¿Puedes creer que no le han gustado ni Tierra del Fuego, ni Bariloche, ni los Andes? Si no hay gente y muchas tiendas, la señorita no está contenta. Pero no solo se queja, no. A la que te descuidas, ya está comprando algo. En Bariloche compró toneladas de mermeladas y de chocolates, y en Chile, le dio por la cestería. ¡Va a llenar su casa de tonterías! Por lo menos pesan poco... (Me estoy comiendo las mermeladas, para no tener que cargar con ellas. Je, je) También hemos estado en Bolivia. Elsa quiso ir a ver los carnavales de Oruro y se compró una máscara enorme de muchos colores, con cuernos y unos ojos saltones (representa un diablo o algo así). Bueno, el caso es que es horrorosa y que hace casi un mes que cargamos con la dichosa máscara de aquí para allá. Y lo peor es que, con tanto carnaval, al final me quedé sin ver el lago Titicaca. Con la ilusión que me hacía... De Bolivia pasamos a Paraguay. ¡Es alucinante ver la naturaleza en todo su esplendor! ¡Pensaba que no podía haber tantos tonos de verde! Y la histérica de Elsa, protestando por los mosquitos... Pero no creas, que también allí se dedicó a comprar y a comprar (creo que ya tenemos más de veinte kilos de exceso de equipaje...). Ahora estamos en **Buenos Aires**. Esta ciudad es el caos. Imagínate tres Madrid juntos. Y con un calor, y una humedad... Sin hablar del ruido y de la contaminación. Me han gustado los parques (hay muchos y son muy grandes), pero el resto me parece un horror: edificios altísimos y grises, y coches por todas partes. Y lo peor de todo es que Elsa está encantada y dice que le gustaría vivir aquí. Me ha arrastrado a hacer compras por todas partes, hemos visitado mil museos y exposiciones y hemos ido tooodas las noches a ver espectáculos. Lo único que me ha gustado ha sido la visita a una estancia (una casa de campo). La Pampa es realmente impresionante, parece un mar verde y hay unos árboles enormes, que en realidad no son árboles sino hierbas, que se llaman ombúes. Bueno, ahora tengo que dejarte porque Elsa está esperándome en la puerta del cybercafé con las entradas para un concierto en la mano... Vaya rollo. Por suerte, dentro de tres días volvemos a casa... Espero que tus vacaciones hayan sido mejores.

Un beso. Carla

B. Aquí tienes algunas fotos que Carla y Elsa hicieron en los lugares que aparecen destacados en negrita. Escribe el nombre del lugar en la imagen correspondiente. Luego, de todas las cosas y de todos los lugares sobre los que hablan en los mensajes, di cuáles te gustaría conocer y por qué. Puedes buscar más información en Internet si necesitas tener una idea más clara de algo.

C. ¿Te has fijado en que cuando escribimos un correo electrónico a un amigo lo hacemos con un estilo similar al de la lengua hablada? ¿Pasa lo mismo en tu lengua? ¿Qué recursos utilizan Elsa y Carla para hacer el mensaje más coloquial? ¿Por qué no envías tú un correo electrónico a alguno de tus compañeros, o a tu profesor, contándole cómo fue tu último viaje?

1. ¿LA IMAGEN IDEAL?

A. ¿Cuál es para ti la imagen, el aspecto físico ideal de una persona? ¿Crees que coincide con la opinión general de la gente de tu país?

B. Ahora, lee el siguiente artículo. ¿Te sorprende alguna de las informaciones que aparecen? ¿Estás en desacuerdo con alguna?

CÁNONES DE BELLEZA

Todos sabemos que, hoy en día, la imagen de una persona triunfadora se corresponde con la de una persona delgada. En todo el mundo occidental, ser delgado es ser bello, sano, elegante, disciplinado... Sin embargo, la obsesión por tener un cuerpo delgado y esbelto puede convertirse en un problema.

Existen infinidad de casos de personas que, guiadas en muchas ocasiones por anuncios de dietas y productos "milagrosos", han cometido errores graves en su alimentación y han sufrido, a medio o a largo plazo, problemas serios de salud. Antes de comenzar cualquier régimen, lo mejor es consultar a un médico nutricionista para determinar si se sufre sobrepeso, buscar sus causas y valorar las posibles soluciones.

ALGUNOS DATOS

Un estudio refleja que en la Comunidad de Madrid entre un 5% y un 10% de los chicos de 15 y 16 años hace dieta. Otros estudios indican que en España un 6% de la población joven (más de 300 000 personas) padece algún tipo de trastorno alimenticio.

En 2001, un congreso de expertos españoles desveló que hacer una dieta rigurosa eleva 18 veces el riesgo de anorexia y bulimia.

Los gobiernos occidentales están comenzando a tomar medidas para difundir unos modelos estéticos realistas. En España, incluso ha habido iniciativas parlamentarias para informar a la población acerca de los peligros de una distorsión de la imagen corporal y para que los fabricantes de ropa comercialicen tallas superiores a la 40.

NO HAY SOLO UNA BELLEZA FEMENINA

Los medios de comunicación, la publicidad y la industria dietética tratan de imponer estándares de belleza en la sociedad actual. Sin embargo, antes de acomplejarnos con nuestro físico, debemos recordar que lo hacen exclusivamente por motivos económicos.

Hay que acabar con el mito de que "la gente gorda es fea". La belleza es un concepto cultural que cambia en el tiempo y en el espacio. Si nos remontamos a principios del siglo XX, nos encontramos con que la actriz y cantante inglesa Lilian Russell, con sus casi 100 kilos, es el *sex symbol* del momento. Marilyn Monroe, por poner otro ejemplo, sería considera-

da gorda hoy en día. Si vemos cuál ha sido el canon de belleza femenina a lo largo de la historia, descubrimos que el concepto de belleza femenina asociado a la delgadez es un "invento" muy reciente de nuestra sociedad.

En las civilizaciones antiguas, se asocia a la mujer con la fertilidad y, por ese motivo, las muestras artísticas que han llegado hasta nosotros nos ofrecen la imagen de una mujer robusta, de grandes pechos y caderas. Las imágenes de mujeres en la escultura grecorromana y en la pintura medie-

val y renacentista son más estilizadas, pero siguen teniendo marcados atributos femeninos o aparecen embarazadas.

Durante el Barroco, reaparece la imagen de la mujer rolliza, sobre todo en los desnudos de tema mitológico. Esta tendencia se mantiene en los períodos posteriores.

Ya en el siglo XX, las primeras representaciones de mujeres extremamente delgadas y sin curvas aparecen en la década de los 30 y reaparecen en los años 60, momento en el que la industria de la moda impone una imagen andrógina que permanece hasta nuestros días. Una de las pocas excepciones que en este sentido parece haber conservado el mundo del arte es la obra del colombiano Fernando Botero que, en sus pinturas y esculturas, representa figuras no ya robustas, sino obesas.

LOS PUEBLOS DE AMÉRICA LATINA

La apariencia frágil de la mujer bella del mundo occidental moderno contrasta con en el ideal de los pueblos originarios de América Latina, para los que la mujer apreciada es aquella que demuestra fortaleza para la supervivencia y para la reproducción. Y no es de extrañar, puesto que muchos de estos pueblos son itinerantes y la mujer se ve obligada a cargar con sus hijos y con sus pertenencias.

Algunos sociólogos afirman que en los pueblos de los Andes la constitución física determina la forma de llevar la ropa. Por ejemplo, no está bien visto que una mujer delgada lleve falda. Se trata de un concepto de estética diferente, que aprecia la abundancia frente a la escasez.

1. RECUERDOS DE INFANCIA

A. En los siguientes textos, tres escritores evocan imágenes de su infancia. Seguramente, vas a encontrar muchas palabras que no conoces. Por eso, vamos a experimentar algunas estrategias para aprender vocabulario.

- A. Primero, lee y señala con un color todas las palabras que no conoces.
- B. Vuelve a subrayar con otro color aquellas palabras que son nuevas para ti, pero cuyo significado puedes deducir por el contexto.
- C. Para las que te parecen más difíciles: piensa, primero, si se parecen a alguna palabra que conoces, en español u otra lengua. Luego, trata de sustituirlas por palabras de tu lengua u otras palabras en español que podrían estar en su lugar.
- D. Al final, utiliza el diccionario y comprueba si te has acercado al significado de la palabra.

Mi padre es poeta, y su padre también lo era, y por eso yo empecé muy pronto a fijarme en las placas de las calles y a aprenderme poemas de memoria, pero el motivo que se escondía tras nuestra obligada visita de los domingos, una cita de puntualidad inquebrantable, pertenecía al rango[1] de los más prosaicos[2]. Padre e hijo se reunían ante el televisor para contemplar juntos el partido de la liga de fútbol [...] Y todos los demás teníamos que estar callados.

[...] era muy difícil imponer un silencio uniforme. Para lograrlo, las mujeres de mi familia, que pasaban el rato alrededor de una mesa camilla, cotilleando entre susurros, desterraban a los niños al comedor, y nos obligaban a entretenernos con la boca cerrada, una cuartilla[3] de papel y unos lápices de colores. En esas circunstancias comenzó mi carrera literaria.

[...] Mi hermano Manuel pintaba casas y cercas, chimeneas y animales, nubes y pájaros, niños y niñas montando a caballo. Yo intentaba imitarle, pero apenas obtenía las amorfas siluetas de algo vagamente parecido a una vaca con joroba sobre las cuatro patas de una mesa con tablero. Y me aburría. Y me ponía tan pesada como cualquier niño que se aburre. Hasta que una tarde alguien –mi madre, mi abuela, mi tía Charo, ya no lo recuerdo bien– me ofreció una solución que resultaría definitiva. Desde entonces, todos los domingos invertía[4] los noventa minutos del partido en escribir el cuento. Porque yo sólo tenía una historia que contar, yo escribía siempre el mismo cuento.

Almudena Grandes (España), *Modelos de mujer.*

La casa de la calle Capurro tenía un olor extraño. Según mi padre, olía a jazmines; según mi madre, a ratones. [...]

En conexión con esa casa tengo además dos recuerdos fundamentales: uno, el Parque Capurro, y otro, la cancha de fútbol del Club Lito, que quedaba a tres cuadras[1]. En aquella época, el Parque Capurro era como una escenografía montada para una película de bandidos, con rocas artificiales, semicavernas, caminitos tortuosos y con yuyos[2], una maravilla en fin. No me dejaban ir solo, pero sí con mis primos o con el hijo de un vecino, que era de mi edad. El Parque estaba casi siempre desierto, de modo que se convertía en nuestro campo de operaciones. A veces, cuando recorríamos aquellos laberintos, nos encontrábamos con algún bichicome[3] borracho, o simplemente dormido, pero eran inofensivos y estaban acostumbrados a nuestras correrías. Ellos y nosotros coexistíamos en ese paisaje casi lunar, y su presencia agregaba un cierto sabor de riesgo (aunque sabíamos que no arriesgábamos nada) a nuestros juegos, que por lo general consistían en encarnizadas[4] luchas cuerpo a cuerpo, entre dos bandos, o más bien bandas, una integrada por mi primo Daniel y el vecino, y otra, por mi primo Fernando y yo.

Mario Benedetti (Uruguay), *La borra del café.*

[...] mis recuerdos del pueblo no estaban todavía idealizados por la nostalgia. Lo recordaba como era: un lugar bueno para vivir, donde se conocía todo el mundo, a la orilla de un río [...] El calor era tan inverosímil[1], sobre todo durante la siesta, que los adultos se quejaban de él como si fuera una sorpresa de cada día. Desde mi nacimiento oí repetir sin descanso que las vías del ferrocarril y los campamentos de la United Fruit Company fueron construidos de noche, porque de día era imposible agarrar las herramientas recalentadas al sol.

[...]

Yo detestaba desde niño aquellas siestas inertes[2] porque no sabíamos qué hacer. "Cállense, que estamos durmiendo" susurraban los durmientes sin despertar. Los almacenes, las oficinas públicas, las escuelas, se cerraban desde las doce y no volvían a abrirse hasta un poco antes de las tres. El interior de las casas quedaba flotando en un limbo de sopor[3]. En algunas era tan insoportable que colgaban las hamacas en el patio o recostaban taburetes a la sombra de los almendros y dormían sentados en plena calle. Sólo permanecían abiertos el hotel frente a la estación, su cantina y su salón de billar, y la oficina del telégrafo detrás de la iglesia. [...]

Gabriel García Márquez (Colombia), *Vivir para contarla.*

1. categoría
2. lo contrario de poético
3. una hoja de papel
4. empleaba

1. tramo de una calle comprendido entre dos esquinas
2. hierbas salvajes
3. vagabundo
4. brutales

1. increíble
2. quietas
3. adormecimiento, sueño

B. Elige tres palabras de los textos y reflexiona sobre estas características de cada una de ellas. Puedes trabajar con un diccionario (bilingüe o monolingüe), preguntarle a tu profesor, consultar otros textos donde aparece (en Internet puedes encontrar muchos ejemplos), etc. Luego, rellena una red como esta en tu cuaderno.

¿Es una palabra vulgar, familiar, neutra, culta, literaria?

¿Con qué palabras se asocia frecuentemente?

¿Hay alguna palabra que signifique lo contrario?

¿Tiene un significado parecido a alguna otra palabra?

¿Qué tipo de palabra es: un nombre, un adjetivo, un verbo…?

¿Tiene alguna dificultad gramatical?

¿Tiene palabras derivadas?

AHORA SÍ CONOCES BIEN ESTAS PALABRAS

Aprender una palabra no es solo "traducirla" aproximadamente a nuestra lengua. Aprender una palabra es un proceso que nos aclara su lugar en el sistema, o sea, todas sus relaciones con las otras palabras e incluso con la cultura del país.

● La palabra que has elegido ○ Las palabras con las que las relacionas

C. ¿Quieres conocer un poco más a los autores de los textos anteriores? Lee estos breves apuntes biográficos.

Almudena Grandes Hernández. Nació en Madrid en 1960 y estudió Geografía e Historia. En 1989 ganó el premio de narrativa erótica La Sonrisa Vertical con **Las edades de Lulú**, novela que contó luego con una versión cinematográfica. En 1991 publicó **Te llamaré Viernes** y, en 1994, **Malena es un nombre de tango**, con la que consiguió un gran éxito de ventas y de crítica. Otros de sus títulos son la recopilación de cuentos **Modelos de mujer** (1996) y las novelas **Atlas de geografía humana** (1998), **Los aires difíciles** (2002) y **Castillos de cartón** (2004). Es una de las novelistas españolas más reconocidas de la actualidad.

Gabriel García Márquez. Nació en Aracataca, Colombia, en 1928. Dejó la carrera de Derecho y se dedicó al periodismo como reportero y columnista. Vivió en diversos países de Europa y de América Latina, y en Estados Unidos. Sus primeros títulos son **La hojarasca** (1955), **El coronel no tiene quien le escriba** (1961), **Los funerales de la Mamá Grande** (1962) y **La mala hora** (1962). En 1963 obtuvo el Premio Nacional de Literatura de Colombia. Sin embargo, es en 1967, con la publicación de **Cien años de soledad**, cuando el escritor colombiano se convierte en una figura literaria universal. Entre su producción posterior destaca la novela **Crónica de una muerte anunciada** (1981). En 1982 recibió el Premio Nobel de Literatura. Sus obras se completan con **El amor en los tiempos del cólera** (1985), **La aventura de Miguel Littín clandestino en Chile** (1986) **El general en su laberinto** (1989); **Doce cuentos peregrinos** (1992) **Del amor y otros demonios** (1994), **Noticia de un secuestro** (1996), **Vivir para contarla** (2002) y **Memorias de mis putas tristes** (2004).

Mario Benedetti. Nació en Paso de los Toros, Uruguay, en 1920, pero de muy niño se trasladó a la capital, Montevideo, donde estudió en un colegio alemán. Tras el golpe militar de 1973, tuvo que exiliarse, primero en Argentina, y después en Perú, Cuba y España. Es autor de novelas, cuentos, poesía, teatro, ensayos, crítica literaria, crónicas humorísticas, guiones cinematográficos e incluso letras de canciones. Entre sus obras destacamos las novelas **La tregua** (1960), **Primavera con una esquina rota** (1982) y **La borra del café** (1993), los libros de poemas **Inventario** (1963), **Despistes y franquezas** (1989), **Inventario dos** (1994) y **El mundo que respiro** (2001).

D. Y tú, ¿qué recuerdos tienes de tu infancia? ¿Recuerdas sabores, olores, sonidos especiales? ¿Por qué no intentas escribir el primer párrafo de tu autobiografía?

1. EL ORIGEN DE LAS COSAS

A. ¿Quieres saber cómo explican el origen de un lugar, de una planta y de un animal algunos pueblos de América Latina? Lee estas leyendas.

EL MURCIÉLAGO
(leyenda mexicana)

En un pasado muy lejano, el murciélago fue el ave más bella de la creación. Pero no siempre fue así: en un principio era como lo conocemos hoy en día y se llamaba biguidibela, que significa "mariposa desnuda". Era la más fea y desgraciada de todas las criaturas.

Como estaba desnuda, tenía mucho frío, así que, un día, subió al cielo y pidió plumas al Creador. Sin embargo, como éste no tenía plumas para darle, le dijo: "Baja a la Tierra y pide en mi nombre una pluma a cada ave". Así lo hizo el murciélago, recurriendo a las aves de más vistosas plumas.

Obtuvo de este modo un hermoso plumaje y a partir de ese momento se dedicó a volar orgulloso de aquí para allí, agitando sus hermosas alas y despertando la admiración de las otras aves. Incluso se dice que, una vez, de uno de los movimientos de su vuelo nació el arco iris. Era la encarnación de la belleza.

Pero sus compañeros empezaron a envidiarlo y, finalmente, a odiarlo. Entonces, una delegación de los pájaros subió al cielo para quejarse ante el Creador. Decían que el murciélago presumía todo el tiempo, que se bur-

LEYENDAS

Cada pueblo tiene su mitología, su propia cosmogonía que explica, a través de leyendas, el origen del mundo que lo rodea. Resulta casi imposible saber en qué momento exacto nacieron muchas de estas historias y es lógico suponer que pueden haber variado con el tiempo, pues, en la mayoría de los casos, ha sido la tradición oral la que las ha hecho llegar hasta nuestros días.

En América Latina, la mitología de los pueblos indígenas es muy rica y variada, tanto como lo son las diferentes culturas que poblaban la región antes de la llegada de los españoles. Esta mitología se enriqueció más tarde con nuevas leyendas criollas, producto del sincretismo entre las tradiciones autóctonas y la aportación europea.

laba de ellos y que, además, con una pluma menos, tenían frío. Entonces, el Creador mandó llamar al murciélago y le hizo repetir los gestos que habían ofendido a sus compañeros.

Tanto agitó el murciélago las alas que se quedó otra vez desnudo. Durante un día entero llovieron plumas del cielo. Desde entonces, solamente vuela por la noche en rápidos giros, intentando cazar plumas imaginarias. Y no se detiene para que nadie pueda ver lo feo que es.

TENTEN-VILÚ Y COICOI-VILÚ
(leyenda chilota)

En el principio de los tiempos, la Isla Grande de Chiloé (Chile) y todos los pequeños islotes que la rodean eran parte del continente. Pero, un día, se presentó furiosa la diosa de las aguas, Coicoi-Vilú ("culebra de agua"), con la intención de destruir todo lo que había en la Tierra e hizo elevarse las aguas del mar. Entonces apareció la diosa de la tierra, Tenten-Vilú ("culebra de tierra"), y comenzó a luchar contra Coicoi-Vilú al tiempo que intentaba elevar las tierras y transformaba a los seres humanos en pájaros para ayudarlos a llegar hasta las partes más altas.

La batalla duró mucho tiempo, hasta que finalmente Tenten-Vilú venció. Pero fue una victoria parcial: aunque Coicoi-Vilú se retiró, las aguas nunca regresaron a sus límites anteriores. Así, las tierras que Tenten-Vilú logró rescatar de las aguas formaron lo que hoy conocemos como el bellísimo archipiélago de Chiloé.

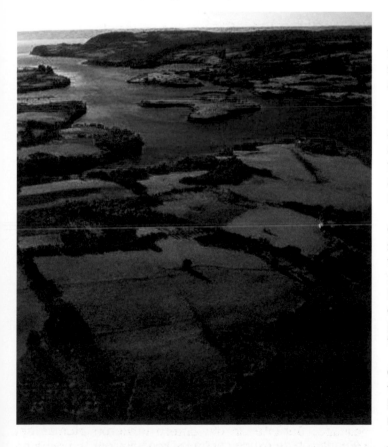

LA YERBA MATE
(leyenda guaraní)

Un día, Yasí, la luna, decidió bajar a la Tierra y le pidió a la nube rosada, Arai, que la acompañara. Se convirtieron en hermosas mujeres y comenzaron a pasear por la selva. Estaban disfrutando de su paseo nocturno cuando, de pronto, algo se movió detrás de un árbol. Era un jaguar a punto de abalanzarse sobre ellas...

En ese momento, de entre las matas, salió un indio apuntando al tigre con su arco. Así, cuando el animal atacó a las mujeres, una flecha salió disparada hacia la fiera y la detuvo en pleno salto. El jaguar cayó muerto a los pies del indio, mientras que Yasí y Arai recuperaron instantáneamente su forma en el cielo.

Como debían su vida al valor del indio, para recompensarle, aparecieron una noche en sus sueños con la misma forma que habían adoptado en la tierra y le prometieron como premio una planta que serviría para unir a los hombres, alegrando la compañía o la soledad, un regalo de la naturaleza para borrar la fatiga y aligerar las penas. Con sus hojas, los hombres podrían preparar una infusión para alimentar los músculos y el alma.

Cuando el indio despertó a la mañana siguiente, encontró ante sus ojos un ancho y ondulante mar de una hierba que no conocía: eran los tiernos brotes de la yerba mate o caa-guazú.

B. Y en tu cultura, ¿hay mitos de este tipo? Si no conoces ninguna leyenda de tu propia cultura, seguro que puedes encontrar muchas en libros o en Internet. Elige una y escribe un texto en español contando la historia con tus palabras.

1. CAMPAÑAS

A. Estos son una serie de eslóganes de campañas institucionales que se han divulgado en España en los últimos años. ¿Cuál es su objetivo? Clasifícalos en la tabla que tienes abajo.

1 — SI NO LES ENSEÑAS A VIVIR, NO LES HABRÁS ENSEÑADO NADA

2 — ENGÁNCHATE A LA VIDA

HABLA CON TU HIJO — 3

4 — TODOS SOMOS RESPONSABLES

5 — HAY UN MONTÓN DE RAZONES PARA DECIR NO

6 — LA SOLUCIÓN ESTÁ EN TUS MANOS

7 — VIVE Y DEJA VIVIR

8 — HAZ ALGO

9 — MEJOR SIN ELLAS

CUMPLE LAS NORMAS. TÚ SÍ PUEDES EVITARLO — 10

PIÉNSALO. LAS IMPRUDENCIAS NO SOLO LAS PAGAS TÚ — 11

12 — ABRÓCHATE A LA VIDA

	1	2	3	4	5	6	7	8	9	10	11	12
Prevención de accidentes de tráfico												
Lucha contra el consumo drogas												
Pueden referirse a las dos cosas												

🔊 CD 60 **B.** Vas a escuchar una campaña radiofónica de la FAD (Fundación de Ayuda contra la Drogadicción). ¿A qué público está dirigida? Sintetiza en una frase el mensaje principal de la campaña.

C. Estos dos carteles pertenecen a la misma campaña que el audio anterior. ¿Puedes escribir un pequeño texto para un tercer cartel? ¿Te atreves a hacer un dibujo para ilustrarlo?

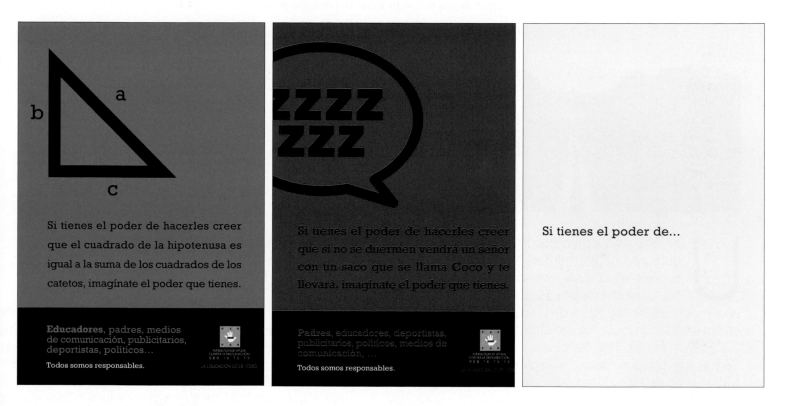

Si tienes el poder de hacerles creer que el cuadrado de la hipotenusa es igual a la suma de los cuadrados de los catetos, imagínate el poder que tienes.

Educadores, padres, medios de comunicación, publicitarios, deportistas, políticos...

Todos somos responsables.

Si tienes el poder de hacerles creer que si no se duermen vendrá un señor con un saco que se llama Coco y te llevará, imagínate el poder que tienes.

Padres, educadores, deportistas, publicitarios, políticos, medios de comunicación, ...

Todos somos responsables.

Si tienes el poder de...

D. Ahora, fíjate en este otro cartel. ¿Te parece eficaz? ¿Existen campañas parecidas en tu país?

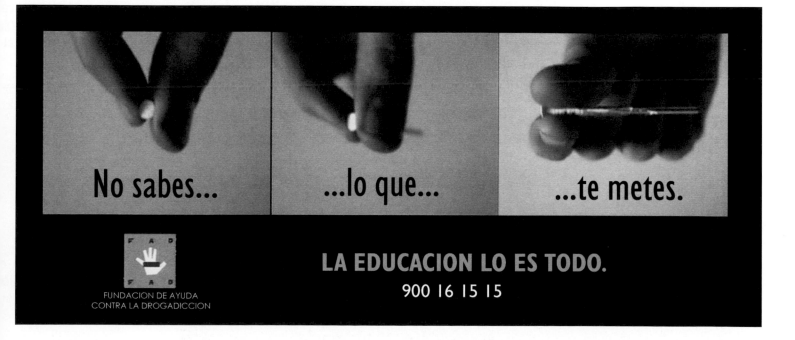

1. EN LA LISTA ROJA

A. ¿Existen animales en peligro de extinción en tu país? Lee el siguiente texto si quieres saber más sobre este tema y sobre cómo afecta a algunas especies propias del mundo hispano.

LA LISTA ROJA DE LA BIODIVERSIDAD

Una lista roja es un documento que recoge un conjunto de elementos (animales, bienes culturales, etc.) cuya existencia está amenazada. En la última "Lista Roja de la Biodiversidad" aparecen 15 589 especies de plantas y animales clasificadas en tres grupos: "riesgo crítico", "riesgo" y "vulnerable", según el ritmo de disminución de sus poblaciones. Según los últimos datos publicados por el Congreso Mundial de la Naturaleza, una de cada ocho aves, así como el 25% de los mamíferos, están en peligro de desaparecer, y el número de especies amenazadas es cada vez mayor.

La comunidad científica pretende concienciar a los gobiernos del problema que supone la desaparición de especies, ya que esta alteración de la naturaleza también resulta perjudicial para el hombre, y alertar de los problemas que amenazan la biodiversidad del planeta: la sobreexplotación y la destrucción del hábitat, la introducción de especies foráneas y el cambio climático.

Para combatir estos problemas, no solo hay que tener en cuenta la continua pérdida de especies, sino que es necesaria una política de acción directa. En este sentido, las labores de conservación de especies han dado buenos resultados en muchos casos y se ha logrado revertir el proceso de extinción de algunas especies amenazadas.

La supervivencia de miles de especies se encuentra en las manos del hombre. ¿Seremos capaces de garantizarles un futuro? ¿Afrontaremos el reto que supone cambiar algunas de nuestras costumbres para salvar a otros habitantes del planeta?

LA LISTA ROJA EN LOS PAÍSES DE HABLA HISPANA

Los gobiernos de los diferentes países de habla hispana parecen ser conscientes del problema y, en muchos casos, han modificado su legislación para actuar de forma más eficaz en la defensa de las especies amenazadas. Sin embargo, tanto en Latinoamérica como en España, son miles los mamíferos, las aves, los reptiles etc., que en los últimos años han visto reducidas sus poblaciones. Aquí tenemos diez ejemplos.

El lince Ibérico

Está considerado el felino más amenazado del mundo. Actualmente, un número reducido de ejemplares habita zonas muy restringidas de la Península Ibérica. Su tamaño es mucho mayor que el de un gato doméstico. No tiene un olfato muy desarrollado; sin embargo, su oído y su vista son excelentes. Es un excelente trepador.

El oso pardo

Es el animal terrestre más grande de toda la fauna ibérica. En el pasado, los osos poblaban la mayor parte de las zonas montañosas españolas, pero hoy en día el único hábitat en el que pueden sobrevivir los poco más de 80 osos que hay en España son la Cordillera Cantábrica y los Pirineos.

El tapir

El tapir es el mamífero terrestre más grande de Sudamérica: mide hasta 2,5 metros de largo y uno de alto, y puede llegar a pesar 300 kilos. Su característica más llamativa es su alargado hocico. El tapir se alimenta de vegetales de todo tipo, aunque puede complementar su dieta con pequeños mamíferos e insectos. Se puede encontrar desde Colombia y Venezuela hasta el norte de Argentina.

El manatí

Conocido también como "vaca marina", este mamífero marino de carácter tranquilo se alimenta exclusivamente de plantas que encuentra en aguas costeras de poca profundidad. La longitud media de un manatí adulto es de 3'5 metros y su peso es, aproximadamente, de una tonelada. Pueden llegar a comer hasta 80 kilos de plantas acuáticas en un solo día. Se encuentra en la zona del Caribe y su presencia se extiende hasta la desembocadura del río Amazonas en Brasil.

El cóndor andino

En el pasado, el cóndor era el rey de los cielos de los Andes, desde Venezuela hasta Tierra del Fuego. Hoy en día, continúa presente en todas estas regiones, pero el número de ejemplares ha descendido enormemente. El gran cóndor andino se alimenta principalmente de mamíferos grandes muertos, aunque cuando no encuentra alimento, caza y mata animales, como ovejas y llamas jóvenes.

El guanaco

Su presencia se extiende por la cordillera de los Andes, desde el norte de Perú hasta Tierra del Fuego, y por la Patagonia argentina. No se encuentra en peligro de extinción en todo el continente, pero la población de estos animales se ha reducido de forma alarmante en algunos lugares (por ejemplo, en Perú).

La tortuga gigante de las Galápagos

Exclusiva del archipiélago de Las Galápagos (Ecuador), es la tortuga terrestre de mayor tamaño: alcanza hasta un metro de longitud y pesa unos 400 kilos. Tiene una gran resistencia a la falta de agua y de comida y se cree que puede llegar a vivir hasta 200 años.

El jaguar

El jaguar es el felino más grande del continente americano, y el tercero del mundo en tamaño. Se considera que la cuenca del Amazonas es la región donde vive un mayor número de ejemplares. Las civilizaciones precolombinas de México, Perú y América Central adoraban a este poderoso felino.

El mono araña

Este habitante de los bosques tropicales mide de 35 a 45 centímetros, pero la longitud de su cola puede llegar hasta los 85. Come frutas, raíces, granos, hojas tiernas, insectos, huevos y hasta pequeños vertebrados. El mono araña vive en la copa de los árboles y solamente baja para comer o beber agua. Viven en grupos (formados por entre 10 y 50 individuos), dentro de los cuales se pueden distinguir familias.

El oso andino

También llamado "oso de anteojos", el oso andino es negro y tiene alrededor de los ojos unas manchas blancas que se extienden hasta el pecho. Estas manchas son diferentes de un oso a otro, por lo que es imposible encontrar a dos iguales. Es omnívoro, es decir, come casi de todo, aunque básicamente es vegetariano. Se encuentra en las Montañas andinas al oeste de Venezuela, Colombia, Ecuador, Perú y Bolivia.

B. ¿Habías visto antes a los animales que aparecen en las imágenes? ¿Cuál te ha sorprendido más?

C. Como ya sabes, existen muchas más especies amenazadas en todo el planeta además de las citadas en el artículo. ¿Por qué no preparas unas fichas con información (y una fotografía, si es posible) sobre otros cinco animales en peligro de extinción y las presentas en clase?

MÁS
INFORMACIÓN

• Aprender una lengua es también acercarse a los países que la hablan. Aquí tienes una serie de informaciones básicas sobre España y sus comunidades autónomas.

• En las direcciones de Internet que incluimos, puedes ampliar esta información.

MAPA DE ESPAÑA

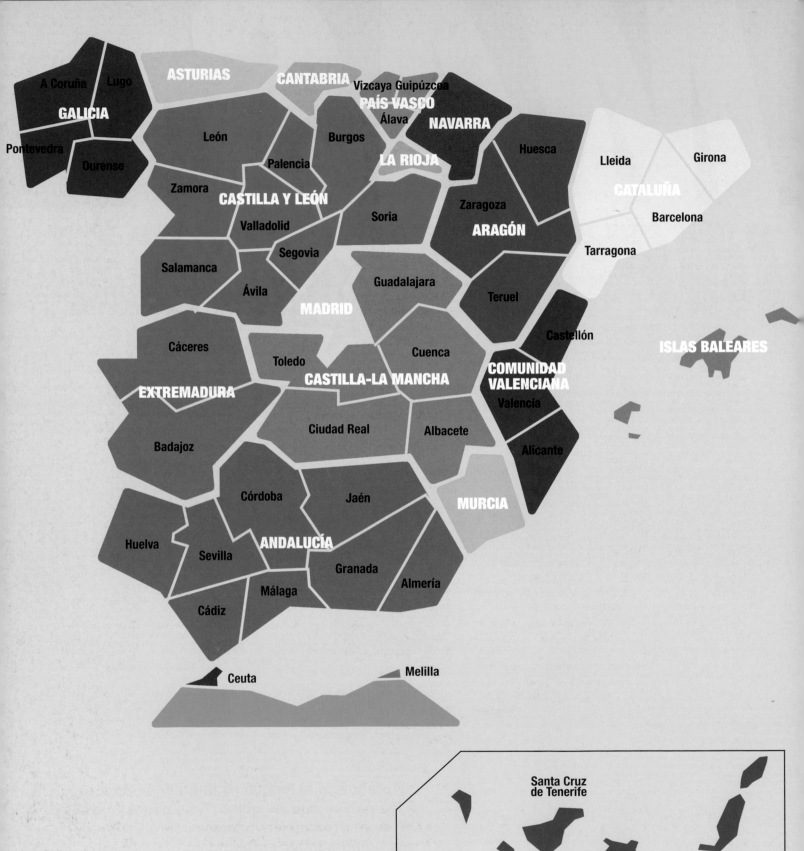

GALICIA
A Coruña
Lugo
Pontevedra
Ourense

ASTURIAS

CANTABRIA

Vizcaya Guipúzcoa
PAÍS VASCO
Álava

NAVARRA

León
Burgos
Palencia
LA RIOJA

CASTILLA Y LEÓN
Zamora
Valladolid
Soria

Huesca

Lleida
Girona
CATALUÑA
Barcelona
Tarragona

Zaragoza
ARAGÓN

Segovia
Salamanca
Ávila

Guadalajara

MADRID

Teruel

Castellón

ISLAS BALEARES

Cáceres
Toledo
CASTILLA-LA MANCHA

Cuenca

COMUNIDAD
VALENCIANA
Valencia

EXTREMADURA
Badajoz

Ciudad Real
Albacete

Alicante

Córdoba
Jaén

MURCIA

Huelva
ANDALUCÍA
Sevilla
Granada
Málaga
Almería
Cádiz

Ceuta
Melilla

Santa Cruz
de Tenerife

Las Palmas
de Gran Canaria

Andalucía

Población: 7 278 687 habitantes
Provincias: Almería, Cádiz, Córdoba, Granada, Huelva, Jaén, Málaga y Sevilla
Capital: Sevilla
Platos típicos: gazpacho (sopa fría a base de tomate, agua, aceite, vinagre y sal), pescadito frito (pescado muy pequeño rebozado y frito en aceite)
Fiestas y eventos culturales: Feria de Abril (en Sevilla), Romería de la Virgen del Rocío (en la provincia de Huelva, el día de la Pascua de Pentecostés), Bienal de Flamenco de Sevilla (en septiembre), Espárrago Rock (en Jerez de la Frontera, a mediados de julio)
Lugares de interés: Parque Nacional de Doñana, Parque Nacional de Cabo de Gata, Jerez de la Frontera, Écija, Costa de la Luz, Medina Azahara, Úbeda
Monumentos y museos: catedral y torre de la Giralda (Sevilla), Torre del Oro (Sevilla), Reales Alcázares (Sevilla), Alhambra y jardines del Generalife (Granada), Mezquita de Córdoba, capilla del Salvador (Úbeda), catedral de Baeza
Más información: www.andalucia.org

Aragón

Población: 1 199 753 habitantes
Provincias: Huesca, Zaragoza y Teruel
Capital: Zaragoza
Platos típicos: pollo a la chilindrón (guiso de pollo y jamón), bacalao al ajoarriero (guiso de bacalao, con patatas y tomate)
Fiestas y eventos culturales: las Fiestas del Pilar (el 12 de octubre en Zaragoza), la Tamborada de Calanda (Viernes Santo), Feria de Teatro de Aragón (en Huesca, a finales de mayo), Pirineos Sur (Festival Internacional de las Culturas, en julio)
Lugares de interés: Jaca, Calanda, Agüero, comarca de los Monegros, serranía de Albarracín, Parque Nacional de Ordesa
Monumentos y museos: monasterio de San Juan de la Peña (Huesca), basílica de Nuestra Señora del Pilar (Zaragoza), catedral de Teruel, Casa-Museo de Goya (Fuendetodos), museo Pablo Gargallo (Zaragoza)
Más información: www.turismoaragon.com

Baleares

Población: 878 627 habitantes
Provincia: Baleares (formadas por las islas de Mallorca, Menorca, Eivissa (Ibiza), Formentera y Cabrera)
Capital: Palma de Mallorca
Gastronomía: "tumbet" (diferentes capas de patatas, berenjenas con tomate y pimiento), ensaimada (bollo dulce en forma de espiral)
Fiestas y eventos culturales: fiestas de Sant Joan (24 de junio, en Menorca), la Virgen del Carmen (30 de junio en Formentera)
Lugares de interés: Palma de Mallorca, Mahón, Ciudadela, Ibiza, Cuevas del Drac
Monumentos y museos: catedral de Palma, Castillo de Bellver (Palma), palau de l'Almudaina (Palma), Monasteri de Lluc, Cales Coves (Menorca), palau Salort de Ciutadella, museo Arqueológico de Sóller, Fundació Pilar i Joan Miró (Palma)
Más información: www.caib.es

Canarias

Población: 1 781 366 habitantes
Provincias: Santa Cruz de Tenerife (islas de Tenerife, La Palma, Gomera y El Hierro) y Las Palmas (islas de Gran Canaria, Lanzarote y Fuerteventura)
Capitales: Santa Cruz de Tenerife y Las Palmas de Gran Canaria
Principales ciudades: Las Palmas de Gran Canaria, Santa Cruz de Tenerife, La Laguna, Teide, La Orotava y Arrecife
Platos típicos: papas arrugadas (patatas hervidas con piel y acompañadas de "mojo"), gofio (harina tostada de trigo, maíz o cebada que acompaña diversos platos), sancocho canario (estofado de pescado y patatas)
Fiestas y eventos culturales: Carnavales de Tenerife, Bajada de la Virgen de las Nieves (en julio, en El Hierro), Festival de Cine de Las Palmas de Gran Canaria (primeros de abril)
Lugares de interés: Parque Nacional de Garanjonay (La Gomera), Parque Nacional del Teide (Tenerife), La Laguna, La Orotava, Arrecife, Lanzarote
Monumentos y museos: escultura Lady Harimaguada (Las Palmas de Gran Canaria), Casa de Colón (Las Palmas de Gran Canaria), museo Arqueológico de Santa Cruz de Tenerife
Más información: www.canarias-saturno.com

Cantabria

Población: 537 606 habitantes
Provincias: Cantabria
Capital: Santander
Platos típicos: cocido montañés (estofado de alubias blancas y diferentes tipos de carnes), merluza en salsa verde (guiso de merluza con almejas y espárragos), quesada pasiega (tarta de queso fresco), sobaos (pequeños dulces de forma rectangular)
Fiestas y eventos culturales: la Folía (en San Vicente de la Barquera, a finales de abril), Batalla de Flores (en Laredo el último viernes de agosto), Festival Internacional de Santander (música, teatro y danza, en agosto)

Lugares de interés: playa de El Sardinero, Torrelavega, Picos de Europa, Santillana del Mar, Valle de Liébana, Laredo, Potes, Castro Urdiales, Parque de Cabárceno
Monumentos y museos: cuevas de Altamira, palacio de la Magdalena (Santander), El Capricho (edificio modernista en Comillas)
Más información: http://turismo.cantabria.org

Castilla-La Mancha

Población: 1 755 053 habitantes
Provincias: Albacete, Ciudad Real, Cuenca, Guadalajara y Toledo
Capital: Toledo
Platos típicos: pisto manchego (guiso de verduras: pimientos verdes, tomates, calabacín y cebolla), perdiz estofada (cocinada en vinagre, cebolla y hierbas aromáticas)
Fiestas y eventos culturales: *Corpus Christi* de Toledo y de Camuñas, Festival Internacional de Teatro Clásico de Almagro (julio y agosto)
Lugares de interés: Almagro, Talavera de la Reina, Illescas, sierra de Alcaraz, Parque Nacional de Tablas de Daimiel, ruta de El Quijote
Monumentos y museos: castillo de Belmonte, molinos de Consuegra, Casas Colgantes de Cuenca, catedral de Toledo, museo de Santa Cruz (Toledo), museo de Arte Abstracto de Cuenca
Más información: www.castillalamancha.es

Castilla y León

Población: 2 479 425 habitantes
Provincias: Ávila, Burgos, León, Palencia, Salamanca, Segovia, Soria, Valladolid y Zamora
Capital: Valladolid
Platos típicos: cochinillo asado (cerdo joven asado entero), olla podrida (estofado de alubias rojas y diferentes tipos de carne), patatas a la importancia (patatas rebozadas con harina y huevo y fritas con cebolla)
Fiestas y eventos culturales: procesiones de Semana Santa, Seminci (Semana Internacional de Cine de Valladolid, en octubre)
Lugares de interés: las Médulas (antiguas minas de oro romanas), Lago de Sanabria, cuevas de Valporquero, Sierra de Gredos, Tordesillas, Medina del Campo, Astorga, Ponferrada
Monumentos y museos: Acueducto de Segovia, Alcázar de Segovia, catedral de Burgos, catedral de León, catedral vieja y catedral nueva de Salamanca, Muralla de Ávila, castillo de Coca, museo de Art Nouveau y Art Déco de Salamanca, museo Nacional de Escultura de Valladolid
Más información: www.jcyl.es

Cataluña

Población: 6 361 365 habitantes
Provincias: Barcelona, Tarragona, Lleida y Girona
Capital: Barcelona
Platos típicos: "pa amb tomàquet" (pan con tomate, aceite y sal), "esqueixada" (ensalada de bacalao, pimiento, tomate y cebolla), arroz negro (con sepia y calamar), butifarra con judías, crema catalana
Fiestas y eventos culturales: las Fiestas de la Mercè (24 de septiembre, en Barcelona), la Patum (entre mayo y junio, en Berga), Grec (Festival de Verano de Barcelona: teatro, música, danza y cine), SONAR (Festival de música electrónica y arte multimedia, a mediados de junio)
Lugares de interés: Valle de Arán, Valle de Boí, Parque Nacional de Aigüestortes, el macizo montañoso de Montserrat, Delta del Ebro, Costa Brava, Sitges, Vic, Montblanc
Monumentos y museos: Sagrada Familia (Barcelona), casas de Gaudí (Barcelona), Palacio de la Música Catalana (Barcelona), catedral gótica de Barcelona, monasterio de Montserrat, anfiteatro romano de Tarragona, catedral de Girona, Teatre-Museo Dalí (Figueres), museo Nacional Arqueológico de Tarragona, museo Picasso (Barcelona), Fundación Joan Miró (Barcelona)
Más información: www.catalunyaturisme.com

Ciudad autónoma de Ceuta

Población: 75 694 habitantes
Platos típicos: pastel de bonito, caballa a la Mar Chica (guiso de pescado)
Fiestas y eventos culturales: Romería de San Antonio de Padua (13 de junio)
Monumentos y museos: ermita del Valle, Santa Iglesia Catedral, Muralla Real, santuario de Nuestra Señora de África
Más información: www.ciceuta.es

Ciudad autónoma de Melilla

Población: 68 789 habitantes
Platos típicos: caldero de pescado (guiso con diferentes clases de pescado), cus-cus (sémola de trigo hervida), pinchos morunos (dados de carne de cordero muy condimentados y servidos pinchados en un palo de madera)
Fiestas y eventos culturales: Cruces de Mayo (el 1 de mayo)
Monumentos y museos: iglesia de la Purísima Concepción, plaza de Toros, Foso de los Carneros, Fuerte de San José Bajo
Más información: www.camelilla.es

Comunidad Valenciana

Población: 4 202 680 habitantes
Provincias: Alicante, Castellón y Valencia
Capital: Valencia
Platos típicos: paella (arroz con diferentes tipos de carne o pescado), "fideuà" (fideo y marisco acompañado de una salsa de ajo)
Fiestas y eventos culturales: las Fallas (el 19 de marzo, en Valencia), la Tomatina de Buñol (último miércoles de agosto), Festival Internacional de Benicasim (música independiente, en agosto)
Lugares de interés: cabo Oropesa, islas Columbretes, La Albufera, Elx, Alcoy, Torrent, Peñíscola, Sagunto
Monumentos y museos: castillo del Papa Luna (Peñíscola), castillo de Sagunto, Ayuntamiento de Alicante, catedral de Valencia, basílica de la Virgen de los Desamparados, Instituto Valenciano de Arte Moderno (IVAM), museo Fallero de Valencia, Ciudad de las Artes y de las Ciencias de Valencia
Más información: www.turisvalencia.es

Extremadura

Población: 1 073 381 habitantes
Provincias: Badajoz y Cáceres
Capital: Mérida
Platos típicos: frite (cordero frito con ajos y cebollas), migas (guiso hecho a base de miga de pan), pollo al padre Pero (cocinado en salsa de tomate y pimienta)
Fiestas y eventos culturales: los *Empalaos* (el Jueves Santo en Valverde de la Vera, Cáceres), Festival de Teatro Clásico de Mérida (julio y agosto), Festival WOMAD de Cáceres (principios de mayo)
Lugares de interés: Plasencia, Trujillo, Guadalupe, Yuste, Parque Nacional de Monfragüe
Monumentos y museos: monasterios de Yuste, Tentudia y Guadalupe, ruinas romanas de Mérida, Concatedral de Santa María (Cáceres), Museo Nacional de Arte Romano (Mérida), museo provincial de Cáceres
Más información: www.turismoextremadura.com

Galicia

Población: 2 732 926 habitantes
Provincias: A Coruña, Lugo, Ourense y Pontevedra
Capital: Santiago de Compostela
Platos típicos: pulpo "á feira" (pulpo cocido y condimentado con pimentón), caldo gallego (cocido de patatas, alubias, grelos y huesos de ternera y cerdo), tarta de Santiago (tarta de almendras), filloas (similares a los crêpes franceses)
Fiestas y eventos culturales: "Rapa das bestas" (el primer domingo de julio en Candaoso, Lugo),

Carnavales de Xinzo de Limia y de Laza, Romería Viquinga de Catoira (primer domingo de agosto), Festival Mozart de A Coruña (mayo, junio y julio)
Lugares de interés: Cabo de Finisterre, Islas Cíes, Dunas de Corrubedo, Cañón del Sil, Ancares
Monumentos y museos: catedral de Santiago, Torre de Hércules (A Coruña), monasterio de Oseira, Museo Diocesano de Mondoñedo
Más información: www.turgalicia.es

Rioja

Población: 270 400 habitantes
Provincia: Logroño
Capital: Logroño
Platos típicos: patatas a la riojana (con pimiento, cebolla, costilla de cerdo y chorizo), mazapanes de Soto (dulces rellenos de almendras y azúcar hechos al horno)
Fiestas y eventos culturales: Danza de los zancos (a finales de junio y de septiembre en Anguiano); Fiesta de la Vendimia (el 21 de septiembre en Logroño)
Lugares de interés: Calahorra, Arnedo, Santo Domingo de la Calzada, Haro, San Millán de la Cogolla, Ruta de los dinosaurios
Monumentos y museos: monasterio de Santa María la Real (Nájera), monasterio de San Millán de Yuso (San Millán de la Cogolla), catedral de Logroño
Más información: www.larioja.com

Madrid

Población: 5 372 433 habitantes
Provincia: Madrid
Capital: Madrid
Platos típicos: sopa de ajo (a base de pan y pimentón, se le suele añadir un huevo escalfado y jamón), cocido madrileño (garbanzos, carne guisada, gallina, tocino, morcilla y repollo), callos a la madrileña (guiso de estómago de cerdo, chorizo y hortalizas)
Fiestas y eventos culturales: las Fiestas de San Isidro (el 15 de mayo), ARCO (Feria Internacional de Arte Contemporáneo, a mediados de febrero), FESTIMAD (Festival de Música Independiente de Madrid, a finales de mayo)
Lugares de interés: Alcalá de Henares, Aranjuez, El Escorial, Chinchón
Monumentos y museos: parque del Retiro, fuente de Cibeles, Puerta de Alcalá, estación de Atocha, plaza de toros de Las Ventas, Palacio Real, monasterio de El Escorial, palacio Real de Aranjuez, castillo de Manzanares el Real, museo del Prado, museo Thyssen-Bornemisza, Centro de Arte Reina Sofía, museo Sorolla
Más información: www.madrid.org/turismo

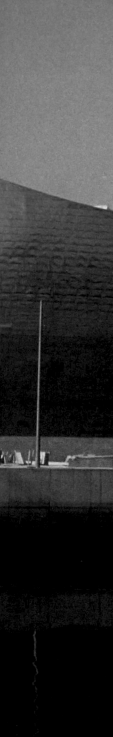

Murcia

Población: 1 190 378 habitantes
Provincia: Murcia
Capital: Murcia
Platos típicos: caldero (arroz cocido en caldo de pescado), mújol (pescado), ñoras (especie de pimiento), pastel de carne (plato de origen oriental, lleva carne picada y rodajas de huevo duro en una capa de hojaldre)
Fiestas y eventos culturales: desfiles de "cartagineses y romanos" (10 días de septiembre en Cartagena), Viernes Santo (en Lorca, las cofradías "azul" y "blanca" compiten en decoración y vestuario durante las procesiones), Festival Internacional del Cante de las Minas (certamen de cante flamenco, en agosto en La Unión)
Lugares de interés: Cartagena, Lorca, Caravaca de la Cruz, el Mar Menor, Sierra Espuña, Salinas de San Pedro del Pinatar
Monumentos y museos: catedral y casino de Murcia, muralla Bizantina de Cartagena, museo de Tradiciones y Artes Populares de Alcantarilla, colegiata de San Patricio (Lorca)
Más información: www.murcia-turismo.com

Navarra

Población: 556 263 habitantes
Provincia: Pamplona
Capital: Pamplona (Iruña)
Platos típicos: truchas a la navarra (rellenas de jamón serrano y después fritas), chilindrón de cordero (con pimientos frescos o secos), cuajada (leche de oveja y cuajo natural, se toma normalmente con miel)
Fiestas y eventos culturales: los Sanfermines (en Pamplona, empiezan el 6 de julio y acaban el 14 de julio), el Zanpantzar de Ituren y Zubieta (Viernes Santo), Festival de Creación Audiovisual de Navarra (a mediados de noviembre), Festival de Danza Escena (en mayo en diferentes localidades de Navarra)
Lugares de interés: Tudela, Tafalla, Burlada, Olite, Estella, Roncesvalles, valle del Baztán, las Bardenas Reales (blanca y negra), valle del Bidasoa, cuevas de Zugarramurdi, bosque de Irati
Monumentos y museos: Palacio Real de Olite, catedral de Pamplona, monasterio de Nuestra Señora de Irache (Estella), monasterio de Iranzu, monasterios de Leyre (Yesa), iglesia de Santa María la Real (Sangüesa),catedral de Tudela, museo de Navarra (Pamplona)
Más información: http://turismo.navarra.com

País Vasco

Población: 2 101 478 habitantes
Provincias: Álava, Guipúzcoa y Vizcaya
Capital: Vitoria (Gasteiz)
Platos típicos: "pintxos" (pequeñas raciones de comida servidas sobre un trozo de pan), bacalao al "pil-pil" (bacalao cocinado en aceite y ajo), "marmitako" (guiso de bonito y patatas), "txangurro al horno" (centollo cocido cuya carne se condimenta, se vuelve a meter en la concha y se hornea)
Fiestas y eventos culturales: la Tamborrada, (se celebra el 19 y 20 de enero en San Sebastián); fiestas de la Virgen Blanca (en Vitoria durante la primera semana de agosto), Festival Internacional de Cine de San Sebastián (septiembre), Festival de Jazz de San Sebastián (julio)
Lugares de interés: Bilbao, San Sebastián, Vitoria, Bermeo, Guernica, Oñati, Pasajes de San Juan y Pasajes de San Pedro, Zumaia, Fuenterrabía, Cabo de Ogoño, cuevas de Santimamiñe
Monumentos y museos: Peine de los vientos (San Sebastián), Casa de Juntas de Guernica, museo de San Telmo (San Sebastián), museo Guggenheim de Bilbao, museo de Bellas Artes de Bilbao, museo de Ignacio Zuloaga (Zumaia)
Más información: www.euskadi.net

Principado de Asturias

Población: 1 075 329 habitantes
Provincia: Asturias
Capital: Oviedo
Platos típicos: fabada asturiana (estofado de alubias, chorizo y morcilla), pote asturiano (cocido de gallina, ternera y cerdo con patatas y grelos), arroz con leche (postre hecho a base de arroz, leche, azúcar y canela)
Fiestas y eventos culturales: fiesta de "les Piragües", (el primer sábado de agosto en el río Sella, entre las localidades de Ribadesella y Arriondas), fiesta del Pastor (a orillas del lago Enol cerca de Cangas de Onís, el 25 de julio), Premios Príncipe de Asturias (se entregan en Oviedo, en noviembre)
Lugares de interés: Gijón, Avilés, Picos de Europa, Cangas de Onís, Covadonga, Luarca, Castropol, Taramundi
Monumentos y museos: castros del Valle de Navia (restos de poblados fortificados con casas de planta circular), iglesia de Santa María del Naranco (en el monte Naranco), museo de Bellas Artes de Oviedo
Más información: www.infoasturias.com

MÁS
GRAMÁTICA

• Cuando, al realizar una actividad, tengas una duda o quieras entender mejor una regla gramatical, puedes consultar este resumen.

• Como verás, los contenidos no están ordenados por lecciones sino en torno a las categorías gramaticales.

• Además de leer atentamente las explicaciones, fíjate también en los ejemplos: te ayudarán a entender cómo se utilizan las formas lingüísticas en contexto.

GRUPO NOMINAL

► El grupo nominal se compone del nombre o sustantivo y de sus determinantes y calificativos: artículos, demostrativos, posesivos, adjetivos calificativos, frases subordinadas adjetivas, etc. Las partes del grupo nominal concuerdan en género y en número con el sustantivo.

GÉNERO Y NÚMERO

GÉNERO

► En español, solo hay dos géneros: masculino y femenino. En general, son masculinos los sustantivos que terminan en **-o**, **-aje**, **-ón** y **-r** , y son femeninos los terminados en **-a**, **-ción**, **-sión**, **-dad**, **-tad** y **-ez**. Sin embargo, hay muchas excepciones: **el mapa**, **la mano**... Los sustantivos que terminan en **-e** o en otras consonantes pueden ser masculinos o femeninos: **la llave**, **el norte**, **el** o **la paciente**, **el control**, **la paz**, etc.

► Los sustantivos de origen griego terminados en **-ema** y **-oma** son masculinos: **el problema**, **el cromosoma**. Las palabras de género femenino que comienzan por **a** o **ha** tónica llevan el artículo **el** en singular, pero el adjetivo va en femenino: **el agua limpia**, **el hada buena**. En plural, funcionan de forma normal: **las aguas limpias**, **las hadas buenas**.

► El femenino de los adjetivos se forma, en general, cambiando la **-o** final por una **-a** o añadiendo una **-a** a la terminación **-or**: **alto, alta**; **trabajador, trabajadora**, etc. Los adjetivos que terminan en **-e**, **-ista** o en consonantes distintas de **r** tienen la misma forma en masculino y en femenino: **doble, realista, veloz, lateral**.

NÚMERO

► El plural de sustantivos y de adjetivos se forma agregando **-s** a los terminados en vocal (**calle** → **calles**) y **-es** a los terminados en consonante (**portal** → **portales**). Si la palabra termina en **-z**, el plural se escribe con **c**: **vez** → **veces**.

► Los sustantivos y los adjetivos que, en singular, terminan en **-s** hacen el plural dependiendo de la acentuación. Si se acentúan en la última sílaba, agregan **-es**: **el autobús** → **los autobuses**. Si no se acentúan en la última sílaba, no cambian en plural: **la dosis** → **las dosis**.

► Los sustantivos y los adjetivos terminados en **-í** o **-ú** acentuadas forman el plural con **-s** o con **-es**: **marroquí** → **marroquís/marroquíes**.

ARTÍCULO

Existen dos tipos de artículos en español: los determinados y los indeterminados.

ARTÍCULO INDETERMINADO

► Usamos los artículos indeterminados (**un**, **una**, **unos**, **unas**) para mencionar algo por primera vez, cuando no sabemos si existe o para referirnos a un ejemplar de una categoría.

• *Marcos ha alquilado **una** casa en Mallorca.*

► No usamos los artículos indeterminados para informar sobre la profesión de alguien.

• *Soy médico. ~~Soy un médico.~~*

► Pero sí los usamos cuando identificamos a alguien por su profesión o cuando lo valoramos.

• *Su mujer es **una** periodista muy conocida.*

► Los artículos indeterminados no se combinan con **otro**, **otra**, **otros**, **otras**, **medio**, **media**, **cien(to)** o **mil**.

• *¿Me dejas otra hoja?* ~~una otra hoja~~
• *Si no tienes hambre, come media ración.* ~~una media~~

ARTÍCULO DETERMINADO

► Los artículos determinados (**el**, **la**, **los**, **las**) se utilizan cuando hablamos de algo que sabemos que existe, que es único o que ya se ha mencionado.

• ***La** casa de Mallorca de Marcos es preciosa.*
• *Vivían en **el** centro de Madrid.*

► En general, no se usan con nombres de personas, de continentes, de países y de ciudades, excepto cuando el artículo es parte del nombre: **La Habana**, **El Cairo**, **La Haya**, **El Salvador**. Con algunos países, el uso es opcional: (**La**) **India**, (**El**) **Brasil**, (**El**) **Perú**, etc.

► También los usamos cuando nos referimos a un aspecto o a una parte de un país o de una región: **la Sevilla actual**, **el Egipto antiguo**.

► Con las formas de tratamiento y con los títulos, usamos los artículos en todos los casos excepto para dirigirnos a nuestro interlocutor.

• ***La** señora González vive cerca de aquí, ¿no?*
• *Señora González, ¿dónde vive usted?*

Recuerda

Cuando hablamos de una categoría o de sustantivos no contables, no usamos el artículo.

- *¿Tienes ordenador?*
- *Necesito leche para el postre.*

La presencia del artículo determinado indica que ya se había hablado antes de algo.

- *Voy a comprar leche y huevos.*
  (= informo qué tipo de cosas voy a comprar)

- *He comprado **la** leche y **los** huevos.*
  (= ya he dicho antes que era necesario comprar esas cosas)

EL ARTÍCULO NEUTRO **LO**

Aunque en español solo hay dos géneros, masculino y femenino, existe la forma neutra **lo** en las estructuras **lo** + adjetivo o **lo que** + verbo.

Lo bueno (= las cosas que son buenas)
Lo difícil (= las cosas que son difíciles)
Lo bello (= las cosas que son bellas)
Lo que pienso (= las cosas que pienso)

DEMOSTRATIVOS

► Sirven para referirse a algo indicando su cercanía o su lejanía respecto a la persona que habla.

cerca de quien habla	cerca de quien escucha	lejos de ambos
este	ese	aquel
esta	esa	aquella
estos	esos	aquellos
estas	esas	aquellas

- ***Este** avión es bastante nuevo, pero **aquel** del otro día era viejísimo.*

► Además de las formas de masculino y de femenino, existen formas neutras (**esto, eso, aquello**) que sirven para referirse a algo desconocido o que no queremos o no podemos identificar con un sustantivo.

- *¿Qué es **esto** que has dejado en mi mesa? No entiendo nada.*
- *¿**Eso**? Es la traducción del informe anual.*

► Los demostrativos están en relación con los adverbios de lugar **aquí**, **ahí** y **allí**.

AQUÍ/ACÁ	AHÍ	ALLÍ/ALLÁ
este chico	**ese** chico	**aquel** chico
esta chica	**esa** chica	**aquella** chica
estos amigos	**esos** amigos	**aquellos** amigos
estas amigas	**esas** amigas	**aquellas** amigas
esto	**eso**	**aquello**

POSESIVOS

► Los posesivos que van antes del sustantivo se utilizan para identificar algo o a alguien refiriéndose a su poseedor y varían según este (**yo** ➡ **mi** casa, **tú** ➡ **tu** casa…). Además, concuerdan en género y en número con la cosa poseída (**nuestra casa**, **sus libros**, etc.).

(yo)	**mi** libro/casa	**mis** libros/casas
(tú)	**tu** libro/casa	**tus** libros/casas
(él/ella/usted)	**su** libro/casa	**sus** libros/casas
(nosotros/as)	**nuestro** libro	**nuestros** libros
	nuestra casa	**nuestras** casas
(vosotros/as)	**vuestro** libro	**vuestros** libros
	vuestra casa	**vuestras** casas
(ellos/as, ustedes)	**su** libro/casa	**sus** libros/casas

► No usamos los posesivos cuando nos referimos a partes del propio cuerpo.

- ***Me** duele **la** cabeza.* ~~Me duele mi cabeza.~~
- ***Me** quiero cortar **el** pelo.* ~~Quiero cortar mi pelo.~~

► Tampoco los usamos para hablar de objetos de los que se supone que poseemos solo una unidad o cuando, por el contexto, está muy claro quién es el propietario.

- *¿Dónde has aparcado **el** coche?*
- *¿Tienes **el** pasaporte? Lo vas a necesitar.*

► Existe otra serie de posesivos.

mío	mía	míos	mías
tuyo	tuya	tuyos	tuyas
suyo	suya	suyos	suyas
nuestro	nuestra	nuestros	nuestras
vuestro	vuestra	vuestros	vuestras
suyo	suya	suyos	suyas

- Estos posesivos se usan para dar y para pedir información sobre a quién pertenece algo.

- *¡Qué lío! Esta bolsa es **tuya** o es **mía**?*

- Aparecen detrás del sustantivo, que va acompañado del artículo indeterminado o de otros determinantes.

- *Me encanta ese pintor; tengo **dos** obras **suyas**.*

- Con artículos determinados, sutituyendo a un sustantivo ya mencionado o conocido por el interlocutor.

- *Estos no son mis zapatos. ¡Son los **tuyos**!*

PRONOMBRES PERSONALES

La forma de los pronombres personales cambia según el lugar que ocupan en la oración y su función.

EN FUNCIÓN DE SUJETO

1ª pers. singular	yo	• ***Yo** tengo frío, ¿y tú?*
2ª pers. singular	tú usted	• ***Tú** tienes la culpa, no yo.*
3ª pers. singular	él, ella	• ***Él** es músico y **ella**, cantante.*
1ª pers. plural	nosotros, nosotras	• ***Nosotras** llegamos a las 5 y los chicos, a las 6h.*
2ª pers. plural	vosotros, vosotras ustedes	• *¿**Vosotros** habéis bajado a la calle? Alguien ha dejado la puerta abierta...*
3ª pers. plural	ellos, ellas	• ***Ellos** tienen más experiencia, pero se esfuerzan menos.*

► Los pronombres sujeto se utilizan cuando queremos resaltar la persona por oposición a otras o cuando su ausencia puede llevar a confusión, por ejemplo, en la tercera persona.

- ***Ustedes** trabajan en un banco, ¿verdad?*
- *○ **Yo** sí, pero **ella** no, **ella** es abogada.*

► **Usted** y **ustedes** son, respectivamente, las formas de tratamiento de respeto en singular y en plural. Se usan en relaciones jerárquicas, con desconocidos de una cierta edad o con personas mayores en general. Hay grandes variaciones de uso según el contexto social o geográfico. Se trata de formas de segunda persona, pero tanto el verbo como los pronombres van en tercera persona.

► En Latinoamérica, no se usa nunca **vosotros**: la forma de segunda persona del plural es **ustedes**.

► En algunas zonas de Latinoamérica (Argentina, Uruguay y regiones de Paraguay, Colombia y Centroamérica), en lugar de **tú**, se usa **vos**.

► Las formas femeninas del plural (**nosotras, vosotras, ellas**) solo se usan cuando todas las componentes son mujeres. Si hay al menos un hombre, se usan las formas masculinas.

CON PREPOSICIÓN

1ª pers. singular	mí*	• *¿Hay algún mensaje **para mí**?*
2ª pers. singular	ti* usted	• *Estos días, he pensado mucho **en ti**.*
3ª pers. singular	él, ella	• *Habla **con ella**: sabe mucho de ese tema.*
1ª pers. plural	nosotros, nosotras	• *El niño es muy pequeño, todavía no viaja **sin nosotros**.*
2ª pers. plural	vosotros, vosotras ustedes	• *Mi novia os conoce: me ha hablado muy bien **de vosotros**.*
3ª pers. plural	ellos, ellas	• *Siempre critica a sus hermanas.* ○ *Sí, es verdad. Siempre está **contra ellas**.*

* Con la preposición **con**: **conmigo** y **contigo**.

¡Atención!

Hay algunas excepciones: las preposiciones **entre, excepto, hasta, incluso, salvo** y **según**.

- ***Entre tú** y **yo** ya no hay secretos.*
- *Todos entregaron las tareas **excepto tú**.*
- ***Según tú**, ¿quién es el culpable?*

Recuerda

Con **como** y **menos** se usan las formas **yo** y **tú**.

- *Tú eres **como yo**, te encanta bailar.*

REFLEXIVOS

1ª pers. singular	**me** ducho
2ª pers. singular	**te** duchas / **se** ducha
3ª pers. singular	**se** ducha
1ª pers. plural	**nos** duchamos
2ª pers. plural	**os** ducháis / **se** duchan
3ª pers. plural	**se** duchan

EN FUNCIÓN DE COMPLEMENTO DE OBJETO DIRECTO (COD)

1ª pers. singular	**me**	• *¿**Me** ves bien?*
2ª pers. singular	**te** **lo*, la**	• ***Te** odio. Eres insoportable.* • *¿**La** acompaño, señora Lara?*
3ª pers. singular	**lo*, la**	• *Mi cumpleaños siempre **lo** celebro con mis amigos.*
1ª pers. plural	**nos**	• ***Nos** tuvieron tres horas en la sala de espera.*
2ª pers. plural	**os** **los, las**	• *¿Quién **os** lleva al cole?* • ***Los** espero abajo, señores Gil.*
3ª pers. plural	**los, las**	• *A las niñas no **las** veo desde el año pasado.*

* Cuando el Complemento de Objeto Directo (COD) hace referencia a una persona singular de género másculino, se admite también el uso de la forma **le**: **A Luis lo/le veo todos los días.**

► La forma **lo** es, además de un pronombre masculino, un pronombre de OD que puede sustituir a una parte del texto.

  • *Esto te **lo** he comprado en París, ¿te gusta?*

  • *¿A qué hora llega Mateo?*
  ○ *No **lo** sé. ¿Por qué no se **lo** preguntas a Alonso?*

EN FUNCIÓN DE COMPLEMENTO DE OBJETO INDIRECTO (COI)

- Los pronombres de COI solo se diferencian de los de COD en las formas de la tercera persona.

- Los pronombres de COI **le** y **les** se convierten en **se** cuando van acompañados de los pronombres de COD **lo, la, los, las**: ~~Le lo~~ pregunto. / **Se lo** pregunto.

1ª pers. singular	**me**	• *No **me** has dicho la verdad. Eres un mentiroso.*
2ª pers. singular	**te** **le (se)**	• *¿**Te** puedo contar una cosa?* • ***Le** mando el cheque mañana, señor Ruiz.*
3ª pers. singular	**le (se)**	• *¿Quién **le** hizo esta foto a Montse? Es preciosa...*
1ª pers. plural	**nos**	• *Carmen **nos** ha enseñado la ciudad.*
2ª pers. plural	**os** **les (se)**	• *Si queréis, **os** saco yo la foto.* • *A ustedes, **les** llegará el paquete por correo.*
3ª pers. plural	**les (se)**	• *A los chicos no **les** gustó nada la película.*

POSICIÓN DEL PRONOMBRE

► El orden de los pronombres es: COI + COD + verbo. Los pronombres se colocan siempre delante del verbo conjugado (excepto en Imperativo afirmativo).

  • ***Te** perdono si **me** das un beso.*
  • *¿**Os** apetece un té?*

  • *¿Cómo **te** devuelvo el libro que **me** dejaste?*
  ○ *Si **se lo** das a Pablo, él **me lo** puede llevar al trabajo.*

► Con el Infinitivo, el Gerundio y la forma afirmativa del Imperativo, los pronombres se colocan después del verbo y forman una sola palabra.

  • *Es imposible bañar**se**, el agua está helada.*
  • *Siénta**te** aquí y cuénta**melo** todo.*

► Con perífrasis y con estructuras como **poder/querer/ir a** + Infinitivo, los pronombres pueden ir delante del verbo conjugado o detrás del Infinitivo, pero nunca entre ambos.

  • *Tienes que hacer**me** un favor.*
  • ***Me** tienes que hacer un favor.*
  • ~~Tienes que me hacer un favor~~

  • *Quiero pedir**le** el coche a Jaime.*
  • ***Le** quiero pedir el coche a Jaime.*
  • ~~Quiero le pedir el coche a Jaime.~~

  • *¿Vas a llevar**te** el coche?*
  • *¿**Te** vas a llevar el coche?*
  • ~~¿Vas a te llevar el coche?~~

MÁS GRAMÁTICA

PREPOSICIONES Y LOCUCIONES PREPOSICIONALES

POSICIÓN Y MOVIMIENTO

a dirección, distancia	• *Vamos **a** Madrid.* • *Ávila está **a** 55 kilómetros de aquí.*
en ubicación, medio de transporte	• *Vigo está **en** Galicia.* • *Vamos **en** coche.*
de procedencia, **lejos/cerca... de**	• *Venimos **de** la Universidad.* • *Caracas está **lejos de** Lima.*
desde punto de partida	• *He venido a pie **desde** el centro.*
entre ubicación en medio de dos o más cosas	• *Barcelona está situada **entre** el mar y la montaña.* • *He encontrado esta postal **entre** mis libros.*
hasta punto de llegada	• *Podemos ir en metro **hasta** el centro.*
por movimiento dentro o a través de un espacio	• *Me gusta pasear **por** la playa.* • *El ladrón entró **por** la ventana.*
sobre ubicación superior	• *Extienda la masa **sobre** una superficie fría.*

debajo de	**encima de**	**detrás de**	**delante de**
a la derecha de	**a la izquierda de**	**al lado de**	**en el centro de**

¡Atención!

Podemos usar las locuciones anteriores sin la preposición **de** cuando no mencionamos el elemento que sirve de referencia.

• *¿Dónde ponemos el cuadro: a la derecha del sofá o **a la izquierda**?*

TIEMPO

a + hora	• *Me levanto **a** las ocho.*
por + parte del día	• *No trabajo **por** la mañana.*
de + día/noche	• *Prefiero estudiar **de** noche.*
desde + punto en el tiempo	• *No veo a Juan **desde** 1998.*
en + mes/estación/año	• *Mi cumpleaños es **en** abril.*
antes/después de	• *Hago deporte **antes de** cenar.*
de + inicio **a** + fin	• *Trabajamos **de** 9 **a** 6h.* • *Estaremos aquí **del** 2 **al*** 7 de abril.*
hasta + punto en el tiempo	• *Te esperé **hasta** las cinco.*

* Recuerda que **a** + **el** = **al**; **de** + **el** = **del**.

OTROS USOS

A
modo: **a la plancha**, **al horno**
COD (persona): **Hemos visto a Pablo en el centro.**

DE
material: **de lana**
partitivo, con sustantivos no contables: **un poco de pan, 200 gramos de queso**

POR/PARA
por + causa: **Viaja mucho por su trabajo.**
para + finalidad: **Necesito dinero para pagar el teléfono.**
para + destinatario: **Estos libros son para tu hermana.**

CON
compañía: **¿Fuiste al cine con Patricia?**
acompañamiento: **pollo con patatas**
instrumento: **He cortado el papel con unas tijeras.**
composición: **una casa con muchas ventanas**

SEGÚN
opinión: **Según tú, ¿quién tiene la razón, ella o yo?**

SIN
ausencia: **Yo prefiero tomar el café sin azúcar.**

SOBRE
tema: **Tengo que escribir un texto sobre el cine de mi país.**

INTERROGATIVOS

Los pronombres y los adverbios interrogativos reemplazan al elemento desconocido en preguntas de respuesta abierta.

QUÉ, CUÁL/CUÁLES

► En preguntas abiertas sin referencia a ningún sustantivo, usamos **qué** para preguntar por cosas.

- ●¿**Qué** habéis hecho durante estas vacaciones?

► Cuando preguntamos por una cosa o por una persona dentro de un conjunto, usamos **qué** o **cuál/cuáles** dependiendo de si aparece o no el sustantivo.

- ●¿**Qué** <u>museos</u> habéis visitado?

- ● Nos encantó el Museo Picasso.
- ○ ¿**Cuál**? ¿El de Barcelona o el de Málaga?

OTROS INTERROGATIVOS

Para preguntar por...

personas	quién/es	●¿**Quién** ha traído estas flores?
cantidad	cuánto/a/os/as	●¿**Cuántas** veces has estado en España?
un lugar	dónde	●¿**Dónde** tienes el móvil?
un momento en el tiempo	cuándo	●¿**Cuándo** llegaste a Alemania?
el modo	cómo	●¿**Cómo** fuiste? ¿En avión?
el motivo	por qué	●¿**Por qué** te ríes?
la finalidad	para qué	●¿**Para qué** me has llamado?

⏵ Recuerda

- Todos los interrogativos llevan tilde.
- Cuando el verbo va acompañado de preposición, esta se coloca antes del interrogativo.

- ●¿**Con quién** has estado hoy?
- ○ **Con** Edu.

- ●¿**Desde dónde** llamas?
- ○ **Desde** una cabina.

- ●¿**Sobre qué** trató la conferencia?
- ○ **Sobre** reciclaje.

- ●¿**Hasta cuándo** te quedas?
- ○ **Hasta** el martes.

- ●¿**Para cuántas** personas es esta mesa?
- ○ **Para** ocho como máximo.

- Las preguntas de respuesta cerrada (respuesta **sí** o **no**) se forman igual que las frases enunciativas; simplemente cambia la entonación.

- ● Edu va mucho a los Estados Unidos.
- ●¿Edu va mucho a los Estados Unidos?

MARCADORES TEMPORALES

PARA EXPRESAR FRECUENCIA

siempre	+
casi siempre / generalmente / por lo general / normalmente	
a menudo / con frecuencia / muchas veces	
a veces	
de vez en cuando	
raramente / muy pocas veces	
casi nunca	
nunca	
jamás	-

los lunes/los martes…
todos los lunes/los días/los meses/los veranos…
todas las mañanas/las tardes/las noches…
cada día/semana/mes/primavera/año…

- ● **Casi siempre** ceno en casa.
- ● Yo voy al cine **muy pocas veces**.
- ● Deberías caminar un poco **todos los días**.

¡Atención!
Con **todos los días**, hablamos de algo común a todos los días, algo que se repite. Con **cada día** nos referimos a los días como unidades independientes.

- ● Como fuera **todos los días**, pero **cada día** en un sitio diferente.

PARA ESPECIFICAR EL NÚMERO DE VECES QUE SE HA REALIZADO ALGO

muchas veces
2/3… veces
alguna vez
una vez
casi nunca
nunca
jamás

- ●¿Habéis estado **alguna vez** en México?
- ○ Yo estuve **una vez** hace muchos años.
- ■ Yo he estado **muchas veces**.
- ▫ Pues yo no he estado **nunca**.

PARA SITUAR EN EL PRESENTE

ahora
actualmente
en este momento
hoy
hoy en día

- *Alejandro Sanz, que **actualmente** vive en Miami, está pasando unos días en España.*
- ***Hoy en día** es difícil encontrar un buen trabajo.*

PARA SITUAR EN UN PASADO VINCULADO AL PRESENTE

este mes/ año/verano...
esta semana...
esta mañana/ tarde/noche
hace poco
hace un rato / hace cinco minutos
hoy

- ***Este mes** he tenido mucho trabajo.*

- *¿Alguien sabe dónde está Marcos?*
- o *Yo lo he visto en la cafetería **hace cinco minutos**.*

PARA SITUAR EN UN PASADO NO VINCULADO AL PRESENTE

ayer
anteayer
un día
el otro día
una vez
el 15 de enero de 2003
en enero
en 2003
el jueves (pasado)
la semana pasada
el verano/año/mes pasado
hace tres meses
de niño...

- *¿Sabes? **El otro día** me leyeron el futuro en el café.*
- o *¿Sí? A mí **una vez**, **hace** años, me lo hicieron, pero no acertaron en nada.*

RELACIONAR ACCIONES: ANTERIORIDAD Y POSTERIORIDAD

antes (de)
luego
después (de)
más tarde
unos minutos / un rato / unos días **después**
unos minutos / un rato / unas horas **más tarde**

- ***Antes** tenía el pelo largo, pero me lo corté porque era incómodo.*
- *He ido a la Universidad, pero **antes** he pasado por casa de Julia a buscar unas cosas.*
- ***Antes de** casarme pasé un tiempo en Colombia.*
- *Tómese una pastilla **antes de** cada comida.*
- *Yo llegué a las cinco y Alberto **un rato después**.*

REFERIRNOS A UN MOMENTO YA MENCIONADO

entonces
en aquella época
en aquellos tiempos
en ese momento

- *Yo vivía en un pueblo. **Entonces** no había televisión y jugábamos siempre en la calle.*
- *Me metí en la ducha y **entonces** llegó él.*
- *Mi abuela nació a mediados del siglo XX. **En aquella época** no había electricidad en su pueblo.*

REFERIRNOS A UN MOMENTO FUTURO

mañana
pasado mañana
dentro de un rato/dos semanas/tres meses...
la semana/el mes... que viene
la semana/el mes próxima/o
el lunes (que viene/próximo)...
este lunes/verano/año...
el uno de enero de 2025
el día 25...

- ***Mañana** voy a ir a la playa. ¿Quieres venir?*
- *Han dicho en la tele que **la semana que viene** lloverá.*
- ***Este año** voy a intentar cuidarme más.*
- *Llegaremos al aeropuerto de Madrid **dentro de** diez minutos.*

PARA HABLAR DE LA DURACIÓN

► **Hace** relaciona el momento en el que hablamos con el momento en el que ocurrió algo poniendo el énfasis en la cantidad de tiempo transcurrido.

- *Terminé mis estudios **hace** diez años.*

► **Desde** hace referencia al momento en el que se inicia algo.

- *Trabajo en esta empresa **desde** 1998.*

► **Hasta** hace referencia al límite temporal de una acción.

- *Me quedaré **hasta** las diez.*
- *Vivió en París **hasta** 2001.*

► **Desde hace** expresa el tiempo transcurrido desde el comienzo de una acción que continúa en el presente.

- • *Trabajo en esta empresa* **desde hace** *siete años.*

MARCADORES ESPACIALES

aquí / acá*
ahí
allí / allá
cerca (de) / lejos (de)
dentro (de) / fuera (de)
arriba / abajo

* **Aquí** no se usa en algunas variantes americanas, especialmente en la del Río de la Plata, donde se prefiere la forma **acá**.

COMPARAR

SUPERIORIDAD

Con nombres.

- • *Madrid tiene* **más** *parques* **que** *Barcelona.*

Con adjetivos.

- • *Madrid es* **más** *grande* **que** *Barcelona.*

Con verbos.

- • *Antes comía* **más que** *ahora.*

Formas especiales:

más bueno/a	➡	mejor
más malo/a	➡	peor
más grande	➡	mayor

> ## ¡Atención!
> **Mayor (que)** suele usarse, sobre todo, para indicar "mayor edad" o en comparaciones abstractas.
>
> - • *Antonio es* **mayor que** *Andrés.*
> - • *Este producto tiene* **mayor** *aceptacion entre los jóvenes.*

IGUALDAD

Con nombres

- • *En nuestra casa hay* **tanto** *espacio* **tanta** *luz* **tantos** *balcones* **tantas** *habitaciones* *como aquí.*

- • *Carlos y yo tenemos* **el mismo** *coche.* **la misma** *edad.* **los mismos** *gustos.* **las mismas** *aficiones.*

> ## ¡Atención!
> *Ana y yo comemos* **lo mismo** *puede significar dos cosas:*
> *"Ana y yo comemos las mismas cosas"*
> *"Ana come tanto como yo (la misma cantidad)"*

Con adjetivos

- • *Aquí las casas son* **tan** *caras* **como** *en mi ciudad.*

Con verbos

- • *Aquí la gente sale* **tanto como** *en España.*

INFERIORIDAD

Con nombres

- • *Prefiero dormir en esta habitación porque hay* **menos** *ruido* **que** *en la otra.*

- • *En nuestra casa* **no** *hay* **tanto** *espacio* **tanta** *luz* **tantos** *balcones* **tantas** *habitaciones* *como aquí.*

Con adjetivos

- • *La segunda parte de la novela es mucho* **menos** *entretenida* **que** *la primera.*
- • *Aquí los trenes* **no** *son* **tan** *caros* **como** *en mi país.*

Con verbos

- • *Desde que tuvimos el niño dormimos* **menos que** *antes.*
- • *Ahora* **no** *como* **tanto como** *antes.*

VERBOS

CONJUGACIONES

► En español existen tres conjugaciones, que se distinguen por las terminaciones: **-ar** (primera conjugación), **-er** (segunda) e **-ir** (tercera). Las formas de los verbos de la segunda y de la tercera conjugación son muy similares. La mayoría de las irregularidades se dan en estos dos grupos.

► En el verbo se pueden distinguir dos elementos: la raíz y la terminación. La raíz se obtiene al quitar al Infinitivo la terminación (-**ar**, -**er**, -**ir**). La terminación nos proporciona la información referente al modo, al tiempo, a la persona y al número.

► Las irregularidades afectan solo a la raíz del verbo. Solo se encuentran terminaciones irregulares en el Indefinido.

VERBOS REFLEXIVOS

► Son verbos que se conjugan con los pronombres reflexivos **me**, **te**, **se**, **nos**, **os**, **se**: **llamarse**, **levantarse**, **bañarse**...

- (Yo) **me** llamo Abel. (llamar**se**)

► Hay verbos que, como **acordar**, **ir** o **quedar**, cambian de significado con el pronombre reflexivo.

- ¿Qué **acordasteis** en la reunión?
- ¿**Te acuerdas** de Pablo?

- **Vamos** al cine.
- **Nos vamos** de aquí.

- ¿**Quedamos** a las cinco?
- ¿Vienes o **te quedas**?

► Otros verbos pueden convertirse en reflexivos cuando la acción recae en el propio sujeto.

- Marcela lava la ropa.
- Marcela **se** lava.
- Marcela **se** lava las manos.

VERBOS QUE FUNCIONAN COMO **GUSTAR**

► Existe un grupo de verbos (**gustar**, **encantar**, **apetecer**, **interesar**, etc.) que se conjugan casi siempre en tercera persona (del singular si van seguidos de un nombre en singular o de un Infinitivo; y del plural si van seguidos de un sustantivo en plural). Estos verbos van acompañados siempre de los pronombres de COI **me**, **te**, **le**, **nos**, **os**, **les** y expresan sentimientos y opiniones respecto a cosas, personas o actividades.

(A mí)	**me**	
(A ti)	**te**	
(A él/ella/usted)	**le**	**gusta** el cine (NOMBRES EN SINGULAR)
(A nosotros/nosotras)	**nos**	**gustan** ir al cine (VERBOS)
(A vosotros/vosotras)	**os**	las películas de acción (NOMBRES EN PLURAL)
(A ellos/ellas/ustedes)	**les**	

- **Me cuesta** mucho pronunciar las erres.
- A Sara **le encanta** Alejandro Sanz.
- ¿Qué **os parece** este cuadro?
- **Me duelen** mucho los pies.
- ¿**Os ha caído bien** el novio de Puri?

► En estos verbos, se usa **a** + pronombre tónico (**a mí**, **a ti**, **a él/ella/usted**, **a nosotros/as**, **a vosotros/as**, **a ellos/ ellas/ustedes**) cuando queremos contrastar diferentes personas.

- ¿Y **a vosotros** qué **os ha parecido** la película?
○ **A mí me ha encantado**.
■ Pues **a mí me ha parecido** muy aburrida.

PRESENTE DE INDICATIVO

	hablar	comer	escribir
(yo)	habl**o**	com**o**	escrib**o**
(tú)	habl**as**	com**es**	escrib**es**
(él/ella/usted)	habl**a**	com**e**	escrib**e**
(nosotros/nosotras)	habl**amos**	com**emos**	escrib**imos**
(vosotros/vosotras)	habl**áis**	com**éis**	escrib**ís**
(ellos/ellas/ustedes)	habl**an**	com**en**	escrib**en**

- La terminación de la primera persona del singular es igual en las tres conjugaciones.

- Las terminaciones de la tercera conjugación son iguales que las de la segunda excepto en la primera y en la segunda personas del plural (**nosotros/as**, **vosotros/as**).

► Usamos el Presente de Indicativo para:

- hacer afirmaciones atemporales: **Una semana tiene siete días.**

- hablar de hechos que se producen con una cierta frecuencia o regularidad: **Como en casa todos los días.**

- hablar del presente cronológico: **Hace muy buen tiempo.**

- pedir cosas y acciones en preguntas: **¿Me prestas un boli?**

- hablar de intenciones firmes: **Mañana te devuelvo el libro.**

- relatar en presente histórico: **Pío Baroja nace en San Sebastián en 1872.**

- formular hipótesis: **Si me toca la lotería, dejo de trabajar.**

- dar instrucciones: **Sigues todo recto y giras a la derecha.**

IRREGULARIDADES EN PRESENTE

Diptongación: e > ie, o > ue

► Muchos verbos de las tres conjugaciones tienen esta irregularidad en Presente. Este fenómeno no afecta ni a la primera ni a la segunda personas del plural.

	pensar	poder
(yo)	pienso	puedo
(tú)	piensas	puedes
(él/ella/usted)	piensa	puede
(nosotros/nosotras)	pensamos	podemos
(vosotros/vosotras)	pensáis	podéis
(ellos/ellas/ustedes)	piensan	pueden

Cierre vocálico: e > i

► El cambio de e por i se produce en muchos verbos de la tercera conjugación en los que la última vocal de la raíz es e, como **seguir**, **pedir**, **decir** o **freír**.

	seguir
(yo)	sigo
(tú)	sigues
(él/ella/usted)	sigue
(nosotros/nosotras)	seguimos
(vosotros/vosotras)	seguís
(ellos/ellas/ustedes)	siguen

G en la primera persona del singular

► Existe un grupo de verbos que intercalan una **g** en la primera persona del singular.

salir ➡ salgo   poner ➡ pongo   valer ➡ valgo   hacer ➡ hago

► Esta irregularidad puede aparecer sola, como en **salir** o en **poner**, o en combinación con diptongación en las otras personas, como en **tener** o en **venir**.

	tener	venir
(yo)	tengo	vengo
(tú)	tienes	vienes
(él/ella/usted)	tiene	viene
(nosotros/nosotras)	tenemos	venimos
(vosotros/vosotras)	tenéis	venís
(ellos/ellas/ustedes)	tienen	vienen

ZC en la primera persona del singular

► Los verbos terminados en **-acer**, **-ecer**, **-ocer** y **-ucir** también son irregulares en la primera persona del singular.

conocer ➡ conozco   producir ➡ produzco
obedecer ➡ obedezco   nacer ➡ nazco

Cambios ortográficos

► Atención a las terminaciones en -ger, -gir y -guir. Debemos tener en cuenta las reglas ortográficas al conjugarlos.

escoger ➡ escojo   elegir ➡ elijo   seguir ➡ sigo

PRETÉRITO PERFECTO

	Presente de haber	+ Participio
(yo)	he	
(tú)	has	
(él/ella/usted)	ha	hablado
(nosotros/nosotras)	hemos	comido
(vosotros/vosotras)	habéis	vivido
(ellos/ellas/ustedes)	han	

► El Pretérito Perfecto se forma con el Presente del auxiliar **haber** y el Participio pasado (**cantado**, **leído**, **vivido**).

► El Participio pasado es invariable. El auxiliar y el Participio son una unidad, no se puede colocar nada entre ellos. Los pronombres se colocan siempre delante del auxiliar.

- *Las **hemos comprado** esta semana.*   ~~*Las **hemos compradas** esta semana.*~~

- ***Ya** hemos cerrado.*   ~~*Hemos **ya** cerrado.*~~

► Usamos el Pretérito Perfecto para referirnos a acciones o a acontecimientos ocurridos en un momento pasado no definido. No se dice cuándo ha ocurrido la acción porque no interesa o no se sabe. Se acompaña de marcadores como ya/todavía no; siempre/nunca/alguna vez/una vez/dos veces/muchas veces.

- ¿***Ya has hecho** los deberes?*
- *No, es que **todavía no he tenido** tiempo.*

- ***Nunca he probado** la paella.*
- *¿**Has estado alguna vez** en Murcia?*
- ***Siempre he tenido** ganas de estudiar música.*

► También usamos el Pretérito Perfecto para situar una acción en un tiempo que tiene relación con el presente.

- ***Este mes he trabajado** mucho.*
- ***Esta semana ha hecho** un calor insoportable.*

► Y para referirnos a acciones muy vinculadas al momento actual.

- ***Hace un rato he hablado** con tu hermana.*

MÁS GRAMÁTICA

PRETÉRITO INDEFINIDO

	hablar	beber	escribir
(yo)	hablé	bebí	escribí
(tú)	hablaste	bebiste	escribiste
(él/ella/usted)	habló	bebió	escribió
(nosotros/nosotras)	hablamos	bebimos	escribimos
(vosotros/vosotras)	hablasteis	bebisteis	escribisteis
(ellos/ellas/ustedes)	hablaron	bebieron	escribieron

► El Pretérito Indefinido se usa para relatar acciones ocurridas en un pasado concreto, no relacionado con el presente, que se presentan como concluidas. Se acompaña de marcadores como:

- fechas (en 1990, en 2003, el 8 de septiembre, en enero...)
- ayer, anoche, anteayer
- el lunes, el martes...
- el mes pasado, la semana pasada, etc.

- Anoche **cené** con unos amigos.
- El mes pasado **descubrí** un restaurante genial.

IRREGULARIDADES EN EL PRETÉRITO INDEFINIDO

Cierre vocálico: e > i, o > u

► El cambio de **e** por **i** se produce en muchos verbos de la tercera conjugación en los que la última vocal de la raíz es **e**, como **pedir**. La **e** se convierte en **i** en las terceras personas del singular y del plural. Sucede lo mismo con los verbos de la tercera conjugación en los que la última vocal de la raíz es **o**, como **dormir**. En estos casos, la **o** se convierte en **u** en las terceras personas del singular y del plural.

	pedir	dormir
(yo)	pedí	dormí
(tú)	pediste	dormiste
(él/ella/usted)	pidió	durmió
(nosotros/nosotras)	pedimos	dormimos
(vosotros/vosotras)	pedisteis	dormisteis
(ellos/ellas/ustedes)	pidieron	durmieron

Ruptura del triptongo

► Cuando la raíz de un verbo en -er/-ir termina en vocal, en las terceras personas la **i** se convierte en **y**.

caer ➡ cayó/cayeron
huir ➡ huyó/huyeron
construir ➡ construyó/construyeron

Cambios ortográficos

Atención a los verbos que terminan en -**car**, -**gar**, -**guar** y -**zar**. Hay que tener en cuenta las reglas ortográficas al conjugarlos.

acercar ➡ acerqué
llegar ➡ llegué
averiguar ➡ averigüé
almorzar ➡ almorcé

Verbos con terminaciones irregulares

► Todos los siguientes verbos presentan irregularidades propias en la raíz y tienen unas terminaciones especiales independientemente de la conjugación a la que pertenezcan.

andar	➡ anduv-	poder	➡ pud-		-e
conducir*	➡ conduj-	poner	➡ pus-		-iste
decir*	➡ dij-	querer	➡ quis-		-o
traer*	➡ traj-	saber	➡ sup-	+	-imos
estar	➡ estuv-	tener	➡ tuv-		-isteis
hacer	➡ hic-/hiz-	venir	➡ vin-		-ieron

* En la tercera persona del plural, la **i** desaparece (**condujeron, dijeron, trajeron**). Se conjugan así todos los verbos terminados en -**ucir**.

¡Atención!
En la primera y en la tercera personas del singular de los verbos regulares, la última sílaba es tónica; en los irregulares, en cambio, la sílaba tónica es la penúltima.

Verbos ir y ser

► Los verbos **ir** y **ser** tienen la misma forma en Indefinido.

	ir/ser
(yo)	fui
(tú)	fuiste
(él/ella/usted)	fue
(nosotros/nosotras)	fuimos
(vosotros/vosotras)	fuisteis
(ellos/ellas/ustedes)	fueron

PRETÉRITO IMPERFECTO

	hablar	beber	vivir
(yo)	hablaba	bebía	vivía
(tú)	hablabas	bebías	vivías
(él/ella/usted)	hablaba	bebía	vivía
(nosotros/nosotras)	hablábamos	bebíamos	vivíamos
(vosotros/vosotras)	hablabais	bebíais	vivíais
(ellos/ellas/ustedes)	hablaban	bebían	vivían

► Casi no hay irregularidades en el Pretérito Imperfecto, a excepción de los verbos **ir** y **ser**, y del verbo **ver**.

	ir	ser	ver
(yo)	iba	era	veía
(tú)	ibas	eras	veías
(él/ella/usted)	iba	era	veía
(nosotros/nosotras)	íbamos	éramos	veíamos
(vosotros/vosotras)	ibais	erais	veíais
(ellos/ellas/ustedes)	iban	eran	veían

► Usamos el Pretérito Imperfecto para describir las circunstancias que rodean a un acontecimiento pasado.

- *Como **estábamos** cansados, nos quedamos en casa.*
- *Ayer no **tenía** ganas de estar en casa y me fui al cine.*

► También lo usamos para realizar descripciones en pasado.

- *Ayer vi a Marta. **Estaba** guapísima.*
- *La casa de mis abuelos **era** enorme y **tenía** muchas habitaciones.*

► Lo empleamos, asimismo, para hablar de costumbres en el pasado.

- *De niño, siempre **iba** a visitar a mis abuelos al campo.*
- *En mi época de estudiante, **dormía** muy poco.*

RELATAR EN PASADO

► Un relato es una sucesión de hechos que contamos utilizando el Pretérito Indefinido o el Perfecto. Hacemos avanzar la historia con cada nuevo hecho que presentamos.

- *Aquel día Juan no **oyó** el despertador y **se despertó** media hora tarde. **Salió** de casa sin desayunar y **tomó** un taxi. Por suerte, **consiguió** llegar a tiempo al aeropuerto.*

► En cada hecho podemos "detener la acción" y "mirar" las circunstancias que lo rodean. Para ello, usamos el Imperfecto.

- *Aquel día Juan **estaba** muy cansado y no oyó el despertador, así que se despertó media hora tarde. Como no **tenía** tiempo, salió de casa sin desayunar y tomó un taxi. Por suerte, no **había** mucho tráfico y consiguió llegar al aeropuerto a tiempo.*

► La elección que hacemos entre Perfecto/Indefinido e Imperfecto no depende de la duración de las acciones, sino de la manera en la que queremos presentarlas y de su función en el relato.

- *Ayer, como **estaba lloviendo**, no **salí**.* (no interesa el fin de la lluvia; la presentamos como una circunstancia de "no salir")

- *Ayer, **estuvo lloviendo** todo el día y no **salí**.* (informo de la duración de la lluvia y del hecho de "no salir")

FUTURO

► El Futuro se forma añadiendo al Infinitivo las terminaciones -**é**, -**ás**, -**á**, -**emos**, -**éis** y -**án**.

	hablar	beber	vivir
(yo)	hablar**é**	beber**é**	vivir**é**
(tú)	hablar**ás**	beber**ás**	vivir**ás**
(él/ella/usted)	hablar**á**	beber**á**	vivir**á**
(nosotros/nosotras)	hablar**emos**	beber**emos**	vivir**emos**
(vosotros/vosotras)	hablar**éis**	beber**éis**	vivir**éis**
(ellos/ellas/ustedes)	hablar**án**	beber**án**	vivir**án**

► Hay muy pocos verbos irregulares. Estos presentan un cambio en la raíz, pero tienen las mismas terminaciones que los verbos regulares.

tener ➡ **tendr-**	hacer ➡ **har-**		-é
salir ➡ **saldr-**	decir ➡ **dir-**		-ás
haber ➡ **habr-**	querer ➡ **querr-**	+	-á
poner ➡ **pondr-**	saber ➡ **sabr-**		-emos
poder ➡ **podr-**	caber ➡ **cabr-**		-éis
venir ➡ **vendr-**			-án

► Usamos el Futuro para referirnos al futuro cronológico de una manera neutra. Lo utilizamos para hacer predicciones o para expresar que algo ocurrirá inexorablemente.

- *Mañana **hará** sol en todo el país.*
- *Las cartas dicen que **tendrás** muchos hijos.*
- ***Aterrizaremos** en cinco minutos.*
- *El sol **saldrá** mañana a las 6.42h.*

► También usamos este tiempo para formular hipótesis sobre el futuro, normalmente acompañado por marcadores como **seguramente**, **probablemente**, **posiblemente**, **seguro que**, **creo que**, etc.

- *¿Qué vas a hacer esta noche?*
- *Pues **seguramente me quedaré** en casa. ¿Y tú?*
- *Yo **creo que saldré** a cenar por ahí.*

IMPERATIVO

IMPERATIVO AFIRMATIVO

El Imperativo afirmativo en español tiene cuatro formas: **tú** y **vosotros/as** (más informal), **usted** y **ustedes** (más formal).

	pensar	comer	dormir
(tú)	piens**a**	com**e**	duerm**e**
(vosotros/as)	pens**ad**	com**ed**	dorm**id**
(usted)	piens**e**	com**a**	duerm**a**
(ustedes)	piens**en**	com**an**	duerm**an**

► La forma para **tú** se obtiene eliminando la -**s** final de la forma correspondiente del Presente:

estudias ➡ **estudia**   comes ➡ **come**   cierras ➡ **cierra**

> **¡Atención!**
>
> Algunos verbos irregulares no siguen esta regla.
> poner ➡ **pon**   hacer ➡ **haz**   venir ➡ **ven**
> salir ➡ **sal**   tener ➡ **ten**   decir ➡ **di**

► La forma para **vosotros** se obtiene sustituyendo la -**r** final del Infinitivo por una -**d**:

estudia**r** ➡ estudia**d**   come**r** ➡ come**d**   cerra**r** ➡ cerra**d**

► Las formas para **usted** y **ustedes** se obtienen cambiando la vocal temática de la forma correspondiente del Presente:

estudi**a** ➡ estudi**e**   com**e** ➡ com**a**   cierr**a** ➡ cierr**e**
estudi**an** ➡ estudi**en**   com**en** ➡ com**an**   cierr**an** ➡ cierr**en**

> **¡Atención!**
>
> Los verbos que son irregulares en la primera persona del Presente tienen en Imperativo una raíz irregular.
>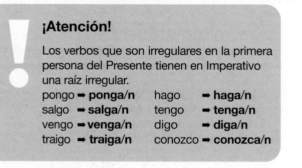
> pongo ➡ **ponga/n**   hago ➡ **haga/n**
> salgo ➡ **salga/n**   tengo ➡ **tenga/n**
> vengo ➡ **venga/n**   digo ➡ **diga/n**
> traigo ➡ **traiga/n**   conozco ➡ **conozca/n**

► Los verbos **ser** e **ir** presentan formas especiales.

	ser	ir
(tú)	sé	ve
(vosotros/as)	sed	id
(usted)	sea	vaya
(ustedes)	sean	vayan

► Recuerda que, con el Imperativo afirmativo, los pronombres van después del verbo y forman una sola palabra.

> • *Devuélve**me** las llaves y ve**te**.*

> **¡Atención!**
>
> En los verbos reflexivos, cuando combinamos la forma de **vosotros** con el pronombre **os** desaparece la -**d** final.
>
> • *Niños, **sentaos** y **tomaos** la sopa.*

IMPERATIVO NEGATIVO

	pensar	comer	dormir
(tú)	no piens**es**	no com**as**	no duerm**as**
(vosotros/as)	no pens**éis**	no com**áis**	no durm**áis**
(usted)	no piens**e**	no com**a**	no duerm**a**
(ustedes)	no piens**en**	no com**an**	no duerm**an**

► Fíjate en que las formas para **usted** y **ustedes** son las mismas que las del Imperativo afirmativo.

► Para los verbos en -**ar**, el Imperativo negativo se obtiene sustituyendo la **a** de las terminaciones del Presente de Indicativo por una **e**.

Presente	Imperativo
hablas	➡ **no hables**
habla	➡ **no hable**
habláis	➡ **no habléis**
hablan	➡ **no hablen**

► Para los verbos en -**er**/-**ir**, el Imperativo negativo se obtiene sustituyendo la **e** de las terminaciones del Presente de Indicativo por una **a** (excepto para la forma **vosotros** de los verbos en -**ir**: -**ís** ➡ -**áis**).

Presente	Imperativo	Presente	Imperativo
comes	➡ **no comas**	vives	➡ **no vivas**
come	➡ **no coma**	vive	➡ **no viva**
coméis	➡ **no comáis**	vivís	➡ **no viváis**
come	➡ **no coma**	viven	➡ **no vivan**

> **¡Atención!**
>
> Los verbos que son irregulares en la primera persona del Presente tienen en Imperativo negativo una raíz irregular para todas las personas.
>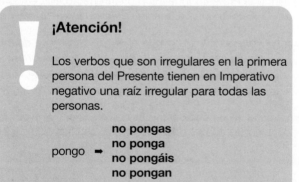
> pongo ➡ **no pongas**
> **no ponga**
> **no pongáis**
> **no pongan**

► Presentan formas especiales los verbos **ser**, **estar** e **ir**.

ser ➡ no seas, no sea, no seáis, no sean
estar ➡ no estés, no esté, no estéis, no estén
ir ➡ no vayas, no vaya, no vayáis, no vayan

► Recuerda que, con el Imperativo negativo, los pronombres van delante del verbo.

> • *¡No **me digas** lo que tengo que hacer!*

► Usamos el Imperativo para dar instrucciones.

- *Retire* el plástico protector y *coloque* el aparato sobre una superficie estable.

► Para conceder permiso.

- *¿Puedo entrar un momento?*
- *Sí, claro. Pasa, pasa.*

► Para ofrecer algo.

- *Toma, prueba* estas galletas. Están buenísimas.

► Para aconsejar.

- *No sé qué hacer. Esta noche tengo una cena de trabajo y no sé qué ponerme.*
- *Ponte* el vestido azul, ¿no? Te queda muy bien.

¡Atención!

A veces usamos el Imperativo para dar órdenes o pedir acciones, pero solo en situaciones muy jerarquizadas o de mucha confianza. Solemos suavizar este uso con elementos como **por favor**, **venga**, **¿te importa?**, etc., o justificando la petición.

- **Por favor**, Gutiérrez, **hágame** diez copias de estos documentos.
- **Ven** conmigo a comprar, **venga**, que yo no puedo con todas las bolsas.

PARTICIPIO

► El Participio pasado se forma agregando las terminaciones -**ado** en los verbos de la primera conjugación e -**ido** en los verbos de la segunda y de la tercera conjugación.

cantar → cant**ado**   beber → beb**ido**
                        vivir → viv**ido**

► Hay algunos participios irregulares.

abrir*	→ **abierto**	decir	→ **dicho**	ver	→ **visto**
escribir	→ **escrito**	hacer	→ **hecho**	volver	→ **vuelto**
morir	→ **muerto**	poner	→ **puesto**	romper	→ **roto**

* Todos los verbos terminados en -**brir** tienen un Participio irregular acabado en -**bierto**.

► El Participio tiene dos funciones. Como verbo, acompaña al auxiliar **haber** en los tiempos verbales compuestos y es invariable. Como adjetivo, concuerda con el sustantivo en género y en número y se refiere a situaciones o estados derivados de la acción del verbo. Por eso, en esos casos, se utiliza muchas veces con el verbo **estar**.

Marcos se **ha sorprendido**. → Marcos está **sorprendido**.
Han pintado las paredes. → Las paredes están **pintadas**.
Han encendido la luz. → La luz está **encendida**.

GERUNDIO

► El Gerundio se forma añadiendo la terminación -**ando** a los verbos en -**ar** y la terminación -**iendo** a los verbos en -**er**/-**ir**.

cantar → cant**ando**   beber → beb**iendo**
                         vivir → viv**iendo**

► Son irregulares los gerundios de los verbos en -**ir** cuya última vocal de la raíz es **e** u **o** (**pedir**, **sentir**, **seguir**, **decir**, **reír**, **freír**, **mentir**, etc.; **dormir**, **morir**).

pedir → p**i**diendo   dormir → d**u**rmiendo

► Cuando la raíz de los verbos en -**er** o en -**ir** acaba en vocal, la terminación del Gerundio es -**yendo**.

traer → tra**yendo**   construir → constru**yendo**

Recuerda

Con el Gerundio, los pronombres se colocan después del verbo, formando una sola palabra.

- *Puedes mejorar tu español **relacionándote** con nativos.*

► El Gerundio puede formar perífrasis con verbos como **estar**, **llevar**, **seguir**, **continuar**, etc.

- *Estos días **estoy trabajando** demasiado. Necesito un descanso.*
- *¿Cuánto tiempo **llevas viviendo** en el barrio?*

- *¿Y cómo va todo? ¿**Sigues trabajando** en la misma empresa?*
- *Sí, yo como siempre y Marta también **continúa dando** clases.*

► También usamos el Gerundio para explicar de qué manera se realiza una acción.

- *¿Sabes qué le pasa a Antonio? Ha salido **llorando**.*

- *¿Y cómo consigues estar tan joven?*
- *Pues **haciendo** ejercicio todos los días, **comiendo** sano y **durmiendo** ocho horas al día.*

¡Atención!

En este tipo de frases, para expresar la ausencia de una acción, usamos **sin** + Infinitivo en lugar de **no** + Gerundio.

- *¿Qué le pasa a Antonio? Ha salido corriendo **sin decir** nada.*

ESTAR + GERUNDIO

▶ Usamos **estar** + Gerundio cuando presentamos una acción o una situación presente como algo temporal o no definitivo.

(yo)	**estoy**
(tú)	**estás**
(él/ella/usted)	**está**
(nosotros/nosotras)	**estamos**
(vosotros/vosotras)	**estáis**
(ellos/ellas/ustedes)	**están**

+ Gerundio

- **¿Estás viviendo** en Londres? ¡No lo sabía!

▶ A veces, podemos expresar lo mismo en Presente con un marcador temporal: **últimamente, desde hace algún tiempo**…

- Desde hace algunos meses **voy** a clases de yoga.

▶ Cuando queremos especificar que la acción se está desarrollando en el momento preciso en el que estamos hablando, solo podemos usar **estar** + Gerundio.

- No te puede oír, **está escuchando** música en su cuarto.
- ~~No te puede oír, escucha música en su cuarto.~~

▶ Usamos **estar** en Pretérito Perfecto, Indefinido o Imperfecto + Gerundio para presentar las acciones en su desarrollo.

PRETÉRITO PERFECTO

- Esta tarde **hemos estado probando** la tele nueva.
- Estos días **han estado arreglando** el ascensor.
- Juan **ha estado** un año **preparando** las oposiciones.

PRETÉRITO INDEFINIDO

- Ayer **estuvimos probando** la tele nueva.
- El otro día **estuvieron arreglando** el ascensor.
- Juan **estuvo** un año **preparando** las oposiciones.

PRETÉRITO IMPERFECTO

- Esta tarde **estábamos probando** la tele nueva y, de repente, se ha ido la luz.
- El otro día, cuando llegué con las bolsas de la compra, **estaban arreglando** el ascensor y tuve que subir a pie los cinco pisos.
- Cuando conocí a Juan, **estaba preparando** las oposiciones.

! **¡Atención!**
Si queremos expresar la ausencia total de una acción durante un periodo de tiempo, podemos usar **estar sin** + Infinitivo.

- Paco **ha estado** dos días **sin hablar** con nadie. ¿Tú crees que le pasa algo?

IMPERSONALIDAD

▶ En español, podemos expresar la impersonalidad de varias maneras. Una de ellas es con la construcción **se** + verbo en tercera persona.

- El gazpacho **se hace** con tomate, pimiento, cebolla, ajo...

▶ Otra manera de expresar impersonalidad, cuando no podemos o no nos interesa especificar quién realiza una acción, es usar la tercera persona del plural.

- ¿Sabes si ya **han arreglado** la calefacción?
- ¿Te has enterado? **Han descubierto** un nuevo planeta.

SER/ESTAR/HABER

▶ Para ubicar algo en el espacio, usamos el verbo **estar**.

- El ayuntamiento **está** bastante lejos del centro.

▶ Pero si informamos acerca de la existencia, usamos **hay** (del verbo **haber**). Es una forma única para el presente, y solo existe en tercera persona. Se utiliza para hablar tanto de objetos en singular como en plural.

- Cerca de mi casa **hay** un parque enorme.
- En la fiesta **hubo** momentos muy divertidos.
- ¿**Había** mucha gente en el concierto?
- En el futuro **habrá** problemas de suministro de agua.

▶ Para informar sobre la ubicación de un evento ya mencionado, usamos **ser**.

- La reunión **es** en mi casa.

▶ Con adjetivos, usamos **ser** para hablar de las características esenciales del sustantivo y **estar** para expresar una condición o un estado especial en un momento determinado.

- Lucas **es** ingeniero.
- Este coche **es** nuevo.
- Lucas **está** enfadado.
- El coche **está** averiado.

▶ También usamos **ser** cuando identificamos algo o a alguien o cuando hablamos de las características inherentes de algo.

- Alba **es** una amiga mía.
- ~~Alba está una amiga mía.~~

▶ Con los adverbios **bien/mal**, usamos únicamente **estar**.

- El concierto **ha estado** muy bien, ¿no?
- ~~El concierto **ha sido** muy bien, ¿no?~~

VERBOS

Presente	Pretérito Imperfecto	Pretérito Indefinido	Pretérito Perfecto verbo **haber** + Participio*	Futuro	Imperativo Afirmativo	Negativo

1. ESTUDIAR
Gerundio: estudi**ando**
Participio: estudi**ado**

Presente	Pretérito Imperfecto	Pretérito Indefinido			Futuro	Afirmativo	Negativo
estudi**o**	estudi**aba**	estudi**é**	he	estudi**ado**	estudiar**é**		
estudi**as**	estudi**abas**	estudi**aste**	has	estudi**ado**	estudiar**ás**	estudi**a**	no estudi**es**
estudi**a**	estudi**aba**	estudi**ó**	ha	estudi**ado**	estudiar**á**	estudi**e**	no estudi**e**
estudi**amos**	estudi**ábamos**	estudi**amos**	hemos	estudi**ado**	estudiar**emos**		
estudi**áis**	estudi**abais**	estudi**asteis**	habéis	estudi**ado**	estudiar**éis**	estudi**ad**	no estudi**éis**
estudi**an**	estudi**aban**	estudi**aron**	han	estudi**ado**	estudiar**án**	estudi**en**	no estudi**en**

2. COMER
Gerundio: com**iendo**
Participio: com**ido**

Presente	Pretérito Imperfecto	Pretérito Indefinido			Futuro	Afirmativo	Negativo
com**o**	com**ía**	com**í**	he	com**ido**	comer**é**		
com**es**	com**ías**	com**iste**	has	com**ido**	comer**ás**	com**e**	no com**as**
com**e**	com**ía**	com**ió**	ha	com**ido**	comer**á**	com**a**	no com**a**
com**emos**	com**íamos**	com**imos**	hemos	com**ido**	comer**emos**		
com**éis**	com**íais**	com**isteis**	habéis	com**ido**	comer**éis**	com**ed**	no com**áis**
com**en**	com**ían**	com**ieron**	han	com**ido**	comer**án**	com**an**	no com**an**

3. VIVIR
Gerundio: viv**iendo**
Participio: viv**ido**

Presente	Pretérito Imperfecto	Pretérito Indefinido			Futuro	Afirmativo	Negativo
viv**o**	viv**ía**	viv**í**	he	viv**ido**	vivir**é**		
viv**es**	viv**ías**	viv**iste**	has	viv**ido**	vivir**ás**	viv**e**	no viv**as**
viv**e**	viv**ía**	viv**ió**	ha	viv**ido**	vivir**á**	viv**a**	no viv**a**
viv**imos**	viv**íamos**	viv**imos**	hemos	viv**ido**	vivir**emos**		
viv**ís**	viv**íais**	viv**isteis**	habéis	viv**ido**	vivir**éis**	viv**id**	no viv**áis**
viv**en**	viv**ían**	viv**ieron**	han	viv**ido**	vivir**án**	viv**an**	no viv**an**

* PARTICIPIOS IRREGULARES

		escribir	escrito	**poner**	puesto
		freír	frito/freído	**resolver**	resuelto
abrir	abierto	**hacer**	hecho	**romper**	roto
cubrir	cubierto	**ir**	ido	**ver**	visto
decir	dicho	**morir**	muerto	**volver**	vuelto

Presente	Pretérito Imperfecto	Pretérito Indefinido	Futuro	Imperativo Afirmativo	Imperativo Negativo

4. ACTUAR Gerundio: actuando Participio: actuado

Presente	Pretérito Imperfecto	Pretérito Indefinido	Futuro	Imperativo Afirmativo	Imperativo Negativo
actúo	actuaba	actué	actuaré		
actúas	actuabas	actuaste	actuarás	actúa	no actúes
actúa	actuaba	actuó	actuará	actúe	no actúe
actuamos	actuábamos	actuamos	actuaremos		
actuáis	actuabais	actuasteis	actuaréis	actuad	no actuéis
actúan	actuaban	actuaron	actuarán	actúen	no actúen

5. ADQUIRIR Gerundio: adquiriendo Participio: adquirido

Presente	Pretérito Imperfecto	Pretérito Indefinido	Futuro	Imperativo Afirmativo	Imperativo Negativo
adquiero	adquiría	adquirí	adquiriré		
adquieres	adquirías	adquiriste	adquirirás	adquiere	no adquie
adquiere	adquiría	adquirió	adquirirá	adquiera	no adquie
adquirimos	adquiríamos	adquirimos	adquiriremos		
adquirís	adquiríais	adquiristeis	adquiriréis	adquirid	no adquir
adquieren	adquirían	adquirieron	adquirirán	adquieran	no adquie

6. ANDAR Gerundio: andando Participio: andado

Presente	Pretérito Imperfecto	Pretérito Indefinido	Futuro	Imperativo Afirmativo	Imperativo Negativo
ando	andaba	anduve	andaré		
andas	andabas	anduviste	andarás	anda	no andes
anda	andaba	anduvo	andará	ande	no ande
andamos	andábamos	anduvimos	andaremos		
andáis	andabais	anduvisteis	andaréis	andad	no andéis
andan	andaban	anduvieron	andarán	anden	no anden

7. AVERIGUAR Gerundio: averiguando Participio: averiguado

Presente	Pretérito Imperfecto	Pretérito Indefinido	Futuro	Imperativo Afirmativo	Imperativo Negativo
averiguo	averiguaba	averigüé	averiguaré		
averiguas	averiguabas	averiguaste	averiguarás	averigua	no averig
averigua	averiguaba	averiguó	averiguará	averigüe	no averig
averiguamos	averiguábamos	averiguamos	averiguaremos		
averiguáis	averiguabais	averiguasteis	averiguaréis	averiguad	no averig
averiguan	averiguaban	averiguaron	averiguarán	averigüen	no averig

8. BUSCAR Gerundio: buscando Participio: buscado

Presente	Pretérito Imperfecto	Pretérito Indefinido	Futuro	Imperativo Afirmativo	Imperativo Negativo
busco	buscaba	busqué	buscaré		
buscas	buscabas	buscaste	buscarás	busca	no busques
busca	buscaba	buscó	buscará	busque	no busque
buscamos	buscábamos	buscamos	buscaremos		
buscáis	buscabais	buscasteis	buscaréis	buscad	no busquéis
buscan	buscaban	buscaron	buscarán	busquen	no busquen

9. CAER Gerundio: cayendo Participio: caído

Presente	Pretérito Imperfecto	Pretérito Indefinido	Futuro	Imperativo Afirmativo	Imperativo Negativo
caigo	caía	caí	caeré		
caes	caías	caíste	caerás	cae	no caigas
cae	caía	cayó	caerá	caiga	no caiga
caemos	caíamos	caímos	caeremos		
caéis	caíais	caísteis	caeréis	caed	no caigáis
caen	caían	cayeron	caerán	caigan	no caigan

10. COGER Gerundio: cogiendo Participio: cogido

Presente	Pretérito Imperfecto	Pretérito Indefinido	Futuro	Imperativo Afirmativo	Imperativo Negativo
cojo	cogía	cogí	cogeré		
coges	cogías	cogiste	cogerás	coge	no cojas
coge	cogía	cogió	cogerá	coja	no coja
cogemos	cogíamos	cogimos	cogeremos		
cogéis	cogíais	cogisteis	cogeréis	coged	no cojáis
cogen	cogían	cogieron	cogerán	cojan	no cojan

11. COLGAR Gerundio: colgando Participio: colgado

Presente	Pretérito Imperfecto	Pretérito Indefinido	Futuro	Imperativo Afirmativo	Imperativo Negativo
cuelgo	colgaba	colgué	colgaré		
cuelgas	colgabas	colgaste	colgarás	cuelga	no cuelgu
cuelga	colgaba	colgó	colgará	cuelgue	no cuelgu
colgamos	colgábamos	colgamos	colgaremos		
colgáis	colgabais	colgasteis	colgaréis	colgad	no colgué
cuelgan	colgaban	colgaron	colgarán	cuelguen	no cuelgu

12. COMENZAR Gerundio: comenzando Participio: comenzado

Presente	Pretérito Imperfecto	Pretérito Indefinido	Futuro	Imperativo Afirmativo	Imperativo Negativo
comienzo	comenzaba	comencé	comenzaré		
comienzas	comenzabas	comenzaste	comenzarás	comienza	no comiences
comienza	comenzaba	comenzó	comenzará	comience	no comience
comenzamos	comenzábamos	comenzamos	comenzaremos		
comenzáis	comenzabais	comenzasteis	comenzaréis	comenzad	no comencéis
comienzan	comenzaban	comenzaron	comenzarán	comiencen	no comiencen

13. CONDUCIR Gerundio: conduciendo Participio: conducido

Presente	Pretérito Imperfecto	Pretérito Indefinido	Futuro	Imperativo Afirmativo	Imperativo Negativo
conduzco	conducía	conduje	conduciré		
conduces	conducías	condujiste	conducirás	conduce	no conduz
conduce	conducía	condujo	conducirá	conduzca	no conduz
conducimos	conducíamos	condujimos	conduciremos		
conducís	conducíais	condujisteis	conduciréis	conducid	no conduz
conducen	conducían	condujeron	conducirán	conduzcan	no conduz

14. CONOCER Gerundio: conociendo Participio: conocido

Presente	Pretérito Imperfecto	Pretérito Indefinido	Futuro	Imperativo Afirmativo	Imperativo Negativo
conozco	conocía	conocí	conoceré		
conoces	conocías	conociste	conocerás	conoce	no conozcas
conoce	conocía	conoció	conocerá	conozca	no conozca
conocemos	conocíamos	conocimos	conoceremos		
conocéis	conocíais	conocisteis	conoceréis	conoced	no conozcáis
conocen	conocían	conocieron	conocerán	conozcan	no conozcan

15. CONTAR Gerundio: contando Participio: contado

Presente	Pretérito Imperfecto	Pretérito Indefinido	Futuro	Imperativo Afirmativo	Imperativo Negativo
cuento	contaba	conté	contaré		
cuentas	contabas	contaste	contarás	cuenta	no cuente
cuenta	contaba	contó	contará	cuente	no cuente
contamos	contábamos	contamos	contaremos		
contáis	contabais	contasteis	contaréis	contad	no contéis
cuentan	contaban	contaron	contarán	cuenten	no cuente

16. DAR Gerundio: dando Participio: dado

Presente	Pretérito Imperfecto	Pretérito Indefinido	Futuro	Imperativo Afirmativo	Imperativo Negativo
doy	daba	di	daré		
das	dabas	diste	darás	da	no des
da	daba	dio	dará	dé	no dé
damos	dábamos	dimos	daremos		
dais	dabais	disteis	daréis	dad	no deis
dan	daban	dieron	darán	den	no den

17. DECIR Gerundio: diciendo Participio: dicho

Presente	Pretérito Imperfecto	Pretérito Indefinido	Futuro	Imperativo Afirmativo	Imperativo Negativo
digo	decía	dije	diré		
dices	decías	dijiste	dirás	di	no digas
dice	decía	dijo	dirá	diga	no diga
decimos	decíamos	dijimos	diremos		
decís	decíais	dijisteis	diréis	decid	no digáis
dicen	decían	dijeron	dirán	digan	no digan

18. DIRIGIR Gerundio: dirigiendo Participio: dirigido

Presente	Pretérito Imperfecto	Pretérito Indefinido	Futuro	Imperativo Afirmativo	Imperativo Negativo
dirijo	dirigía	dirigí	dirigiré		
diriges	dirigías	dirigiste	dirigirás	dirige	no dirijas
dirige	dirigía	dirigió	dirigirá	dirija	no dirija
dirigimos	dirigíamos	dirigimos	dirigiremos		
dirigís	dirigíais	dirigisteis	dirigiréis	dirigid	no dirijáis
dirigen	dirigían	dirigieron	dirigirán	dirijan	no dirijan

19. DISTINGUIR Gerundio: distinguiendo Participio: distinguido

Presente	Pretérito Imperfecto	Pretérito Indefinido	Futuro	Imperativo Afirmativo	Imperativo Negativo
distingo	distinguía	distinguí	distinguiré		
distingues	distinguías	distinguiste	distinguirás	distingue	no distinga
distingue	distinguía	distinguió	distinguirá	distinga	no distinga
distinguimos	distinguíamos	distinguimos	distinguiremos		
distinguís	distinguíais	distinguisteis	distinguiréis	distinguid	no distinga
distinguen	distinguían	distinguieron	distinguirán	distingan	no distinga

Presente	Pretérito Imperfecto	Pretérito Indefinido	Futuro	Imperativo Afirmativo	Negativo

20. DORMIR Gerundio: durmiendo Participio: dormido

Presente	Pretérito Imperfecto	Pretérito Indefinido	Futuro	Imperativo Afirmativo	Negativo
duermo	dormía	dormí	dormiré		
duermes	dormías	dormiste	dormirás	duerme	no duermas
duerme	dormía	durmió	dormirá	duerma	no duerma
dormimos	dormíamos	dormimos	dormiremos		
dormís	dormíais	dormisteis	dormiréis	dormid	no durmáis
duermen	dormían	durmieron	dormirán	duerman	no duerman

21. ENVIAR Gerundio: enviando Participio: enviado

Presente	Pretérito Imperfecto	Pretérito Indefinido	Futuro	Imperativo Afirmativo	Negativo
envío	enviaba	envié	enviaré		
envías	enviabas	enviaste	enviarás	envía	no envíes
envía	enviaba	envió	enviará	envíe	no envíe
enviamos	enviábamos	enviamos	enviaremos		
enviáis	enviabais	enviasteis	enviaréis	enviad	no enviéis
envían	enviaban	enviaron	enviarán	envíen	no envíen

22. ESTAR Gerundio: estando Participio: estado

Presente	Pretérito Imperfecto	Pretérito Indefinido	Futuro	Imperativo Afirmativo	Negativo
estoy	estaba	estuve	estaré		
estás	estabas	estuviste	estarás	está	no estés
está	estaba	estuvo	estará	esté	no esté
estamos	estábamos	estuvimos	estaremos		
estáis	estabais	estuvisteis	estaréis	estad	no estéis
están	estaban	estuvieron	estarán	estén	no estén

23. FREGAR Gerundio: fregando Participio: fregado

Presente	Pretérito Imperfecto	Pretérito Indefinido	Futuro	Imperativo Afirmativo	Negativo
friego	fregaba	fregué	fregaré		
friegas	fregabas	fregaste	fregarás	friega	no friegues
friega	fregaba	fregó	fregará	friegue	no friegue
fregamos	fregábamos	fregamos	fregaremos		
fregáis	fregabais	fregasteis	fregaréis	fregad	no freguéis
friegan	fregaban	fregaron	fregarán	frieguen	no frieguen

24. HABER Gerundio: habiendo Participio: habido

Presente	Pretérito Imperfecto	Pretérito Indefinido	Futuro	Imperativo Afirmativo	Negativo
he	había	hube	habré		
has	habías	hubiste	habrás	he*	
ha/hay*	había	hubo	habrá		
hemos	habíamos	hubimos	habremos		
habéis	habíais	hubisteis	habréis		
han	habían	hubieron	habrán		

* impersonal   * única forma en uso

25. HACER Gerundio: haciendo Participio: hecho

Presente	Pretérito Imperfecto	Pretérito Indefinido	Futuro	Imperativo Afirmativo	Negativo
hago	hacía	hice	haré		
haces	hacías	hiciste	harás	haz	no hagas
hace	hacía	hizo	hará	haga	no haga
hacemos	hacíamos	hicimos	haremos		
hacéis	hacíais	hicisteis	haréis	haced	no hagáis
hacen	hacían	hicieron	harán	hagan	no hagan

26. INCLUIR Gerundio: incluyendo Participio: incluido

Presente	Pretérito Imperfecto	Pretérito Indefinido	Futuro	Imperativo Afirmativo	Negativo
incluyo	incluía	incluí	incluiré		
incluyes	incluías	incluiste	incluirás	incluye	no incluyas
incluye	incluía	incluyó	incluirá	incluya	no incluya
incluimos	incluíamos	incluimos	incluiremos		
incluís	incluíais	incluisteis	incluiréis	incluid	no incluyáis
incluyen	incluían	incluyeron	incluirán	incluyan	no incluyan

27. IR Gerundio: yendo Participio: ido

Presente	Pretérito Imperfecto	Pretérito Indefinido	Futuro	Imperativo Afirmativo	Negativo
voy	iba	fui	iré		
vas	ibas	fuiste	irás	ve	no vayas
va	iba	fue	irá	vaya	no vaya
vamos	íbamos	fuimos	iremos		
vais	ibais	fuisteis	iréis	id	no vayáis
van	iban	fueron	irán	vayan	no vayan

28. JUGAR Gerundio: jugando Participio: jugado

Presente	Pretérito Imperfecto	Pretérito Indefinido	Futuro	Imperativo Afirmativo	Negativo
juego	jugaba	jugué	jugaré		
juegas	jugabas	jugaste	jugarás	juega	no juegues
juega	jugaba	jugó	jugará	juegue	no juegue
jugamos	jugábamos	jugamos	jugaremos		
jugáis	jugabais	jugasteis	jugaréis	jugad	no juguéis
juegan	jugaban	jugaron	jugarán	jueguen	no jueguen

29. LEER Gerundio: leyendo Participio: leído

Presente	Pretérito Imperfecto	Pretérito Indefinido	Futuro	Imperativo Afirmativo	Negativo
leo	leía	leí	leeré		
lees	leías	leíste	leerás	lee	no leas
lee	leía	leyó	leerá	lea	no lea
leemos	leíamos	leímos	leeremos		
leéis	leíais	leísteis	leeréis	leed	no leáis
leen	leían	leyeron	leerán	lean	no lean

30. LLEGAR Gerundio: llegando Participio: llegado

Presente	Pretérito Imperfecto	Pretérito Indefinido	Futuro	Imperativo Afirmativo	Negativo
llego	llegaba	llegué	llegaré		
llegas	llegabas	llegaste	llegarás	llega	no llegues
llega	llegaba	llegó	llegará	llegue	no llegue
llegamos	llegábamos	llegamos	llegaremos		
llegáis	llegabais	llegasteis	llegaréis	llegad	no lleguéis
llegan	llegaban	llegaron	llegarán	lleguen	no lleguen

31. MOVER Gerundio: moviendo Participio: movido

Presente	Pretérito Imperfecto	Pretérito Indefinido	Futuro	Imperativo Afirmativo	Negativo
muevo	movía	moví	moverán		
mueves	movías	moviste	moverás	mueve	no muevas
mueve	movía	movió	moverá	mueva	no mueva
movemos	movíamos	movimos	moveremos		
movéis	movíais	movisteis	moveréis	moved	no mováis
mueven	movían	movieron	moverán	muevan	no muevan

32. OÍR Gerundio: oyendo Participio: oído

Presente	Pretérito Imperfecto	Pretérito Indefinido	Futuro	Imperativo Afirmativo	Negativo
oigo	oía	oí	oiré		
oyes	oías	oíste	oirás	oye	no oigas
oye	oía	oyó	oirá	oiga	no oiga
oímos	oíamos	oímos	oiremos		
oís	oíais	oísteis	oiréis	oíd	no oigáis
oyen	oían	oyeron	oirán	oigan	no oigan

33. PENSAR Gerundio: pensando Participio: pensado

Presente	Pretérito Imperfecto	Pretérito Indefinido	Futuro	Imperativo Afirmativo	Negativo
pienso	pensaba	pensé	pensaré		
piensas	pensabas	pensaste	pensarás	piensa	no pienses
piensa	pensaba	pensó	pensará	piense	no piense
pensamos	pensábamos	pensamos	pensaremos		
pensáis	pensabais	pensasteis	pensaréis	pensad	no penséis
piensan	pensaban	pensaron	pensarán	piensen	no piensen

34. PERDER Gerundio: perdiendo Participio: perdido

Presente	Pretérito Imperfecto	Pretérito Indefinido	Futuro	Imperativo Afirmativo	Negativo
pierdo	perdía	perdí	perderé		
pierdes	perdías	perdiste	perderás	pierde	no pierdas
pierde	perdía	perdió	perderá	pierda	no pierda
perdemos	perdíamos	perdimos	perderemos		
perdéis	perdíais	perdisteis	perderéis	perded	no perdáis
pierden	perdían	perdieron	perderán	pierdan	no pierdan

35. PODER Gerundio: pudiendo Participio: podido

Presente	Pretérito Imperfecto	Pretérito Indefinido	Futuro	Imperativo Afirmativo	Negativo
puedo	podía	pude	podré		
puedes	podías	pudiste	podrás	puede	no puedas
puede	podía	pudo	podrá	pueda	no pueda
podemos	podíamos	pudimos	podremos		
podéis	podíais	pudisteis	podréis	poded	no podáis
pueden	podían	pudieron	podrán	puedan	no puedan

Presente	Pretérito Imperfecto	Pretérito Indefinido	Futuro	Imperativo Afirmativo	Negativo

36. PONER Gerundio: poniendo **Participio:** puesto

Presente	Pretérito Imperfecto	Pretérito Indefinido	Futuro	Afirmativo	Negativo
pongo	ponía	puse	pondré		
pones	ponías	pusiste	pondrás	pon	no pongas
pone	ponía	puso	pondrá	ponga	no ponga
ponemos	poníamos	pusimos	pondremos		
ponéis	poníais	pusisteis	pondréis	poned	no pongáis
ponen	ponían	pusieron	pondrán	pongan	no pongan

37. QUERER Gerundio: queriendo **Participio:** querido

Presente	Pretérito Imperfecto	Pretérito Indefinido	Futuro	Afirmativo	Negativo
quiero	quería	quise	querré		
quieres	querías	quisiste	querrás	quiere	no quieras
quiere	quería	quiso	querrá	quiera	no quiera
queremos	queríamos	quisimos	querremos		
queréis	queríais	quisisteis	querréis	quered	no queráis
quieren	querían	quisieron	querrán	quieran	no quieran

38. REÍR Gerundio: riendo **Participio:** reído

Presente	Pretérito Imperfecto	Pretérito Indefinido	Futuro	Afirmativo	Negativo
río	reía	reí	reiré		
ríes	reías	reíste	reirás	ríe	no rías
ríe	reía	rió	reirá	ría	no ría
reímos	reíamos	reímos	reiremos		
reís	reíais	reísteis	reiréis	reíd	no riáis
ríen	reían	rieron	reirán	rían	no rían

39. REUNIR Gerundio: reuniendo **Participio:** reunido

Presente	Pretérito Imperfecto	Pretérito Indefinido	Futuro	Afirmativo	Negativo
reúno	reunía	reuní	reuniré		
reúnes	reunías	reuniste	reunirás	reúne	no reúnas
reúne	reunía	reunió	reunirá	reúna	no reúna
reunimos	reuníamos	reunimos	reuniremos		
reunís	reuníais	reunisteis	reuniréis	reunid	no reunáis
reúnen	reunían	reunieron	reunirán	reúnan	no reúnan

40. SABER Gerundio: sabiendo **Participio:** sabido

Presente	Pretérito Imperfecto	Pretérito Indefinido	Futuro	Afirmativo	Negativo
sé	sabía	supe	sabré		
sabes	sabías	supiste	sabrás	sabe	no sepas
sabe	sabía	supo	sabrá	sepa	no sepa
sabemos	sabíamos	supimos	sabremos		
sabéis	sabíais	supisteis	sabréis	sabed	no sepáis
saben	sabían	supieron	sabrán	sepan	no sepan

41. SALIR Gerundio: saliendo **Participio:** salido

Presente	Pretérito Imperfecto	Pretérito Indefinido	Futuro	Afirmativo	Negativo
salgo	salía	salí	saldré		
sales	salías	saliste	saldrás	sal	no salgas
sale	salía	salió	saldrá	salga	no salga
salimos	salíamos	salimos	saldremos		
salís	salíais	salisteis	saldréis	salid	no salgáis
salen	salían	salieron	saldrán	salgan	no salgan

42. SENTIR Gerundio: sintiendo **Participio:** sentido

Presente	Pretérito Imperfecto	Pretérito Indefinido	Futuro	Afirmativo	Negativo
siento	sentía	sentí	sentiré		
sientes	sentías	sentiste	sentirás	siente	no sientas
siente	sentía	sintió	sentirá	sienta	no sienta
sentimos	sentíamos	sentimos	sentiremos		
sentís	sentíais	sentisteis	sentiréis	sentid	no sintáis
sienten	sentían	sintieron	sentirán	sientan	no sientan

43. SER Gerundio: siendo **Participio:** sido

Presente	Pretérito Imperfecto	Pretérito Indefinido	Futuro	Afirmativo	Negativo
soy	era	fui	seré		
eres	eras	fuiste	serás	sé	no seas
es	era	fue	será	sea	no sea
somos	éramos	fuimos	seremos		
sois	erais	fuisteis	seréis	sed	no seáis
son	eran	fueron	serán	sean	no sean

44. SERVIR Gerundio: sirviendo **Participio:** servido

Presente	Pretérito Imperfecto	Pretérito Indefinido	Futuro	Afirmativo	Negativo
sirvo	servía	serví	serviré		
sirves	servías	serviste	servirás	sirve	no sirvas
sirve	servía	sirvió	servirá	sirva	no sirva
servimos	servíamos	servimos	serviremos		
servís	servíais	servisteis	serviréis	servid	no sirváis
sirven	servían	sirvieron	servirán	sirvan	no sirvan

45. TENER Gerundio: teniendo **Participio:** tenido

Presente	Pretérito Imperfecto	Pretérito Indefinido	Futuro	Afirmativo	Negativo
tengo	tenía	tuve	tendré		
tienes	tenías	tuviste	tendrás	ten	no tengas
tiene	tenía	tuvo	tendrá	tenga	no tenga
tenemos	teníamos	tuvimos	tendremos		
tenéis	teníais	tuvisteis	tendréis	tened	no tengáis
tienen	tenían	tuvieron	tendrán	tengan	no tengan

46. TRAER Gerundio: trayendo **Participio:** traído

Presente	Pretérito Imperfecto	Pretérito Indefinido	Futuro	Afirmativo	Negativo
traigo	traía	traje	traeré		
traes	traías	trajiste	traerás	trae	no traigas
trae	traía	trajo	traerá	traiga	no traiga
traemos	traíamos	trajimos	traeremos		
traéis	traíais	trajisteis	traeréis	traed	no traigáis
traen	traían	trajeron	traerán	traigan	no traigan

47. UTILIZAR Gerundio: utilizando **Participio:** utilizado

Presente	Pretérito Imperfecto	Pretérito Indefinido	Futuro	Afirmativo	Negativo
utilizo	utilizaba	utilicé	utilizaré		
utilizas	utilizabas	utilizaste	utilizarás	utiliza	no utilices
utiliza	utilizaba	utilizó	utilizará	utilice	no utilice
utilizamos	utilizábamos	utilizamos	utilizaremos		
utilizáis	utilizabais	utilizasteis	utilizaréis	utilizad	no utilicéis
utilizan	utilizaban	utilizaron	utilizarán	utilicen	no utilicen

48. VALER Gerundio: valiendo **Participio:** valido

Presente	Pretérito Imperfecto	Pretérito Indefinido	Futuro	Afirmativo	Negativo
valgo	valía	valí	valdré		
vales	valías	valiste	valdrás	vale	no valgas
vale	valía	valió	valdrá	valga	no valga
valemos	valíamos	valimos	valdremos		
valéis	valíais	valisteis	valdréis	valed	no valgáis
valen	valían	valieron	valdrán	valgan	no valgan

49. VENCER Gerundio: venciendo **Participio:** vencido

Presente	Pretérito Imperfecto	Pretérito Indefinido	Futuro	Afirmativo	Negativo
venzo	vencía	vencí	venceré		
vences	vencías	venciste	vencerás	vence	no venzas
vence	vencía	venció	vencerá	venza	no venza
vencemos	vencíamos	vencimos	venceremos		
vencéis	vencíais	vencisteis	venceréis	venced	no venzáis
vencen	vencían	vencieron	vencerán	venzan	no venzan

50. VENIR Gerundio: viniendo **Participio:** venido

Presente	Pretérito Imperfecto	Pretérito Indefinido	Futuro	Afirmativo	Negativo
vengo	venía	vine	vendré		
vienes	venías	viniste	vendrás	ven	no vengas
viene	venía	vino	vendrá	venga	no venga
venimos	veníamos	vinimos	vendremos		
venís	veníais	vinisteis	vendréis	venid	no vengáis
vienen	venían	vinieron	vendrán	vengan	no vengan

51. VER Gerundio: viendo **Participio:** visto

Presente	Pretérito Imperfecto	Pretérito Indefinido	Futuro	Afirmativo	Negativo
veo	veía	vi	veré		
ves	veías	viste	verás	ve	no veas
ve	veía	vio	verá	vea	no vea
vemos	veíamos	vimos	veremos		
veis	veíais	visteis	veréis	ved	no veáis
ven	veían	vieron	verán	vean	no vean

ÍNDICE DE VERBOS DE AULA INTERNACIONAL 2

abalanzarse, 47	analizar, 47	calmar(se), 1	constar, 1	desarrollar(se), 1	emplear, 1
abandonar, 1	andar, 6	cambiar(se), 1	constituir, 26	desayunar, 1	emprender, 21
abarcar, 8	animar, 1	caminar, 1	construir, 26	descansar, 1	empujar, 1
abordar, 1	antojarse, 1	cansarse, 1	consultar, 1	descender, 34	enamorarse, 1
abrir, 3*	añadir, 3	cargar, 30	consumir, 3	desconectar, 1	encantar, 1
abrochar(se), 1	apagar, 30	castigar, 30	contar, 15	describir, 3*	encontrar(se), 15
absorber, 2	aparecer, 14	causar, 1	contemplar, 1	descubrir, 3*	enfermar, 1
acabar, 1	apetecer, 14	cazar, 47	contener, 45	desear, 1	enfrentar(se), 1
aceptar, 1	aplastar, 1	celebrar, 1	contentar, 1	desenvolver(se), 31	enfriar, 21
acercar(se), 8	aportar, 1	cenar, 1	continuar, 4	desmentir, 42	enganchar(se), 1
acertar, 33	apostar, 15	cerrar, 33	contraer, 46	despedir(se), 44	enlazar, 47
aclarar(se), 1	apoyar, 1	charlar, 1	contrastar, 1	despertar, 33	ensalzar, 47
acompañar, 1	apreciar, 1	chatear, 1	contribuir, 26	despreocuparse, 1	ensayar, 1
acomplejar(se), 1	aprehender, 2	circular, 1	controlar, 1	destacar, 8	enseñar, 1
acordarse, 15	aprender, 2	clasificar, 8	conversar, 1	destapar, 1	ensuciar, 1
acostar(se), 15	aprobar, 15	cocer,**	convertir(se), 42	desterrar, 33	entender, 34
actuar, 4	apuntar(se), 1	cocinar, 1	copiar, 1	destruir, 26	entrar, 1
adaptar(se), 1	argumentar, 1	coexistir, 3	corregir, 44**	desvelar, 1	entregar, 30
adelgazar, 47	arrastrar, 1	coincidir, 3	correr, 2	detener(se), 45	entrenar(se), 1
adivinar, 1	arriesgar, 30	colgar, 11	corresponder(se), 2	deteriorar(se), 1	entretener(se), 45
admirar, 1	arruinar, 1	colocar(se), 8	cortar, 1	determinar, 1	enviar, 21
admitir, 3	asar, 1	colorear, 1	costar, 15	detestar, 1	envidiar, 1
adoptar, 1	ascender, 34	combatir, 3	cotillear, 1	devolver, 31	envolver, 31*
adorar, 1	asegurar, 1	combinar, 1	crear, 1	dibujar, 1	escoltar, 1
adquirir, 5	asociar, 1	comentar, 1	crecer, 14	diferenciar, 1	esconder(se), 2
afectar, 1	asumir, 3	comenzar, 12	creer, 29	difundir, 3	escribir, 3*s
afeitar(se), 1	asustar(se), 1	comer, 2	criticar, 8	dirigir(se), 18	escuchar, 1
aferrarse, 1	atacar, 8	comercializar, 47	cruzar, 47	discutir, 3	especificar, 8
afirmar, 1	atar, 1	comparar, 1	cultivar, 1	diseñar, 1	esperar, 1
afrontar, 1	atraer, 46	compartir, 3	cumplir, 3	disfrutar, 1	espolvorear, 1
agarrar, 1	atravesar, 33	complementar, 1	curar, 1	distinguir, 19	establecer, 14
agitar, 1	atreverse, 2	completar, 1	dar, 16	divertirse, 42	estar, 22
agradecer, 14	aumentar, 1	componer, 36*	debatir, 3	dividir, 3	estudiar, 1
agregar, 30	autorizar, 47	comprar, 1	deber, 2	divorciarse, 1	evaluar, 4
agrupar(se), 1	avanzar, 47	comprender, 2	debutar, 1	doler, 31	evitar, 1
ahogar, 30	averiguar, 7	comprobar, 15	decidir(se), 3	dominar, 1	evocar, 8
ahorrar, 1	ayudar, 1	comunicar(se), 8	decir, 17*	dormir(se), 20	exiliarse, 1
albergar, 30	bailar, 1	conceder, 2	declararse, 1	ducharse, 1	existir, 3
alcanzar, 47	bañar, 1	condimentar, 1	decorar, 1	dudar, 1	exorcizar, 47
alegrar(se), 1	batir, 3	conducir, 13	dedicar(se), 8	durar, 1	experimentar, 1
alejar(se), 1	beber, 2	confirmar, 1	deducir, 13	echar, 1	explicar, 8
alertar, 1	bloquear, 1	confundir, 3	deformar(se), 1	edificar, 8	explorar, 1
alimentar(se), 1	borrar, 1	congelar, 1	dejar, 1	ejecutar, 1	expresar, 1
aliñar, 1	brotar, 1	conjugar, 30	demostrar, 15	elaborar, 1	extender(se), 34
alojar, 1	burlarse, 1	conocer, 14	denominar(se), 1	elegir, 44**	extrañar, 1
alquilar, 1	buscar, 8	conseguir, 44**	depender, 2	elevar(se), 1	fallecer, 14
alternar, 1	caer, 9	conservar, 1	derrotar, 1	emborronar, 1	faltar, 1
alzar, 47	calentar, 33	considerar, 1	desahogarse, 30	emitir, 3	familiarizarse, 47
amenazar, 47	callar(se), 1	consistir, 3	desaparecer, 14	empezar, 12	fijar(se), 1

ÍNDICE DE VERBOS DE AULA INTERNACIONAL 2

La siguiente lista recoge los verbos que aparecen en **Aula Internacional 2**. Los números indican el modelo de conjugación para cada verbo.

firmar, 1
flotar, 1
formar(se), 1
formular, 1
fotografiar, 21
fracasar, 1
freír, 44*
fumar, 1
funcionar, 1
fundar, 1
ganar, 1
garantizar, 47
gastar, 1
gestionar, 1
grabar, 1
guardar, 1
guiar, 21
gustar, 1
haber, 24
habitar, 1
hablar, 1
hacer, 25*
huir, 26
hundir, 3
identificar(se), 8
ignorar, 1
imaginar, 1
imitar, 1
implicar, 8
imponer, 36*
importar, 1
impresionar, 1
incidir, 3
incitar, 1
incluir, 26
independizar(se), 47
indicar, 8
influir, 26
informar, 1
iniciar, 1
inspirar, 1
instalar(se), 1
insultar, 1
intentar, 1
interesar(se), 1
internar(se), 1
intervenir, 50
introducir, 13
inundar, 1
invitar, 1

ir(se), 27*
jubilarse, 1
jugar, 28
jurar, 1
justificar(se), 8
lanzar, 47
lavar, 1
leer, 29
legalizar, 47
levantar(se), 1
librarse, 1
limpiar, 1
llamar(se), 1
llenar, 1
llevar(se), 1
llorar, 1
llover, 31 (unipersonal)
lograr, 1
luchar, 1
mandar, 1
mantener(se), 45
maquillarse, 1
marcar, 8
marear(se), 1
matizar, 47
medir, 44
mejorar, 1
memorizar, 47
meter, 2
mezclar, 1
mirar, 1
modificar, 8
molestar, 1
montar, 1
morder, 31
morir(se), 20*
mostrar, 15
motivar, 1
mover(se), 31
movilizar(se), 47
multiplicar, 8
nacer, 14
nadar, 1
narrar, 1
navegar, 30
necesitar, 1
negar(se), 23
obligar, 30
observar, 1
obtener, 45

ocupar, 1
ocurrir, 3
odiar, 1
ofender, 2
ofrecer, 14
oír, 32
oler, 31****
olvidar, 1
opinar, 1
optar, 1
ordenar, 1
organizar, 47
oscurecer, 14
otorgar, 30
padecer, 14
pagar, 30
parar, 1
parecer(se), 14
participar, 1
partir, 3
pasar, 1
pasear, 1
pastar, 1
pedir, 44
pegar, 30
pelar, 1
pensar, 33
perder(se), 34
permanecer, 14
permitir, 3
pertenecer, 14
pesar, 1
pillar, 1
pintar(se), 1
planchar, 1
planificar, 8
plantar, 1
plantear, 1
poblar, 1
poder, 35
poner, 36*
posar, 1
poseer, 29
practicar, 8
preferir, 42
preguntar, 1
premiar, 1
preocupar(se), 1
preparar, 1
presentar(se), 1

prestar, 1
presumir, 3
pretender, 2
prever, 51
probar, 1
proceder, 2
producir(se), 13
prometer, 2
pronosticar, 8
pronunciar, 1
proponer, 36*
proporcionar, 1
protestar, 1
provenir, 50
provocar, 8
proyectar, 1
quedar(se), 1
quejarse, 1
quemar(se), 1
querer, 37
quitar, 1
reaccionar, 1
realizar, 47
reaparecer, 14
rebautizar, 47
recetar, 1
rechazar, 47
recibir, 3
recoger, 10
recomendar, 1
recompensar, 1
reconocer, 14
recordar, 15
recorrer, 2
recostar, 15
recuperar(se), 1
recurrir, 3
reducir(se), 13
referirse, 42
reflejar, 1
reflexionar, 1
reforzar, 15**
refugiarse, 1
registrar, 1
regresar, 1
regular, 1
reinar, 1
relacionar, 1
relajarse, 1
relatar, 1

remontar(se), 1
renovar, 15
repetir, 44
representar, 1
rescatar, 1
reservar, 1
resistir(se), 3
resolver, 31*
respirar, 1
responder, 2
resultar, 1
resumir, 3
retirar(se), 1
retratar, 1
retroceder, 2
reunir(se), 3
revertir, 42
romper, 2*
saber, 40
saborear, 1
salir, 41
saludar(se), 1
salvar, 1
secuenciar, 1
seguir, 46**
sentar(se), 33
sentir(se), 42
señalar, 1
separar(se), 1
ser, 43
servir(se), 44
significar, 8
simular, 1
situar(se), 4
sobrevivir, 3
soler, 31
sonreír, 38
soplar, 1
soportar, 1
sorprender(se), 2
subir, 3
subrayar, 1
sufrir, 3
sumergir, 18
superar, 1
suponer, 36
surgir, 18
sustituir, 26
susurrar, 1
tapar, 1

tardar, 1
tener, 45
terminar, 1
tirar, 1
tocar, 8
tomar(se), 1
trabajar, 1
traducir, 13
traer, 46
transformar(se), 1
transmitir, 3
trasladar(se), 1
tratar(se), 1
trazar, 47
triunfar, 1
trocear, 1
tutear, 1
ubicar, 8
unir(se), 3
usar, 1
utilizar, 47
valer, 48
valorar, 1
vender, 2
ventilar, 1
ver, 51*
vestir(se), 44
viajar, 1
vincular, 1
visitar, 1
vivir, 3
volar, 15
volver, 31*

*   Ver lista de participios irregulares
**   En algunas de las formas, es necesario realizar las adaptaciones ortográficas necesarias
***   Sigue la conjugación de **hacer**, pero mantiene la letra **f** en todos los tiempos
****   En las formas en las que aparece el diptongo **ue** en posición inicial, se escribe una **h**: **huelo**, **hueles**, etc.

TRANSCRIPCIONES

UNIDAD 1. EL ESPAÑOL Y TÚ

1. TEST ORAL

● Hola. ¿Qué tal?

○ Hola...

● Mira, soy Carmen. Y tú, ¿cómo te llamas?

○ Barbara.

● ¿De dónde eres, Bárbara?

○ De... Alemania, de Berlín.

● De Berlín. ¿Cuánto tiempo piensas estar aquí en España, Barbara?

○ Pienso que dos meses, pero si encuentro trabajo me voy a quedar más.

● A ver si hay suerte. Y... ¿qué haces en Alemania? ¿A qué te dedicas?

○ Soy secretaria.

● Mm, secretaria. ¿Hablas otras lenguas?

○ Sí, un poco de italiano, inglés bastante bien y también un poco de francés.

● Muy bien, hablas muchísimas lenguas. Y... ¿por qué estudias español, Barbara?

○ Porque tengo que hacer un examen este año, pero también porque quiero vivir en España o en algún país de Latinoamérica, como Argentina o Chile.

● Te gusta viajar. Y... ¿cuánto tiempo hace que estudias español?

○ Mmm... pues... hace dos años.

● ¿Y qué cosas te gusta hacer en clase?

○ No sé... Me gusta leer textos y hacer ejercicios en grupo, con mis compañeros. No me gusta mucho escribir.

● Ah, no te gusta escribir. ¿Qué dificultades crees que tienes con el español? ¿Qué cosas te cuestan más?

○ Uff... ¡¡Muchas, supongo!!

● ¡Qué va, mujer! Hablas muy bien.

○ No sé, por ejemplo, me cuesta mucho diferenciar entre "ser" y "estar" y a veces me cuesta pronunciar la erre.

● Bueno, es cuestión de práctica. ¿Y qué te gusta hacer en tu tiempo libre?

○ Me gusta mucho la música, también me encanta ir a la playa y salir con los amigos.

● Muy bien, Barbara. Ya hemos acabado. Muchas gracias.

UNIDAD 2. HOGAR, DULCE HOGAR

4. LA CASA DE JULIÁN

● Y... ¿cómo es tu casa, Julián?

○ Pues tiene 55 metros cuadrados, es un ático...

● ¿Y dónde está?

○ Está en el centro histórico de la ciudad, en una zona muy bonita.

● Ajá.

○ Es un edificio antiguo, pero con ascensor.

● Muy bien, con ascensor.

○ Es pequeño, pero, bueno, está muy bien, es acogedor. Tiene un salón de 20 metros cuadrados con mucha luz, una cocina americana, una habitación...

● Y... ¿tiene terraza?

○ Sí, una terraza muy agradable, de 15 metros cuadrados. Está muy bien, porque tiene mucho sol y unas vistas muy bonitas.

● ¿Y es tranquilo?

○ No mucho, porque da a una calle peatonal y a un mercado.

● Aaah.

6. MI LUGAR FAVORITO

1. JORGE

● ¿Y tu lugar favorito cuál es?

○ Bueno, es que yo no tengo un lugar favorito, tengo dos lugares favoritos en casa.

● ¿Dos?

○ Sí, sí. El comedor y el baño.

● ¿Y el comedor? ¿Por qué el comedor?

○ Bueno, el comedor porque cuando llegas de trabajar me encanta sentarme con toda mi familia allí en la mesa y hablar sobre lo que hemos hecho durante el día...

● O sea, es un espacio familiar.

○ Totalmente, totalmente.

● Ajá... Y solo para la familia...

○ Sí y no, de vez en cuando vienen amigos, me gusta preparar una cena especial... Y en la mesa, yo creo, del comedor es cuando surge la magia.

● Mm. ¿Y el baño? ¿Por qué el baño?

○ El baño indudablemente porque cada noche después de un día estresante me gusta tomar un baño caliente y me relaja muchísimo, muchísimo. Sobre todo si el día ha sido duro.

● No, ya, ya, claro.

2. FIONA

○ Pues me encanta estar en casa. Pasar ratitos en casa es lo mejor.

● Sí. ¿Y cuál es tu lugar favorito?

○ Ahora el salón. Lo acabo de pintar y está precioso.

● ¿De qué color?

○ Azul.

● ¡Qué bien! ¡Qué bonito!

○ Y con la luz que entra, de verdad es una maravilla.

● ¡Qué bonito!

○ Me encanta sentarme allí, leer un rato, ponerme cerca del balcón que a veces entra un rayito de...

● ¿Te gusta escuchar música?

○ Sí, además tengo el equipo allí mismo.

● Ajá.

○ Sí, sí.

● En el salón, ¿no?

○ Sí, sí.

● ¡Qué bien!

○ Un día te invito a tomar un café.

3. PEDRO

● Y, Pedro, ¿cuál es tu lugar favorito en tu casa?

○ En mi casa, el dormitorio.

● ¿Y eso?

○ Sí, sí. Me levanto a la mañana y viene el pibe y me despierta...

● ¿Tienes un hijo?

○ Sí. Un año y medio, tiene.

● Ah, es pequeñito.

○ Y jugamos todo el tiempo ahí. Todo el rato libre que tengo lo paso con él ahí...

● ¡Qué bien!

○ Tengo la tele, miramos películas, a veces inclusive comemos ahí en la cama.

● ¡Qué bien!

○ Y además me encanta dormir.

● Ya. No, no, si es el mejor sitio...

4. CAROLINA

● ¿Y en tu casa cuál es tu lugar favorito, Carolina?

○ Bueno... mi lugar favorito... Hombre, cuando hace buen clima me gusta mucho estar en la terraza.

● Ah, tienes terraza... ¡Qué bien!

○ Sí, una terraza muy agradable, muy grande. Y me encanta porque tengo matas, y tengo flores y me gusta cuidarlas...

● ¡Qué envidia!

○ Ya ves. Y a veces también tomo el sol.

● ¡Qué bien! ¿Me invitarás un día de estos?

○ Por supuesto; eres bienvenido cuando quieras.

UNIDAD 3. ESTA SOY YO

2. LA BODA DEL HERMANO DE MARÍA DEL MAR

1.

● ¡Cuánta gente! No conozco a casi nadie.

○ Es normal, mujer. Casi todos los invitados son de la familia.

● ¿Y aquel? ¿También es pariente tuyo?

○ ¿Quién?

● El del bigote.

○ ¿El que está al lado del novio?

● Sí, ese.

○ Sí, es un primo mío, se llama Juan José.

2.

○ Mira, ahí está mi hermana Isabel.

● ¿Quién es?

○ Mira. ¿Ves esa rubia del pelo largo?

● ¿Dónde?

○ Sí, la del vestido rojo. Esa tan alta.

● ¡Ah, sí! ¡Uy! ¡Qué guapa!

3.

○ Espera un momento, que te presento a un compañero de trabajo muy guapo.

● ¿A quién?

○ A Ricardo. Es ese rubio de las gafas de sol.

● No lo veo…

○ Que sí, mujer. El del pelo largo, el alto.

● Ah sí, ya lo veo.

4.

○ Mira, esta morena del traje naranja es mi jefa.

● ¿Esta es tu jefa? ¿Es muy joven, no?

○ Sí, se llama Aurora… Es muy maja. Espera, que te la presento. ¡Aurora! ¡Ven un momentito que te presento a una amiga!

5.

○ Y el que está detrás del novio, el de gafas, es Felipe, un vecino nuestro.

● Parece muy simpático.

○ Sí, es muy gracioso. Trabaja en la tele; creo que es guionista de un programa de humor.

6.

● Oye, María del Mar. ¿Quién es esa rubia?

○ ¿La rubia? ¿Quién?

● La alta. La de las gafas. Esa tan sofisticada.

○ ¿La del pelo corto? Es mi tía Leonor.

UNIDAD 4. ¿CÓMO VA TODO?

2. ¿ME PRESTAS 5 EUROS?

1.

● Oye… Lorenzo, ¿me prestas cinco euros para desayunar? Es que me he dejado el monedero en casa.

○ Sí, mujer, toma. ¿Seguro que tienes bastante con cinco?

● Sí, sí, perfecto. Mañana te los devuelvo. Muchas gracias.

2.

● Hola buenas tardes, ¿qué desean?

○ ¿Qué quieres tomar?

■ Yo un cortado.

○ A mí póngame un café…

● Un cortado y un café. ¿Desean alguna cosa más?

○ No, no, no, gracias.

■ Bueno, ¿y qué tal? ¿Cómo te va la vida?

○ Pues, bien. No me puedo quejar…

■ ¿Qué estás haciendo ahora? ¿Has cambiado de trabajo?

○ Uy, sí. Hace un año. Ahora estoy trabajando para varias productoras de cine.

■ ¡Ah, qué bien!

○ Sí, no me puedo quejar. ¿Y tú qué haces?

■ Yo estoy trabajando en la empresa de mi hermano.

○ ¿Y qué tal?

■ Pues muy bien.

○ ¿Y de novios qué tal? ¿Estás saliendo con alguien?

■ Pues mira, no.

3.

● ¡Uf! ¡Qué calor! ¿Usted no tiene calor?

○ No, no… estoy bien.

● ¿Le importa si abro la ventana? Es que, de verdad, tengo mucho calor.

○ Ábrala, ábrala. No se preocupe.

4.

● Oye, Patricia, que… hay una cosita que quería pedirte. Mira, es que este domingo tengo una boda.

○ ¿Ah sí?

● Sí, tengo una boda de un compañero de mi marido que se casa y, bueno, me he comprado un vestido muy bonito, pero me falta un pañuelo, y he pensado que ese pañuelo azul que tienes, aquel como oscuro… ¿Me lo podrías dejar?

○ Por supuesto, por supuesto que sí te lo presto. No hay problema. Pasas por mi casa y lo recoges.

● Muchas gracias.

5.

● Oiga, perdone. ¿Le importaría vigilar mi equipaje? Es que tengo que ir un momento al lavabo. Solo será un momento, de verdad.

○ Claro, claro. Vaya tranquila. No se preocupe.

● Muchísimas gracias.

○ De nada. Tranquila.

6.

● Sara, ¡cuánto tiempo!

○ Hola. ¿Qué tal?

● Muy bien. ¿Qué haces por aquí?

○ Nada, he quedado con unos amigos. ¿Y tú?

● Pues ya ves, aquí tomando unas cañas. Oye, espera que te presento. Esta es Rosa, una compañera de trabajo.

○ Hola, mucho gusto.

■ ¿Qué tal? Encantada.

● ¿Quieres tomar algo?

○ Sí, ¿por qué no?

UNIDAD 5. GUÍA DEL OCIO

2. DE VUELTA A CASA

1.

● Hola, buenos días. Estamos haciendo una encuesta para Radio Joven. Os quería hacer unas preguntas. ¿Estáis llegando de vuestras vacaciones?

○ Sí, sí, acabamos de llegar.

■ Estamos cansadísimas.

● Muy bien. ¿Y de dónde venís?

○ Hemos estado en Venezuela.

● ¿Y qué tal? ¿Bien?

■ Ha sido increíble. Hemos recorrido casi todo el país. Caracas, el Delta del Orinoco…

○ Sí, y Canaima.

● ¿Y habéis estado en más sitios? ¿En las islas?

■ Sí, y también hemos ido a Isla Margarita y desde allí en barco a otras islas del archipiélago de Los Llanos…

○ Sí, son preciosas.

● ¿Y la comida qué tal? ¿Qué tal habéis comido?

○ Muy bien.

■ Hemos comido muchas arepas, que son buenísimas.

○ Yo creo que he engordado…

■ Sí. Y en las islas también comimos mucho pescado y marisco.

○ Sí, qué bueno, ¿eh?

2.

● Hola, buenos días.

○ Buenos días.

● ¿Os puedo hacer unas preguntas?

○ Sí, sí, claro.

● Son para Radio Joven. Estamos haciendo una encuesta sobre las vacaciones. ¿De dónde venís?

○ Pues llegamos ahora mismo de Venecia.

● ¿Y qué tal?

○ Bueno, todo fantástico. Ha sido impresionante el viaje, pero sin duda lo que nos ha impresionado más ha sido la Plaza de San Marcos.

● Os ha gustado.

○ Increíble, increíble.

● ¿Y qué más habéis hecho en Venecia?

○ Bueno, lo que hemos hecho más ha sido pasear, disfrutar de los palacios, hemos estado en alguno de los museos donde hay unas exposiciones fantásticas, y, bueno, hemos hecho pues... el típico paseo en góndola y, bueno, ha sido un viaje inolvidable.

● Muy bien. ¿Y la comida qué tal? Porque la comida italiana es fantástica.

○ Bueno, es que nosotros tenemos un pequeño problema: que no nos gusta ni la pasta ni la pizza, entonces la suerte que hemos tenido es que el primer día encontramos un restaurante de cocina veneciana con un pescado buenísimo y hemos ido prácticamente cada día. Fantástica la comida.

● Vale, gracias.

3.

● Hola, buenos días. Estamos haciendo una encuesta para Radio Joven sobre las vacaciones. ¿Dónde habéis estado?

○ Hemos estado en Argentina.

● ¡Qué bien!

○ En Buenos Aires...

● Ah... ¿Habéis hecho muchas cosas?

○ Sí, hemos hecho de todo. Es una ciudad tan grande que se puede hacer de todo. Hemos ido varias veces al teatro...

● Ah... ¡Qué bien!

○ Hemos comprado antigüedades en un barrio que se llama San Telmo, muy bonito.

● Lo conozco, es precioso.

○ También hemos salido por la noche un par de veces... Y luego, claro, tienen una carne buenísima, entonces hemos ido a muchos restaurantes...

● Ah, sí. Se come bien en Argentina, ¿verdad?

○ Sí, sí, se come muy bien.

● ¿Habéis estado en más lugares?

○ ¿Aparte de Buenos Aires? Sí, hemos estado un par de días en las cataratas de Iguazú, ahí en la frontera con Brasil...

● Fantástico, ¿no?

○ Sí, es como estar en el paraíso.

4.

● Hola, buenos días. Estamos haciendo una encuesta para Radio Joven sobre las vacaciones. ¿Dónde habéis estado?

○ Bueno, pues... hemos pasado unos días en Nueva York.

● Ah, muy bien.

■ Sí, sí. Ha sido fantástico.

● ¿Y qué? ¿Qué habéis hecho?

■ Buf, hemos hecho muchísimas cosas...

○ Sí.

■ Sí, mi marido es entrenador de baloncesto y hemos visto un partido de la NBA, claro...

○ Bueno, también hemos ido al teatro, ¿eh?

■ Sí, sí, es verdad. A mí es que me encantan los musicales, no lo puedo evitar, sí, sí... ¿Y qué más, cariño? A ver... También hemos estado en el Museo de Arte Moderno...

○ Bueno, ha sido fantástico descubrir este museo. La verdad es que sí.

● ¿Y habéis estado en otros lugares? ¿Habéis salido de Nueva York?

○ Sí, con un coche de alquiler. Hemos recorrido gran parte de la Costa Este.

■ Sí, hemos estado en Boston...

○ Precioso.

■ Provincetown...

○ Portland...

■ Portland... Precioso, aquello es precioso, precioso.

UNIDAD 6. NO COMO CARNE

8. LA DIETA DE SILVIA

● Buenas tardes Silvia y bienvenida. Muchas gracias por acompañarnos esta tarde.

○ Es un placer.

● Silvia, hemos recibido muchas preguntas sobre ti en nuestra página web. Mucha gente se pregunta si sigues algún tipo de dieta.

○ Bueno, trabajo como modelo desde los 14 años. Claro que he tenido que aprender a cuidarme y a seguir una dieta, pero no es muy estricta, no creas.

● ¿Qué comes?

○ Hombre, pues, mira, como mucha verdura, además me encanta. También como bastante carne, como hamburguesas, bistecs, pero siempre a la plancha...

● Ajá. Tú vives en Santander, al lado del mar, imagino que también comes mucho pescado, mucho marisco...

○ Bueno, pescado sí, a la plancha también, ¿eh? Pero marisco no, es que soy alérgica y además es muy malo para la piel.

● Ya. ¿Y fruta?

○ Bueno, muchísima fruta, todos los días me como media piña.

● Otra pregunta: ¿comes pan?

○ Sí claro, pero siempre integral, eso sí. Nunca como pan blanco.

● ¿Y comes dulces?

○ Sí, de vez en cuando, claro, pero tengo que ser responsable y equilibrar mi alimentación. Bueno, a veces, en una fiesta de cumpleaños, por ejemplo, puedo comer un trozo de tarta.

● ¿Hay otras cosas que te gusta comer, pero que no puedes?

○ Sí, el chocolate. Me encanta, pero es algo que me tengo prohibido comer.

● Ya. ¿Y pasta?

○ Sí, como lasaña de vez en cuando. Es mi plato favorito.

● Ya. ¿Y en general cuál es tu cocina favorita?

○ Bueno, ahora mismo, la japonesa. He estado varias veces en Japón y me encanta el sushi: es buenísimo y además no engorda.

● Ja, ja.

UNIDAD 7. ME GUSTÓ MUCHO

2. CONOCER MÉXICO

1.

● ¿Has visto qué artículo más interesante sobre México?

○ No, no lo he visto. ¿Está bien?

● Sí, sí, está muy bien. Hablan de literatura, música, cine... Mira, hablan de aquel libro de Ángeles Mastretta que te regalamos.

○ *¿Mal de amores?*

● Sí, por cierto, ¿lo leíste?
○ Claro, lo leí cuando me lo regalaron. Me encantó. Es muy bueno. Hay historias de amor, está ambientada en el México revolucionario... No sé. Y la protagonista es un personaje superinteresante.

2.
● Mira, también hablan de una cantante que no conozco, se llama Julieta Venegas.
○ ¡Ah, sí! El otro día oí un disco, en casa de Jaime. Me pareció bonito. Está interesante.
● ¿Sí? ¿Y qué tipo de música es?
○ Bueno es como música actual, tipo pop, pero con sonidos muy mexicanos. Así muy... acordeones y cosas así. Me pareció muy original.
● Ah, qué bien. Pues me gustaría escucharlo.

3.
○ ¿Y de qué más habla el artículo?
● De *Amores perros*.
○ Ah, me la perdí. ¿Tú la viste?
● Sí, sí que la vi.
○ ¿Y qué te pareció?
● Me gustó mucho. Los actores están muy bien, el guión es muy bueno, pero me pareció un poco violenta.

5. SONIQUETE, ROSARIO Y MORELLA

1.
● ¿Has estado en el Soniquete?
○ ¿El Soniquete?
● Sí, mujer, el restaurante nuevo de la plaza de la Cruz.
○ Ah, sí, sí, estuve la semana pasada.
● ¿Y qué tal?
○ Ah, pues me gustó mucho, está muy bien. Comimos un pescadito frito buenísimo. Además, ponen flamenco de fondo. Es muy agradable.
● ¿Y es caro?
○ No, no me pareció caro.

2.
● ¿Sabes? Ayer conocí a Rosario.
○ ¿La novia de Carlos?
● Sí.
○ ¿Y qué? ¿Qué te pareció? Guapísima, ¿no?
● Sí, además me pareció muy simpática, muy maja. Un encanto.
○ Sí, la verdad.

3.
● Elena, tú eres de Castellón, ¿no?
○ Sí, de Morella.
● ¡Ah! ¡Qué bonito!
○ ¿Has estado en Morella tú?
● Sí, hace unos años.
○ Y te gustó...
● Me encantó. El castillo, las murallas, las casitas... Es un pueblo precioso.
○ Bueno...
● ¿Tu familia vive allí?
○ Sí. Yo soy la única de mi familia que ya no vive allí.

UNIDAD 8. ESTAMOS MUY BIEN

3. ESTÁ MAREADA

A.
1.
● Huy, tienes mala cara.
○ Es que no estoy bien, me duele mucho la cabeza.
● ¿Te has tomado algo?
○ No, nada.

2.
● ¡Ay, ay, ay!
○ ¿Pero qué te pasa, mujer?
● Los pies, que me duelen muchísimo. No puedo dar ni un paso.
○ ¿Pero qué tienes?
● Nada, que he estado todo el día andando con estos zapatos nuevos y ahora me duelen un montón los pies.

3.
○ ¡Hola!
● Hola.
○ Huy, qué tos tienes, ¿no?
● Pues sí, no he podido dormir casi nada esta noche.

4.
● Hola, Carlos.
○ Hola.
● Oye, tienes mala cara. ¿Te pasa algo?
○ Tengo un dolor de estómago...
● ¿Algo que has comido?
○ No sé, creo que son los nervios, mañana tengo un examen.

5.
● ¡Mario!
○ ¿Qué pasa? Huy, ¡qué pálida estás! ¿Te encuentras bien?
● No, no, estoy muy mareada. Creo que me voy a caer.

D.
1.
● Huy, tienes mala cara.
○ Es que no estoy bien, me duele mucho la cabeza.
● ¿Te has tomado algo?
○ No, nada.
● Pues deberías tomarte una aspirina y descansar un poco.
○ Sí, tienes razón.

2.
● ¡Ay, ay, ay!
○ ¿Pero qué te pasa, mujer?
● Los pies, que me duelen muchísimo. No puedo dar ni un paso.
○ ¿Pero qué tienes?
● Nada, que he estado todo el día andando con estos zapatos nuevos y ahora me duelen un montón los pies.
○ Bueno, pues mira, para eso lo mejor es ponerlos en agua caliente y sal.
● ¿Ah, sí?
○ Sí, mira, abres el agua caliente de la bañera, echas sal y metes los pies un ratito, vas a ver qué bien te va.

TRANSCRIPCIONES

3.

○ ¡Hola!

● Hola.

○ Huy, qué tos tienes, ¿no?

● Pues sí, no he podido dormir casi nada esta noche.

○ ¿Y has tomado algo?

● Un jarabe.

○ ¿Y miel no?

● No.

○ Pues tienes que tomar, antes de dormir, un vaso de leche caliente con miel, vas a ver qué bien.

4.

● Hola, Carlos.

○ Hola.

● Oye, tienes mala cara. ¿Te pasa algo?

○ Tengo un dolor de estómago...

● ¿Algo que has comido?

○ No sé, creo que son los nervios, mañana tengo un examen.

● Pues para eso la manzanilla va muy bien.

○ Ay, no me gusta la manzanilla.

● Da lo mismo si no te gusta, va muy bien y ahora te vas a tomar una.

5.

● ¡Mario!

○ ¿Qué pasa? Huy, ¡qué pálida estás! ¿Te encuentras bien?

● No, no, estoy muy mareada. Creo que me voy a caer.

○ ¿Por qué no te sientas y descansas un rato?

● Sí. ¿Puedes abrir la ventana? Necesito aire.

○ Sí, sí, sí, claro.

10. BAILANDO

Bailando,
me paso el día bailando,
y los vecinos mientras tanto,
no paran de molestar.

Bebiendo,
me paso el día bebiendo,
la coctelera agitando,
llena de soda y vermú.

Tengo los huesos desencajados,
el fémur tengo muy dislocado,
tengo el cuerpo muy mal,
pero una gran vida social.

Bailo todo el día,
con o sin compañía.
Muevo la pierna, muevo el pie,
muevo la tibia y el peroné,
muevo la cabeza, muevo el esternón,
muevo la cadera siempre que tengo ocasión.

UNIDAD 9. ANTES Y AHORA

2. TURISTAS O VIAJEROS

● Buenas tardes amigos y amigas oyentes. Son las cuatro y siete minutos de la tarde y continuamos en el programa "Tardes de viaje". Hoy nos acompaña Penélope Asensio, editora de la revista de viajes *Odisea*. Buenas tardes, Penélope.

○ Buenas tardes.

● Tenemos una serie de opiniones de nuestros oyentes que hemos recogido en los últimos meses. Te las vamos a leer y nos gustaría saber qué piensas tú.

○ Ah muy bien, perfecto.

● La primera dice: "Viajar es una experiencia única. La gente que viaja es más interesante.". ¿Qué opinas?

○ Mira, yo creo que viajar es fantástico, a mí personalmente me encanta, obviamente; pero hay gente interesantísima que no ha viajado nunca.

● La segunda afirmación dice: "Hoy en día es muy difícil descubrir sitios nuevos y vivir aventuras".

○ Bueno, no sé, creo que eso depende de tu actitud. Si eres aventurero de verdad, puedes encontrar experiencias nuevas en cualquier lugar.

● "Ahora la gente puede viajar mucho más que antes y eso es positivo.". ¿Qué piensas?

○ Estoy completamente de acuerdo. Hoy en día todo el mundo viaja y eso es muy bueno. Viajar, coger un avión, un tren o un barco ya no es exclusivo de la gente rica. Cada vez hay más ofertas, más posibilidades de viajar, y eso hace que personas de todas las edades y de todas las clases sociales viajen. Creo que eso es algo muy positivo.

● Otra opinión: "Antes todo era más romántico. La gente viajaba en barco, en tren… y ese viaje era parte de la aventura. Ahora todo es demasiado rápido.".

○ Mira, creo que eso depende de cómo viajas. El avión es un medio de transporte muy rápido y cómodo, claro, pero todavía hay maneras románticas de viajar: un crucero por el Nilo, el Transiberiano, un viaje a caballo por la Ruta de la Seda…

● Y la última: "Se puede vivir aventuras sin ir muy lejos".

○ Evidentemente. La aventura puede estar en tu propia casa, en un lugar que no conoces de tu ciudad, en un pueblo de tu región. En España hay muchísimos sitios desconocidos y muy interesantes.

● Bueno, Penélope, gracias por tus respuestas.

○ Gracias a vosotros.

● Y ahora vamos a...

8. ¿ESTÁS DE ACUERDO?

1. Aprender español es bastante fácil.
2. Las mujeres conducen mejor que los hombres.
3. El cine americano es mejor que el europeo.
4. La comida española es muy buena.
5. El fútbol es un deporte muy aburrido.

UNIDAD 10. MOMENTOS ESPECIALES

1. UN DÍA EN LA HISTORIA

1.

● ¿Un día que recuerdo intensamente? Sin duda, el 23 de febrero del 81, el día del golpe de estado.

○ El 23-F.

● El 23-F, sí.

○ ¿Y dónde estabas?

● Me acuerdo perfectamente. Estaba con unos clientes en mi oficina negociando unos presupuestos, y de repente entró un compañero de trabajo y me dio la noticia.

○ ¿Y tú qué hiciste?

● Pues la verdad es que yo ese día pasé un miedo horrible. Entonces pertenecía al Partido Comunista y me pasé toda la noche sin dormir. Oyendo las noticias en la tele, en la radio y hablando con mis compañeros por teléfono. Bueno, estábamos todos...

○ Me imagino.

2.

● Tal vez, el día más emocionante de mi vida fue el día de la Liberación de París, en agosto de 1944.

○ ¿Estaba usted en Francia?

● No, no no. Entonces estábamos viviendo en México, porque después de la Guerra Civil mi familia tuvo que salir de España. Aquel día estábamos todos escuchando la radio: mis padres, mis dos hermanas y yo, y dieron la noticia.

○ ¿Y cómo recibieron la noticia?

● Pues recuerdo que mi padre se pusó a llorar de emoción y mi madre abrió una botella de vino y brindamos todos.

3.

● Mi recuerdo más intenso fue el 10 de diciembre de 1983

○ El 10 de diciembre del 83... ¿Por qué?

● Porque fue el día que recuperamos la democracia en Argentina.

○ Ya, es que salíais de una dictadura muy fuerte.

● Salíamos de 7 años de proceso militar, de dictadura con terrorismo de estado, represión, desaparecidos...

○ Gente que se fue, ¿no?, exiliados...

● Exiliados, la Guerra de Malvinas.

○ ¿Y ese día tú dónde estabas?

● Estaba con la mayoría de la gente en la Plaza de Mayo, repleta...

○ ¿En Buenos Aires?

● En Buenos Aires, con un calor intensísimo, los bomberos echando agua...

○ Era verano.

● Era verano, tenía 17 años y estaba con mis compañeros del colegio, esperando el discurso del nuevo presidente.

○ ¡Qué emoción!, ¿no? ¿Y al final salió el presidente?

● Salió a la noche tarde y recitó el preámbulo de la Constitución y todo el mundo llorando, nos abrazábamos entre desconocidos, todos con todos...

○ ¡Qué fuerte! ¡Qué bonito!

● Y fue el momento más emocionante de la historia reciente de Argentina.

○ ¡Qué bonito!

7. ¡QUÉ CORTE!

B.

1.

El otro día estaba yo en casa de una amiga mía, Jennifer, estudiando, y... ella tuvo que salir a comprar, pero yo me quedé en su casa, y como soy muy curiosa, empecé a mirar en su armario. Jenni tiene unos pantalones de licra que me encantan y no pude resistir la tentación, quería ver como me quedaban y me los puse. Me quedaban perfectos. Estaba tan tranquila mirándome en el espejo de su cuarto cuando...

2.

Resulta que hace unos años estuve en Brasil de vacaciones y fui a un restaurant buenísimo, en Río de Janeiro. Tenía un hambre feroz, entonces pedí dos platos. El mozo me dijo alguna cosa, pero yo no lo entendí.

3.

Cuando tenía 18 años, durante un tiempo tuve dos novios, Carlos y Andrés, pero ellos no lo sabían, claro. Era muy complicado, porque tenía que inventar millones de mentiras, excusas, historias... El día de mi cumpleaños me confundí y quedé con los dos en el mismo sitio y a la misma hora. Primero llegó Carlos con un ramo de flores...

C.

1.

El otro día estaba yo en casa de una amiga mía, Jennifer, estudiando, y... ella tuvo que salir a comprar, pero yo me quedé en su casa, y como soy muy curiosa, empecé a mirar en su armario. Jenni tiene unos pantalones de licra que me encantan y no pude resistir la tentación, quería ver como me quedaban y me los puse. Me quedaban perfectos. Estaba tan tranquila mirándome en el espejo de su cuarto cuando... **de repente entró ella sin hacer ruido y me encontró allí, mirándome en el espejo. Me quería morir. ¡Qué vergüenza!**

2.

Resulta que hace unos años estuve en Brasil de vacaciones y fui a un restaurant buenísimo, en Río de Janeiro. Tenía un hambre feroz, entonces pedí dos platos. El mozo me dijo alguna cosa, pero yo no lo entendí. **Al final, llega el mozo con tanta comida que no pude ni acabarme el primer plato. Resulta que allí los platos son enormes. Y el tipo, muy amablemente, puso lo que sobró en una bolsa y me lo llevé.**

3.

Cuando tenía 18 años, durante un tiempo tuve dos novios, Carlos y Andrés, pero ellos no lo sabían, claro. Era muy complicado, porque tenía que inventar millones de mentiras, excusas, historias... El día de mi cumpleaños me confundí y quedé con los dos en el mismo sitio y a la misma hora. Primero llegó Carlos con un ramo de flores... **y luego Andrés, con otro regalo. Cuando lo vi llegar, me puse roja como un tomate y no fui capaz de decir nada. Me quedé tan paralizada que me entró un ataque de risa y me fui corriendo.**

UNIDAD 11. BUSQUE Y COMPARE...

8. UNA PAUSA PARA LA PUBLICIDAD

1.

Lo primero que notas es que los ojos se abren, la boca se abre y no puedes moverte. Intentas pensar en otra cosa, mirar hacia otro lado, pero no puedes. Quieres decir algo, pero no puedes. Cuando por fin reaccionas, solo puedes decir: "Perdona, ¿dónde te has comprado este reloj?" Los relojes "Timex" detienen el tiempo.

2.

¿Cansado de los ruidos, del tráfico y de la contaminación? ¿Harto de la multitud y de las aglomeraciones? ¿Odia la falta de espacio? ¿Busca tranquilidad? Urbanización "Cielo abierto". La casa de sus sueños en plena naturaleza. Solo para unos pocos privilegiados.

3.

¿Vas a clase para principiantes porque allí eres el mejor? ¿Usas zapatos sin cordones para no tener que atártelos? ¿Prefieres tomar dos autobuses que andar diez minutos? Si buscas siempre la máxima comodidad, necesitas un colchón PLEX. PLEX, el descanso más cómodo.

4.

En Suiza, a todo el mundo le gusta el chocolate y esquiar. ¿A qué esperas para descubrirlo? A partir de este mes, vuelos a Ginebra desde 52 euros con FÁCIL AIR. FÁCIL AIR, las tarifas más baratas y el mejor servicio. Viaja con FÁCIL AIR. Te pondremos por las nubes.

UNIDAD 12. MAÑANA

5. SEGURAMENTE

1. ¿Pasarás las próximas vacaciones con tu familia?
2. ¿Irás al cine este fin de semana?
3. ¿Verás la televisión esta noche?
4. ¿Terminarás este curso de español?
5. ¿Te acostarás tarde esta noche?
6. ¿Hablarás mejor español después de este curso?

9. EL FUTURO DE EVA

● Vamos a ver qué es lo que veo para ti... Mira, te irás a vivir a un país extranjero dentro de uno o dos años.
○ ¿Me iré a un país extranjero? ¿Y a hacer qué?
● Pues déjame ver, déjame ver... Será... por trabajo. Te ofrecerán un trabajo muy interesante relacionado con el cine...
○ ¿Sí? ¿Con el cine? Es que soy actriz... ¿Entonces seré famosa algún día?
● Sí, corazón, serás muy famosa y ganarás mucho dinero, te harás muy rica...
○ ¿Y en el amor?
● Vamos a ver... ¡Sí! Mira... conocerás a una persona que te querrá mucho, mucho, pero nunca os casaréis.
○ ¿Y por qué no?

● Ay, cariño, no lo veo... No sé por qué, pero... Espera, espera veo tres hijos... tres. Dos niñas y un niño. Sí, tendrás tres hijos...
○ ¡Pues qué bien! ¿Y ve alguna cosa más?
● No, ya no puedo ver nada más...
○ Bueno, ¿qué le debo?
● No sé. Lo que a ti te parezca...

10. UNA CANCIÓN DE DESAMOR

Lo nuestro se acabó
y te arrepentirás
de haberle puesto fin
a un año de amor.
Si ahora tú te vas,
pronto descubrirás
que los días son eternos
y vacíos sin mí.

Y de noche, y de noche,
por no sentirte solo
recordarás nuestros días felices,
recordarás el sabor de mis besos,
y entenderás en un solo momento
qué significa un año de amor;
qué significa un año de amor.

¿Te has parado a pensar
lo que sucederá,
todo lo que perdemos
y lo que sufrirás?
Si ahora tú te vas,
no recuperarás
los momentos felices
que te hice vivir.

Y de noche, y de noche,
por no sentirte solo
recordarás nuestros días felices,
recordarás el sabor de mis besos,
y entenderás en un solo momento
qué significa un año de amor;
y entenderás en un solo momento
qué significa un año de amor.

MÁS CULTURA / UNIDAD 11

● Duérmete niño, duérmete ya, que viene el Coco y te llevará. Duérmete niño, duérmete ya... Mmm..., mmm...
○ Si tienes el poder de hacer creer lo increíble, imagínate el poder que tienes. Padres, publicitarios, educadores, medios de comunicación, músicos... Todos somos responsables. Fundación de Ayuda contra la Drogadicción. La educación lo es todo.